SUMMA
THEOLOGIAE MORALIS

IUXTA CODICEM IURIS CANONICI

SCHOLARUM USUI

ACCOMMODAVIT

H. NOLDIN S. J.

ab editione XX

A. SCHMITT S. J

COMPLEMENTUM PRIMUM

DE SEXTO PRAECEPTO
ET DE USU MATRIMONII

1951

EDITORIAL HERDER - BARCELONA

SUMPTIBUS FELICIANI RAUCH - OENIPONTE

DE SEXTO PRAECEPTO
ET DE USU MATRIMONII

SCHOLARUM USUI

ACCOMMODAVERAT

H. NOLDIN S. J.

RECOGNOVIT ET EMENDAVIT

A. SCHMITT S. J.

EDITIO XXXII

1951

EDITORIAL HERDER - BARCELONA

SUMPTIBUS FELICIANI RAUCH - OENIPONTE

Index.

Liber primus. De VI. et IX. praecepto.

Liber secundus. De usu matrimonii.

A. M. D. G.

Nihil obstat. El Censor: Dr. Gabriel Solá Brunet, Pbro.

        Barcelona, 9 de octubre de 1944.

Imprímase: † GREGORIO, Obispo de Barcelona.

Por mandaio de Su Excia. Rvma., Dr. Luis Urpí, Maestrescuela, Canciller-Secretari

Liber primus

De sexto et nono decalogi praecepto[1]).

»Non moechaberis«. Ex. 20, 14.
»Non desiderabis uxorem proximi tui«. Ib. 20, 17.

Sextum decalogi praeceptum explicite quidem solum adulterium (moechiam), implicite vero quemcunque abusum *externum* functionis generativae, *nonum* autem praeceptum abusum *internum,* scilicet cogitationibus et desideriis inordinatis commissum prohibet. Haec duo igitur praecepta, quatenus *negativa* sunt, omnem abusum tum externum tum internum prohibent; quatenus vero *affirmativa* sunt, praecipiunt, ut usus functionis generativae ordinetur secundum naturam et fines eiusdem, et secundum dignitatem filii Dei et membri corporis Christi, prout statui vitae cuiusque hominis convenit.

Moechiam prohibens hoc praeceptum prohibet omne id, quod ordinatae propagationi generis humani contrarium est: ad moechiam enim tamquam actum principalem ordinatae propagationi contrarium haec omnia reducuntur.

[marginal note: ADULTERY]

---

[1]) *S. Thomas* II. II. q. 151—156. *S. Alphonsus* l. 3. n. 412—485. *Lessius,* De iustitia et iure etc. l. 4. c. 2. dub. 13—16. *Sporer-Bierbaum,* Theologia moralis decalog. et sacram.[2] (Paderbornae. Typogr. bonifac. 1905) III. tr. IV. n. 467—697. *Lehmkuhl,* Theolog. moralis[12] (Friburgi. Herder. 1914) I. 1025—1051; II. 1053 ss. *Ballerini-Palmieri,* Opus theol. morale[3] (Prati. Giachetti. 1898) II. n. 959—1049. *Göpfert-Staab,* Moraltheologie[8] (Paderborn. Schöningh. 1920) II. n. 210 ff. *Berardi,* Praxis confessionarum[3] (Faventiae. Novelli 1898) I. n. 820—1073. *E. Génicot-Salsmans,* Theologia moralis[10] (Bruxellis. Dewit. 1922) I. n. 386—411. *Antonelli,* Medicina pastoralis (Romae. Pustet. 1908). *Auer,* De virtute castitatis eiusque laesionibus (Oeniponte. Vereinsbuchhandlung. 1920). *Vermeersch,* De castitate et de vitiis contrariis (Romae. Università Gregoriana. Brugis. Charles Bayert. 1919). Theologia moralis t. IV. *Merkelbach,* Quaestiones de cast. et lux. (Liège, La Pensèe Cath. 1927). *Geis,* Kathol. Sexualethik (Paderborn, Bonifatius-Druckerei. 1927). *A. Schmitt,* Grundzüge der geschl. Sittlichkeit (Innsbruck, Tyrolia); Encycl. *Casti connubii* A. A. S. XXII, 539 ss.

Quaestio prima.

De castitate et virginitate.

1. Definitio. *Castitas* est virtus moralis, quae excludit vel moderatur appetitum delectationis venereae.

a. Castitas est virtus annexa temperantiae. Temperantia, quae est una ex virtutibus cardinalibus, moderatur appetitum sensibilem in iis, quae maxime alliciunt, scilicet tum in delectationibus gustus (abstinentia, sobrietas) tum in delectationibus carnis, quae cum generatione coniunctae sunt (castitas). Castitas igitur, quae vitio luxuriae opponitur, est *virtus specialis,* cuius *obiectum materiale* est concupiscentia delectationis venereae. Sicut enim virtus abstinentiae moderatur appetitum, qui fertur in delectationes ciborum, ita virtus castitatis excludit vel moderatur appetitum, qui fertur in delectationes venereas. Castitatis *obiectum formale* consistit in naturali honestate, quae in voluptatibus carnis secundum normam rationis moderandis deprehenditur.

b. Excludit vel moderatur: quilibet enim homo nutrimento uti debet ut individuum conservetur; ideo in definitione abstinentiae a cibo sermo est solum de moderatione. At non quilibet homo generatione uti debet, ut species conservetur; ideo in castitate praeter moderationem etiam exclusio totalis locum habet.

2. Divisio. *a.* Castitas distinguitur in *communem,* quae in quovis vitae statu abstinet a delectatione venerea illicita, et *propriam* determinati status, quae abstinet a delectatione venerea iuxta leges status.

b. Ratione status, cui convenire debet, triplex castitas distinguitur: α. castitas *iuvenilis,* quae abstinet a delectatione venerea ad tempus, scilicet usque ad tempus nuptiarum; β. *coniugalis,* quae abstinet a voluptatibus venereis illicitis in coniugio; γ. *vidualis,* quae post licitum usum delectationis venereae ab ea in posterum abstinet tempore vitae vel usque ad secundas nuptias.

c. Ratione modi, quo servatur, distinguitur castitas *imperfecta,* quae se continet a voluptatibus carnis illicitis et *perfecta,* quae se continet ab omnibus delectationibus carnis etiam licitis in matrimonio.

Continentia vocatur voluntas perseverans servandi castitatem non obstantibus difficultatibus; praecedit ergo et praeparat habitum acquisitum castitatis. Excellentiore modo continentia est studium *perfectae castitatis.*

3. De virginitate. 1. *Virginitas* seu castitas virginalis definitur firmum voluntatis propositum ab omnibus delectationibus venereis tum illicitis tum licitis (in matrimonio) perpetuo abstinendi in subiecto nunquam corrupto.

a. Physiologice solae personae feminei sexus dicuntur virgines, illae scil. in quibus invenitur sic dictum signaculum virginitatis; plerique putant esse tenuem membranam (hymen) quae ostium vaginae partim occludat et in prima copula rumpatur; moderni potius loquuntur de quadam constrictione orificii vaginae, quae per copulam paulatim dilatetur, ita ut solum hinc inde scissio fiat; quidquid sit, absolute certo signum non est, cum etiam priores concedant, eam tam laxam esse posse, ut non scindatur.

Haec est illa virginitas, quae a Pontificali requiritur pro sollemni consecratione virginum in monasteriis, quae solis virginibus reservatur, exclusis etiam honestis viduis et illis, quae invitae corruptae sunt, (nisi forte res occulta mansisset)[1]).

In ordine morali vero etiam viri dici possunt virgines[2]), et in utroque sexu moralis integritas carnis nomine virginitatis appellatur. Nam in eodem actu copulae, quo virginitas physiologica deponitur, etiam vir eundem moraliter actum ponit, eandem delectationem sentit; insuper uterque sexus per actus solitarios simile quid agit. Inde ergo sensu morali integritas carnis pro utroque sexu consistit in *immunitate a plena satisfactione venerea.* Haec inest hominibus a nativitate tanquam donum naturae, fit autem materia virtutis, si *voluntarie* talem actum non admiserunt[3]).

Huic *materiali* elemento accedere debet tanquam *formale:* propositum abstinendi perpetuo, ut ipsa virtus virginitatis habeatur.

b. Duo ergo ad virginitatem pleno sensu acceptam requiruntur, quorum alterum est in mente, alterum autem in corpore: α. voluntatis propositum quod est virginitatis elementum *formale,* quocirca sine proposito servandi perpetuo castitatem exsistere quidem potest actualis virginitas, at nec proprie virtus nec virtutis praemium habetur; β. carnis integritas, quod est virginitatis elementum *materiale.* Virginitas ergo *materialis* in sola integritate carnis consistit, et proinde consensum in delectationem veneream non excludit; virginitas *formalis* in voluntate servandi castitatem consistit, etsi integritas carnis contra voluntatem laedatur.

c. Virginitas a castitate perfecta eo differt, quod virginitas adsignificat subiectum nunquam fuisse libidine corruptum, est ergo castitas perfecta cum integritate carnis coniuncta; castitas econtra ab integritate carnis praescindit, adeo ut castitatem perfectam servare possit, qui antea libidine iam corruptus sit.

d. Votum ad virginitatem non requiritur; plerumque autem voluntatis propositum perpetuo abstinendi ab omni delectatione venerea voto firmatur; ideo scribit *s. Thomas:* »virginitas, secundum quod est virtus, importat propositum *voto* firmatum integri-

---

[1]) Cf. *Lessius,* De iust. et iure l. 4. c. 2. n. 120. *Ballerini-Palmieri* II. n. 1048.

[2]) Cf. Apoc. 14, 4, ubi viri virgines laudantur.

[3]) Cf. Rituale rom. tit. 6. c. 7. Ex his intelligitur discrimen inter votum virginitatis et votum castitatis perfectae. Votum virginitatis primo sensu acceptae est promissio abstinendi ab illo actu (coniugali nempe), quo integritas carnis laeditur; votum virginitatis altero sensu acceptae a voto castitatis perfectae eo solum differt, quod hoc votum directe et formaliter non continet promissionem illaesam servandi integritatem corporis, econtra votum virginitatis directe et formaliter hanc quoque promissionem involvit.

tatis perpetuo servandae«[1]). Addito hoc voto *status virginitatis* habetur.

2. *Num virginitas sit specialis virtus a castitate distincta,* controvertitur; dicendum videtur eam esse magis *perfectionem* castitatis. Nam quoad elementum materiale, integritatem scil. carnis, nil est nisi effectus servatae castitatis; elementum autem formale, i. e. voluntas servandi integritatem eligitur aut ex ipso motivo castitatis, aut ex motivo religionis vel caritatis, quo in casu exercitium virtutis castitatis ordinatur ad altiorem virtutem.

MODESTy

a. Pudicitia ex. s. Thoma non est virtus specialis a castitate distincta, sed est ipsa castitas, prout moderatur quosdam actus minus principales, ad concupiscentiam carnis pertinentes, qui actum principalem (copulam carnalem) antecedunt et concomitantur, scilicet *aspectus, tactus, oscula, amplexus, sermones turpes* etc. Castitas ergo duo includit: *puritatem* (Reinigkeit) seu abstinentiam ab illicita effusione seminis; et *pudicitiam* (Schamhaftigkeit) seu abstinentiam ab omni actione, quae ad luxuriam inducit.

b. Pudicitia a pudore dicitur. *Pudor* (Schamgefühl), qui potissimum horret denudationem corporis, non ex sola assuetudine vel educatione oritur, sed a natura inditus est, ita ut etiam in fere omnibus barbaris et incultis gentibus reperiatur, et in feminis quidem maioris intensitatis et perfectionis quam in viris; finis autem, propter quem a Deo inditus est, hic est, ut sit custos innocentiae hominemque iuvet in refrenando appetitu carnali. Quam ob rem hinc quidem curandum est, ut in adolescentibus pudor excitetur, excolatur et conservetur, inde vero ut omnia removeantur, quae pudicitiam offendere, imminuere et paulatim penitus exstinguere possunt.

4. Quomodo virginitas amittatur. *Virginitas* multiplici modo *amitti potest:* formaliter vel materialiter, reparabiliter vel irreparabiliter.

a. Virginitas solum *formalis* amittitur: α. per quodvis peccatum mortale sive externum sive internum contra castitatem commissum; β. per intentionem nubendi i. e. per voluntatem, ineundi et consummandi matrimonium; per solum autem matrimonium sine voluntate illud consummandi virginitas non amittitur.

b. Virginitas etiam *materialis* amittitur per voluntariam violationem carnis; in viris ergo per voluntariam pollutionem, in feminis per claustri virginalis effractionem in copula carnali. Per violationem carnis involuntariam prout accidit in viris per seminis effusionem in somnis, non amittitur; in feminis vero per violentam oppressionem coram Deo quidem non amittitur, in facie ecclesiae autem eiusmodi virgines corruptae censentur[2]).

---

[1]) *Summa* II. II. q. 152. a. 3. ad 4.
[2]) Cf. *A. Eschbach,* Disputationes physiol. theologicae[2] (Romae. Desclée. 1901) disp. 5. c. 2. a. 2.

Utraque ergo virginitas amittitur per actionem voluntariam, quae corporis integritatem laedit; ergo in viris per seminis effusionem sive solitariam sive cum copula; et in feminis tum per copulam tum per aliam plene voluntariam satisfactionem completam. In facie ecclesiae tamen femina manet virgo, quamdiu claustrum virginitatis per copulam non fuit violatum, et vir manet virgo, quamdiu feminam carnaliter non cognovit.

c. Virginitas amittitur *α. irreparabiliter* per actum voluntarium, quo corporis integritas laeditur; ergo per copulam voluntariam et per voluntariam pollutionem: sicut enim uno peccato mortali irreparabiliter amittitur innocentia, ita uno actu luxuriae consummatae irreparabiliter amittitur virginitas, quae significat integritatem carnis nunquam voluntarie laesam; *β. reparabiliter* per voluntatem nubendi et matrimonium consummandi et per quodvis peccatum mortale luxuriae non consummatae: manet enim integritas carnis, virtus autem amissa aut retractatione aut poenitentia recuperari potest.

a. Disputant quidem, utrum *per actus impudicos* voluntarie admissos sine plena satisfactione virginitas amittatur reparabiliter an irreparabiliter. Verum cum *Lessio* (n. 121) dicendum videtur per eiusmodi tactus virginitatem non amitti irreparabiliter; quamdiu enim servatur integritas carnis, virtus irreparabiliter non amittitur.

b. Virginitas ergo irreparabiliter non amissa *recuperari potest* *α.* per propositum denuo elicitum perpetuo servandi virginitatem, si sola mutatione propositi amissa fuit; *β.* per poenitentiam, si virginitas servata integritate carnis solum per peccatum mortale contra castitatem amissa est: quodsi integritas carnis amissa est, virginitas recuperari amplius non potest.

Nota. Si poenitens, qui contra castitatem peccavit, interrogat, num virginitatem .irreparabiliter amiserit, ordinarie praestat hoc non aperte declarare, sed prudenter dissimulare e. g. dicendo omne peccatum per poenitentiam reparari posse, ne poenitens animum despondens atque afflictus curam conservandae castitatis negligat.

Quaestio secunda.
De luxuria in genere.

Articulus primus.
De natura luxuriae.

5. Declarationes. Duplex potissimum est propensio ab auctore naturae homini indita, propensio in conservationem individui et propensio in conservationem et propagationem speciei. Medium conservandi individuum est nutritio, medium conservandi et propagandi speciem est commixtio sexuum in legitimo matrimonio. Sicut auctor naturae ad facilius et certius obtinendum finem conservationis nutritioni addidit delectationem gustus, ita ad facilius et certius obtinendum finem propagationis commixtioni sexuum addidit delectationem veneream carnis. *Luxuria* est inordinatus appetitus vel usus delectationis venereae.

In hac definitione per verba *appetitus vel usus* actus interni et externi luxuriae comprehenduntur. *Inordinatus* est, quia fit contra finem a natura intentum, quae est generatio prolis, ut contingit e. g. in pollutione. *Venereum* seu *res venerea* proprie id dicitur, quod proxime ad generationem pertinet: copula, effusio seminis seu pollutio et delectatio venerea. Si res venerea latius accipitur, adeo ut integram materiam luxuriae comprehendat, ad eam pertinent etiam ea, quae ad copulam et pollutionem disponunt: tactus et aspectus obscoeni et cogitationes impurae. Ad declarandam itaque luxuriae naturam praestat imprimis tum membrorum tum actionum, quae generationi inserviunt, brevem descriptionem ex physiologia desumptam exhibere[1].

1. *Organa,* quae *in mare* ad generationem perficiendam inserviunt, potissimum tria sunt: testiculi, vesiculae seminariae et membrum virile seu fistula urinaria, quae etiam virga vocatur. Et in *testiculis* quidem post inceptam pubertatem semen virile seu sperma elaboratur, quod elaboratum in *vesiculas* transmittitur, et suo tempore eiaculatur seu eiicitur; eiicitur autem per *fistulam* urinariam seu *membrum virile*. *Semen* ipsum est humor viscosus, in quo corpuscula continentur, quae spermatozoïda appellantur. Per spermatozoïda, quae continet, semen fit prolificum. Praeter semen in testiculis (et ovariis) alia secretio interior (hormona) elaboratur, quae in sanguinem transmissa libidinem regulat et influxum exercet in differentias sexuales etiam secundarias.

---

[1] Cf. *Olfers,* Pastoralmedizin[3] (Freiburg. Herder. 1911) S. 8 f. *Eschbach* l. c. disp. 1. c. 2—5. *Antonelli* l.' n. 76—90.

2. *Organa,* quae in *femina* ad generandum hominem destinata sunt, pariter tria numerantur: *ovaria,* in quibus inde ab annis pubertatis singulis mensibus ovulum maturescit; *uterus* seu matrix (Gebärmutter) cum oviductu (Eileiter), per quem ovum iam maturum ex ovario decisum lente progreditur atque in uterum transmittitur, tandem *vagina* seu quidam canalis, qui ex utero usque ad externam corporis superficiem protenditur. Os eius tenui pellicula, quam *hymen* vocant, occluditur, vel secundum alios versus os vaginae membrana interior constringitur, ita ut partim occlusa videatur; vocatur signaculum seu claustrum virginitatis.

De menstruatione. 1. In feminis peculiare phaenomenon notandum est, quod *menstruationem* vocant. Hoc nomine significatur fluxus sanginis, quem feminae ex organis genitalibus singulis mensibus patiuntur, *fluxus menstruus* (menses) propterea dictus. Per vaginam sanguis menstruus effluit, cuius hymen hanc ob causam perforatus est. Tempore pubertatis menstruatio incipit et usque ad quinquagesimum circiter aetatis annum, quo tempore fecunditas cessare solet, perdurat. Physiologice hoc phaenomenon in hunc modum explicatur. Ubi ovulum ex ovario decisum est, (circa medietatem cycli menstrui) in ovario formatur corpus luteum, quod sua secretione influit in uterum praeparandum pro foecundatione, et si haec locum non habet, ad evacuandum uterum; partes decisae epithelii cum sanguine guttatim per organa genitalia effluunt. Fluxus iste ordinarie per duos vel tres, quandoque etiam per plures dies perdurat[1]). Quandoque mulierum affecta valetudo postulat, ut fluxus menstruus arte, ope scilicet medicamentorum, provocetur, quod quidem moraliter licitum est, quia hunc fluxum nulla comitatur delectatio venerea; quandoque, si nimis frequens est, etiam regulandus erit. Diuturnior irregularis plerumque signum est status morbosi.

2. Porro notandum est feminas tempore fluxus menstrui, praesertim primis, quibus eum experiuntur, annis, vehementes nervorum irritationes pati aliisque incommodis vexari. Fieri autem non potest, quin hae corporis alterationes in vitam moralem influxum exerceant. Et sane variis affectibus praesertim vero iracundiae, anxietatis (scrupulorum) et tristitiae, quae usque ad melancholiam quandoque augetur, eo tempore agitantur. Quapropter indulgentius ac benignius tunc tractandae et propter defectus commissos non carpendae, sed potius ad constantiam in bonis propositis monendae sunt[2]).

---

[1]) Cf. *Olfers,* Pastoralmedizin[2] S. 87. — [2]) Cf. *A. Eschbach* l. c. disp. 1. c. 3. a. 1. *Olfers,* Pastoralmedizin[2] S. 87.

6. Actus generationis. 1. Novi hominis origo postulat, ut ovum femineum a semine virili fecundetur; quare absque unione et commixtione utriusque sexus homo naturaliter generari non potest. Haec unio et sexuum commixtio copula carnali seu concubitu perficitur; scilicet vir membrum virile in vas femineum seu in vaginam immittere et semen in inferiorem eius partem effundere debet. Spermatozoa dein propria sua motione in uterum et ulterius in oviductus progrediuntur. Hac duplici actione, penetratione vasis muliebris et seminatione virili, copula ex parte viri absolvitur. Iam si sperma seminis virilis cum ovulo femineo coniungitur illudque penetrat, ovum fecundatur, adeo ut organismus individui humani ex eo formari atque evolvi possit. Quoniam autem vas femineum per hymen clausum est, patet primo concubitu signaculum virginale virili membro rumpi atque ideo virginem deflorari.

Ex his patet discrimen inter generationem activam et passivam. Siquidem *activa generatio* in copula carnali consistit in actione, qua membrum virile in vas (vaginam) feminae immittitur et semen ibidem effunditur; haec a voluntate humana pendet et ordinata esse debet, i. e. ita poni, ut ad finem suum apta sit; *generatio passiva* consistit in unione seminis virilis cum ovulo femineo in organis mulieris seu in fecundatione; haec altera sponte accidit, proinde ad ordinatum usum nil refert, an sequatur necne. Vir igitur ad generationem eo concurrit, quod semen praebet; mulier vero eo, quod ovum subministrat et semine virili fecundandum permittit. Si mulier tempore copulae ovum habet maturum et semen virile ovo occurrit, semen cum ovulo coniungitur et hoc modo ovum fecundatur, unde fit conceptio seu individui humani generatio.

2. Differentia autem utriusque sexus non in solis organis corporalibus, sed et in parte sensitiva et rationali habetur. Quo fit, ut mas et femina naturae ductu trahantur ad se complendos et perficiendos in mutua unione et traditione totius personae. Et sicut quaelibet tendentia in bonum sibi proprium obtento bono delectationem affert, ita haec unio et mutua traditio maxima delectatione tum spirituali, tum sensibili, tum corporali coniuncta est. Cum autem quaelibet delectatio sit propter actum, etiam moralitas eius a moralitate actus pendet. Si actus est moraliter ordinatus et bonus, etiam delectatio bona est. Ita haec mutua completio et perfectio cum sua delectatione etiam a Deo intenta est, et ideo etiam finis copulae vocatur. Si autem generatio et educatio

prolis dicitur finis primarius, et mutua perfectio finis secundarius, significatur: hanc mutuam perfectionem non esse ordinatam, nisi in matrimonio generationem quantum est in hominis potestate, permittat. Delectatio autem praesertim corporalis homines etiam allicit ad abusum functionis generativae, et tunc sermo est de delectatione venerea prohibita.

Praeter supradictos fines intrinsecos in contrahendo matrimonio etiam fines extrinseci intendi possunt, ut: augmentum divitiarum vel negotii, generis splendor et propagatio, forma corporis, morum similitudo etc.

7. Delectatio venerea, quae etiam carnalis vel libidinosa dicitur, est delectatio orta ex commotione organorum et humorum generationi inservientium. Natura sua est *actus appetitus sensitivi,* cui placet sensus voluptuosus in organis genitalibus exsistens; sed ipse etiam *sensus* voluptuosus delectatio venerea dici potest.

Delectatio definitur quies seu complacentia appetitus in bono praesenti seu possesso. Natura sua igitur delectatio est actus appetitus, qui sibi complacet de aliquo bono. Homo per diversas potentias, quibus instructus est, bonum suum assequitur; bonum spirituale per potentias superiores, bonum sensibile per potentias inferiores, illudque assequitur, eo quod potentia obiectum sibi conveniens attingit et activitate sua circa illud versatur. Iam vero quoties potentia humana quaecumque sive rationialis sive sensitiva circa obiectum suum agendo versatur, oritur in appetitu delectatio; in voluntate quidem, si intellectus, in appetitu sensitivo, si sensus suum obiectum possidet. Sed etiam ipsa potentia in obiecto tamquam in bono suo quiescit, et potentiae quidem intellectuales spiritualiter, sensitivae vero sensibiliter in eo quiescunt, i. e. possessio obiecti cum grato quodam affectu et sensu potentiae coniuncta est. Iam vero non solum complacentia appetitus, sed etiam gratus iste affectus et sensus, quo potentia suo obiecto fruitur, ad delectationem pertinet eiusque obiectum constituit. Pro diversa ergo ratione bonorum, quae homo appetit et ope potentiarum suarum acquirit et possidet, diversa distinguitur delectatio in appetitu sive superiore sive inferiore.

a. Delectatio pure spiritualis est delectatio, quae oritur ex cognitione alicuius rei, ut quando quis gaudet de cognitione diu quaesita alicuius veritatis; vel oritur ex ipsa re cognita, ut quando quis gaudet de veritate, cuius pulchritudinem cum delectatione considerat. Haec delectatio tota residet in voluntate, cui placet cognitio veritatis vel ipsa veritas cognita, et moraliter bona vel mala est, prout id, quod placet bonum vel malum est.

b. Delectatio sensibilis est delectatio orta ex perceptione obiecti sensibilis, quod potentiae sensitivae apte proportionatum est. Haec delectatio natura sua est grata et amoena affectio, quae in ipsis organis sensuum percipitur e. g. ex olfactu floris, ex aspectu coeli, ex auditione musicae, ex gustu sachari, ex tactu rei lenis etc. de qua quidem affectione delectatur appetitus sensitivus. Tac-

tus vel visus in his placet et per se quidem absque commotione
venerea; ideo haec delectatio per se indifferens est.

  c. Delectatio venerea vel carnalis est delectatio orta ex commotione organorum generationi inservientium. Excitari potest non
solum contrectatione harum partium, sed etiam aliarum, immo
etiam per alios sensus et phantasiam. Percipitur primario in partibus genitalibus, (in viro praesertim in glande, in muliere in cli-
tori, vagina vel etiam in utero) participantibus etiam aliis corporis partibus et animi affectu grato.

  d. Praeterea existunt *delectationes quasi intermediae;* sic
amor personae alterius sexus, si fundatur in qualitatibus spiritualibus, potest afferre pure spiritualem, potest vero etiam redun-
dare in appetitum sensitivum et delectationem *spiritualem sensibilem* secum ferre, quae per se moraliter indifferens est, ut habetur
in amore matris ad filium, inter fratres et sorores, inter veros
amicos, qui non quaerunt corporales demonstrationes, sed tranquille
delectantur in qualitatibus intellectualibus, moralibus, supernaturali-
bus. Sed inter alias personas, praesertim si fundatur in qualitatibus
corporalibus et quaerit delectationes sensibiles, similis fit amori
coniugali et periculum maius vel minus delectationis venereae
inducit.

  Simili modo delectatio sensibilis potest esse *pure sensibilis,*
quae oritur ex obiecto, quod ex se non est aptum ad excitandum
sensum venereum ut delectatio orta ex olfactu floris, ex tactu
rosae; et *sensualis* (sensibilis-carnalis alii dicunt), quae oritur ex
obiecto, quod ex se aptum est ad provocandum sensum venereum,
ut delectatio orta ex tactu vel osculo feminae, pueri, puellae. Etiam
haec tota residet in appetitu sensitivo, vehementior evadit, si oritur
ex visu, tactu, amplexu, osculo personae tenero affectu adamatae,
et coniuncta est cum aliqua delectatione carnali, proinde mixta est
et non amplius potest dici indifferens.

  Denique praeter delectationem cuilibet sensui propriam existit
etiam aliqua delectatio *sensibilis communis,* quae in toto corpore
sentitur ex commotione vel pressione sanguinis vehementiore, agi-
tato pulsu cordis et anhelitu, varia affectione nervorum et muscu-
lorum. Haec affectio potest haberi iam in expectatione, repraesentatione, magis adhuc in praesentia personae vel rei, quae spiritualiter vel sensibiliter delectat. Sed cum similis affectio corporis
etiam delectationem carnalem comitetur, hanc excitare potest. Constituit ergo periculum delectationis venereae plus vel minus grave,
prout subiectum vel obiectum vel utriusque relatio plus vel minus
disponit.

  8. Distinctio delectationis venereae. 1. Delectatio venerea duplex esse potest: completa et incompleta. *Completa*
ea est, quae naturam satiat, quae scilicet usque ad ultimum
terminum, qui in re venerea possibilis est, procedit; *incompleta* ea est, quae naturam non satiat, quae scilicet ex
turpi commotione oritur, quin ad ultimum terminum procedat.

  a. Si organa, quae generationi inserviunt, excitantur, ex eorum
irritatione et commotione delectatio venerea percipitur. Omnis
autem commotio membrorum genitalium eo tendit, ut per copulam

cum altero sexu vel alio modo satisfactio plena obtineatur, quae
in resolutione seminis habetur; quodsi commotio usque ad hunc
terminum effusionis non procedit, delectatio venerea incompleta
habetur.

b. Etsi pueri ante pubertatem semen virile nondum habent,
tamen capaces sunt delectationis carnalis completae: ex turpi enim
commotione usque ad ultimum terminum aucta haec delectatio percipitur et coniuncta est cum effusione humoris glandularum absque spermatozois.

c. Pari modo feminae, quae verum semen non habent, delectationem veneream completam ex commotione membrorum genitalium
percipere possunt. Delectatio, quae naturam satiat, in feminis cum
separatione cuiusdam humoris (vaginalis vel glandularum) coniuncta est, qui modo ad extra, modo solum in interiores partes, in
uterum seu matricem diffunditur. Haec humoris secretio a veteribus, qui ovulum nondum noverant, seminatio feminea vocabatur,
et extra copulam provocata pollutio feminea. Sed immerito: nam
nullo modo comparari potest cum semine viri, ac si essentiale elementum foecundationis sit; ad summum foecundationem iuvat; sed
sunt mulieres, qui talem secretionem numquam senserunt, et tamen
gravidae evaserunt.

9. Luxuria proprie est abusus facultatis generativae
contra ordinem a Deo statutum. Quod autem allicit ad talem abusum, est. delectatio venerea; unde, quamvis delectatio sit propter actum et ab eo habeat moralitatem, factum
est, ut a plerisque auctoribus luxuria definiatur inordinatus
usus vel appetitus delectationis venerae.

a. Ordo naturae a Deo statutus is est, ut usus delectationis
venereae solum in legitimo matrimonio et iuxta matrimonii leges
fiat: delectatio enim est propter actum, et haec quidem propter
actum generationis, qui solum in legitimo matrimonio licite perfici
potest. Consistit ergo luxuria in delectatione venerea voluntarie
admissa extra matrimonium, vel in matrimonio quidem, sed extra
matrimonii leges.

b. Delectatio proprie in appetitu sensitivo est et pro obiecto
habet sensum venereum; sensus autem venereus in ipsis membris,
quae generationi inserviunt, percipitur; plerumque tamen idem iste
sensus libidinis delectatio venerea dicitur. Peccatum luxuriae consistit in eius voluntario appetitu vel usu contra ordinem naturae.

c. Impudicitia est voluntaria occupatio circa ea, quae delectationem veneream inducunt sive cogitatione, sive aspectu, sive
tactu (osculo, amplexu) vel permissu horum. Ergo in actibus
impudicitiae delectatio venerea per se non continetur nec est necessario cum eis coniuncta, sed hi actus eius periculum et frequenter eam reipsa inducunt.

10. Divisio luxuriae. *a*. Luxuria vel est *completa*
(consummata), si ad ultimum terminum naturalem pertingit; vel *non-completa,* si ultimum terminum naturalem non
attingit. Quando ultimum terminum naturalem attingit, in

viris effusio seminis, in feminis ordinarie effusio humoris vaginalis intervenit.

Luxuria completa et incompleta tum viri, tum feminae specifice ab invicem distinguuntur, sicut in qualibet materia (furto homicidio) actus plene perpetratus ab inchoato.

b. Luxuria *completa vel consummata* vel est *iuxta naturam,* si effectus generationis per se possibilis est; *contra naturam,* si effectus generationis per se impossibilis est.

c. Luxuria *non-completa* vel est luxuria *proprie dicta,* in qua ipsa delectatio venerea habetur, vel *impudicitia,* in qua delectatio venerea non habetur.

d. Impudicitia vel est *interior,* quae in actibus internis luxuriam provocantibus phantasiae, intellectus et voluntatis consistit, vel *exterior,* quae in actibus externis luxuriam provocantibus consistit.

e. Luxuria ratione intentionis alia est *directe,* alia *indirecte* volita. Illa habetur, quando delectatio venerea in se intenditur: haec habetur quando in se aliud (e. g. aspectus, lectio) intenditur, ex quo praeter intentionem delectatio carnalis oritura praevidetur.

Articulus secundus

De malitia luxuriae.

11. Principia. <u>Propria malitia luxuriae in eo consistit, quod homo propter delectationem veneream abutitur facultate generativa contra eius finem.</u>✷

1. <u>Luxuria directa et in se volita grave peccatum est.</u> *a.* Grave peccatum est, in re magni momenti ordinem a Deo et natura statutum pervertere; ordo autem et finis intrinsecus facultatis generativae iste est, ut in actum deducatur solum a duobus in unum principium generationis et educationis stabiliter coniunctis, et eo modo, quo generatio sequi possit, quod certe est res magni momenti; atqui hic ordo per luxuriam pervertitur. *b. Gravis* inordinatio est, aliquid, quod ordinatur in bonum speciei et novi hominis existentiam, pro solo commodo privato usurpare; gravis inordinatio est, in re magni momenti rationem suam subordinare passioni concupiscentiae. Atqui hoc

✷ Metaphysical contradiction to use a means as an end in se, + thereby not attain the end.

fit, ubicunque delectatio venerea extra matrimonium directe intenditur. *c.* Insuper graviter illicitum est, quod, si non prohiberetur, in gravissimum damnum cederet generis humani; atqui si homines licite possent frui delectatione venerea et hac ratione concupiscentiam sedare extra matrimonium, onera matrimonii cum gravissimo detrimento generis humani plerique recusarent, nec sufficienter provisum esset bono speciei, i. e. propagationi generis humani. *d.* Ideo cuiusvis generis luxuria graviter a Deo prohibetur, cum numeretur inter peccata, quae a regno Dei excludunt. *Manifesta sunt opera carnis, quae sunt fornicatio, immunditia, impudicitia, luxuria . . . qui talia agunt, regnum Dei non consequentur*[1]). *Omnis fornicator aut immundus . . . non habet hereditatem in regno Christi et Dei*[2]). *Nolite errare, neque fornicarii . . . neque adulteri, neque molles, neque masculorum concubitores . . . regnum Dei possidebunt*[3]).

a. Etsi hisce textibus non omnia peccata luxuriae enumerentur, ex iis tamen colligitur omnia esse gravia, tum quia generice *opera carnis,* tum quia supremae luxuriae species, *actus* scilicet *perfecti* (pollutio, sodomia, fornicatio) et *actus imperfecti* (immunditia, impudicitia) tamquam peccata gravia exhibentur[4]).

b. Quamvis peccatum luxuriae non censeatur inter peccata mortalia graviora, ei tamen, si ab homine christiano patratur, convenit peculiaris quaedam foeditas, quae in aliis peccatis non reperitur, eo quod hocce peccatum in proprio corpore committatur. Corpus enim christiani in baptismo Christi sanguine ablutum, per inhabitantem Spiritum Sanctum Dei templum factum est; per peccatum autem luxuriae hoc corpus, sacramentorum, praesertim eucharistiae, receptione sanctificatum, quippe quod obiectum fiat peccati, profanatur atque exsecratur[5]).

2. <u>Delectatio venerea *directe volita non admittit parvitatem materiae,*</u> ideoque semper, quantumvis exigua et brevis, mortale peccatum est. Nam in qualibet, etiam brevi et exigua delectatione venerea tota illa inordinatio invenitur, de qua supra dictum est. Insuper quaevis delectatio venerea directe quaesita vel libere admissa, quamvis exigua hominem exponit proximo periculo graviter peccandi; delectatio enim venerea semel libere admissa vel quaesita naturali vi et necessario rapit ad delectationem completam[6]).

---

[1]) Gal. 5, 19 ss.   [2]) Eph. 5, 5.   [3]) 1. Cor. 6, 9 ss.
[4]) Cf. *Ballerini-Palmieri* II. n. 965.   [5]) Cf. 1. Cor. 6, 11—19.
[6]) Propositio 40. ab *Alexandro VII* damnata: *Est probabilis opinio, quae dicit, esse tantum veniale osculum habitum ob delectationem carnalem et sensibilem, quae ex osculo oritur, excluso periculo consensus ulterioris et pollutionis* (DB 1140). Non

a. Ergo quaelibet actio, quae hac intentione ponitur, ut per
eam excitetur et percipiatur voluptas venerea, etsi brevis et exigua,
est grave peccatum, sive haec actio in se est honesta sive inhonesta: prava enim intentio graviter peccaminosa est. Ratio, ob
quam alia quidem peccata, quae homo contra se ipsum vel contra
proximum committit, parvitatem materiae admittant, peccata autem
luxuriae eam non admittant, haec est, quod in peccatis v. g. contra
iustitiam vel caritatem materia ita decrescere potest, ut non amplius
habeatur tota deordinatio, quia alter non est graviter rationabiliter
invitus vel tristis. Praeterea illa in parva materia admissa non
coniiciunt in proximum periculum graviter peccandi, haec vero ob
summam humanae naturae propensionem in delectationes carnis
in eiusmodi periculum coniiciunt. Quod quidem periculum innuit
etiam s. scriptura: *multos enim vulneratos deiecit, et fortissimi quique interfecti sunt ab ea*[1]).

b. Sunt, qui etiam ex ipsa huius vitii natura ostendant, exiguam delectationem deliberate quaesitam gravem laesionem ordinis
moralis continere. Quaevis enim delectatio venerea (ita ipsi) oritur
ex commotione seminis, quae commotio naturaliter pollutionem
causat, immo inchoata pollutio dici debet; quod ergo de malitia
pollutionis affirmatur, eam nempe grave peccatum esse, idem etiam
de naturali eiusdem causa et inchoatione affirmandum est. Patet
hoc argumentum valorem universalem non habere, cum percipiatur
delectatio venerea, quae non sit inchoata pollutio, in iis nempe,
qui, utpote semine carentes ut pueri, eunuchi, pollutionis non sunt
capaces.

c. Non desunt auctores, praesertim inter antiquiores, qui
opinantur esse parvitatem materiae in delectatione venerea directe
quaesita vel admissa. Anno 1612 praepositus generalis societatis
Iesu, *Claudius Aquaviva*, severissime praecepit, ne quis in societate
Iesu hanc opinionem haberet non modo ut veram aut probabilem,
sed ne ut tolerabilem quidem. Ex illo tempore haec sententia,
non esse parvitatem materiae in delectatione venerea directe quaesita, inter moralistas facta est communissima. Sunt tamen, qui
negent huius sententiae veritatem ex argumentis prolatis specula-
tive probari. Quidquid sit de rationibus theoreticis, quibus opinio
admittens parvitatem materiae probatur falsa et improbabilis,
practice certo falsa est nec satis tuta[2]).

3. In delectatione venerea *indirecte tantum volita admitti debet parvitas materiae.* In hoc namque casu consensus voluntatis solum fertur in causam, quae delectationem provocat et excitat; eius ergo malitia desumenda est
ab influxu in delectationem veneream; atqui sunt causae,
quae leviter tantum influunt in commotionem turpem; has
ergo causas velle leve tantum peccatum contra castitatem
constituit.

---

consentiunt quidem auctores in exponendo sensu huius propositionis. Secundum *Viva* falsa est, quia affirmat delectationem veneream (haec enim est *carnalis* delectatio propositionis) ex osculo
quaesitam venialem esse, si exclusum sit periculum ulterioris consensus et pollutionis.   [1]) Prov. 7, 26.

[2]) Cf. *Sporer-Bierbaum* III. tract. 10. n. 690.

12. Principium de gravitate delectationis venereae in causa volitae. Delectatio venerea indirecte seu in causa volita tantum est peccatum, quantum est ipsa causa in genere luxuriae. Si ergo causa grave peccatum est in genere luxuriae, effectus turpis delectationis in grave peccatum, si causa in genere luxuriae leve peccatum est, effectus delectationis in leve peccatum imputatur. Iam vero grave peccatum in genere luxuriae est quaelibet actio, quae natura sua in excitandam libidinem graviter influit et ita quasi inchoatio illius est; in genere luxuriae leve peccatum est actio, quare natura sua leviter tantum in excitandam libidinem influit.

a. Delectatio venerea in causa volita habetur qualibet actione deliberate posita, quae causatura praevidetur commotionem turpem et delectationem veneream sive incompletam sive completam, quin tamen iste effectus intendatur. Iam quaeritur de gravitate peccati luxuriae, quod ab eo committitur, qui ponit causam excitantem delectationem, qui e. g. legit obscoena vel balneo utitur, etsi praevideat secuturam commotionem veneream. Atqui gravitas peccati luxuriae, quod eiusmodi causam ponens committit, non desumitur ex gradu malitiae, quae ex se inest actioni causanti turpem delectationem, sed ex gravitate *influxus*,* quem haec actio in illam excitandam exercet. Ideo fieri potest, ut actio causans delectationem in se grave peccatum sit, ratione luxuriae autem leve tantum. Sic si quis se inebrians praevidet pollutionem in ebrietate secuturam, inebriatio in se est grave peccatum, ratione luxuriae autem leve, quia leviter tantum in eam influit.

[margin: BATHING PLACE]

b. Sunt actiones, quarum aliae turpem motum causant *per se*, aliae eum causant *per accidens.* Per se illum causant actiones, quae natura sua aptae sunt ad excitandam delectationem veneream et proinde ad generationem ordinantur ut aspectus, tactus, imaginatio turpis (ergo in genere: luxuria incompleta vel impudicitia); per accidens illae, quae ad generationem nullo modo pertinent. Sunt homines, qui ex actionibus (imaginatione, aspectu), quae ad venerea nullatenus referuntur, occulta vi vehementer excitantur. Actionum, quae turpem motum per se causant, aliae natura sua *proxime et notabiliter* in illum effectum influunt, ex quibus scilicet semper aut fere semper turpis effectus sequitur; aliae natura sua *remote et leviter* tantum in motum turpem influunt, ex quibus nempe raro malignus effectus oritur. Actiones, quae extra genus luxuriae sunt et solum *per accidens* turpem motum excitant ut immoderate comedere et libere equitare, balneo uti, certo situ sedere vel cubare etc., illis actionibus accensentur, quae remote et leviter tantum in turpem effectum influunt; quodsi quandoque graviter influant, id non ex natura actionis sed ex complexione subiecti procedit.

Nota 1. Sunt auctores, qui causas *per accidens* influentes ita distinguunt ut eas, quae ex speciali dispositione subiecti vehementer excitant, graviter illicitas dicant, si rarae sunt et facile caveri possunt, leviter vero illicitas, si frequentes sunt et ideo sine maximo incommodo caveri non possunt. Sunt e. g. qui ex aspectu pedis feminei, sunt, qui ex aspectu iugulationis animalium vehe-

---

* This gravity of influx is a metaphysical business and depends upon the extent to which the bad effect may normally be expected to follow.

menter excitentur. Qui priore aspectu sine causa delectantur, leviter, qui posteriore, ex hac sententia graviter peccant. Verum omittenda est haec distinctio, cum gradus malitiae, quae eiusmodi actionibus inest, non ex actuali influxu, quem in particulari casu exercent, sed ex influxu, quem ex natura sua exercent, desumenda sit; ex se et ex sua natura autem eiusmodi actiones nullatenus aut leviter tantum influunt et solum per accidens in determinato individuo peiorem effectum producunt.

Nota 2. Quoad propositionem istam de gravitate delectationis venereae in causa volitae haec moneri debent: α. Supponitur non adesse iustam causam ponendi actionem, ex qua oritura praevidetur turpis commotio: exsistente enim eiusmodi causa licet actionem ponere. β. Supponitur non adesse consensum in evenientem delectationem: omnis enim eiusmodi consensus grave peccatum est. γ. Actio, quae causatura praevidetur carnalem delectationem, sine causa posita peccatum est, etsi pravus effectus reipsa non sequatur; quodsi iste effectus sequitur, non solum actio in se peccaminosa est, sed etiam pravus effectus agenti imputatur, et quidem sub gravi vel levi, prout causa graviter vel leviter in eum influit. δ. Quod hic de causa delectationis venereae statuitur, valet etiam de causa pollutionis: nam eadem actio, quae excitatura praevidetur commotionem veneream, in iis, qui pollutionis capaces sunt, causare potest etiam pollutionem seu commotionem cum pollutione coniunctam.

13. Corollaria. Delectatio igitur venerea (vel pollutio) in causa volita grave est peccatum, si ipsa causa ex se graviter in turpem commotionem influit. Sed experientia constat ab una eademque actione non omnes aequali modo commoveri: quod enim iuvenem vel calidum vehementer excitat, id senem vel frigidum parum aut nullatenus ad libidinem movet. Hinc ad taxandum peccatum, quod delectatione indirecte voluntaria in particulari casu committitur, haec notanda sunt:

a. Actiones, quae natura sua graviter excitant, semper grave peccatum sunt, et ideo sub gravi caveri debent, excepto solo casu, quo quis experientia certo sciat se eiusmodi actione graviter non commoveri.

Actiones graviter excitantes e. g. sunt: »cogitatio practica vivacior de venereis; tactus in partes obscoenas alterius personae exercitus, nisi forte prorsus transeunter fiat in persona eiusdem sexus sine pravo affectu; aspectus personae plane nudae alterius sexus voluntarie continuatus; immo etiam aspectus viri in pectus nudum feminae, aut aspectus picturae obscoenae, saltem si continuatur commotione iam exorta«[1]).

b. Actiones, quae natura sua leviter tantum commo-

---

[1]) *Lehmkuhl* I. n. 1031.

vent, nunquam grave peccatum sunt, ne in illo quidem, qui forte propter subiectivam dispositionem vehementius se excitari sciat; ideo nemo sub gravi eas cavere tenetur.

Actiones leviter commoventes e. g. sunt: »tactus vel aspectus in partes inhonestas proprii corporis obiter factus; tactus feminae non inhonestus obiter factus et levis; apprehensio manus illius; osculum leve ex causa honesta; colloquium vanum cum femina; aspectus pectoris illius non fixus, a fortiori alii leviores aspectus«[1]).

Nota 1. Inferius, ubi agitur de actibus luxuriae imperfectis, quantum in hac re valde ardua fieri potest, accurate determinabitur, quae actiones natura sua graviter, quae vero leviter in commotionem veneream et pollutionem influant.

Nota 2. Auctores recentes post *s. Alphonsum*[2]), qui secutus est *Salmanticenses*[3]), praeter actiones graviter et leviter influentes distinguunt actiones mediocriter influentes. Verum ne haec materia, quae in praxi frequentissima est, maioribus, quam par est, difficultatibus implicetur, praestat redire ad theoriam illorum veterum auctorum, qui actiones delectationem veneream causantes ad duo tantum genera revocant, ad causas graves et leves. Etenim, ut recte notat *Berardi*[4]), quae dicuntur causae mediae, natura sua causae leves sunt, graviter autem influunt in turpem effectum vel ex diuturnitate actionis vel ex pravo affectu agentis, quo in casu ad causas graves referendae sunt. Sic inter causas medias numeratur aspectus picturae obscoenae; sed eiusmodi aspectus ordinarie per se graviter non commovet, nisi diutius protrahatur vel affectu libidinoso peragatur[5]).

Num detur ignorantia invincibilis circa peccata luxuriae.

a. Facilius admittitur ignorantia invincibilis quoad cogitationes impuras et prava desideria, si sint inefficacia. *b.* Quoad desideria autem efficacia ea difficilius conceditur: qui enim cognoscit malitiam actionis externae et nihilominus eam exsequi proponit, etiam cognoscere debet se velle rem malam. In casu ergo particulari indagandum est, num revera adfuerit ignorantia invincibilis. *c.* Etiam quoad malitiam pollutionis dari potest ignorantia invincibilis, praesertim in puerili aetate. *d.* Immo etiam quoad alia peccata dari potest ignorantia invincibilis in iis adiunctis, in quibus eiusmodi actiones licitae videri possunt; sic sponsis oscula etiam minus honesta et coniugibus in specialibus adiunctis difficillimis onanismus videri potest licitus[6]).

Qui ex ignorantia invincibili putant actionem pravam, quam exercent, aut non esse peccatum aut non esse mortale, omnino monendi et docendi sunt, ubi ignorantia ipsis nocet; id autem contingit, si non moniti in periculo sunt contrahendi consuetudinem

---

[1]) *Lehmkuhl* ibid. — [2]) Cf. l. 4. n. 484. — [3]) Cf. tr. 26. c. 7. n. 37. — [4]) Cf. Praxis confess.³ I. n. 876. — [5]) Cf. *Génicot* I. 399. — [6]) Cf. De principiis n. 115.

pravam se polluendi, quam postea difficillime emendabunt. Poenitentes vero, qui turpis peccati, cui assueti sunt, gravitatem quidem
cognoscunt, sed *specificam malitiam* ignorant, de hac monendi non
sunt, quia eiusmodi monitio vix ullius utilitatis est et solum efficit,
ut multiplicentur peccata formalia.

Quaestio tertia.

De peccatis luxuriae consummatis.

14. Declarationes. *Peccata consummata* illa dicuntur,
in quibus delectatio usque ad satietatem habetur. Duplicis
generis sunt: alia *iuxta naturam,* in quibus actus ita ponitur,
ut ex se aptus sit ad generationem hominis; alia sunt *contra naturam,* in quibus actus ineptus est ad hominis generationem. Quare peccata contra naturam per se graviora
sunt peccatis luxuriae iuxta naturam.

a. Peccata iuxta naturam numerantur *sex: fornicatio,
adulterium, incestus, stuprum, sacrilegium* et *raptus.* Haec
peccata specifice inter se differunt, non quidem ratione
luxuriae, sed propter aliam specialem circumstantiam: vir-
tuti enim castitatis eodem modo opponuntur, singulis autem
superadditur circumstantia, quae proprie non est contra
castitatem, sed contra aliam virtutem.

b. Peccata contra naturam sunt *quattuor: pollutio,
sodomia, bestialitas* et *onanismus.* Haec peccata ratione
luxuriae specie ab invicem differunt, quia singula inclu-
dunt specialem deformitatem et oppositionem contra virtutem castitatis.

Articulus primus.

De peccatis iuxta naturam.

15. De fornicatione. *Definitio.* Fornicatio est copula
soluti cum soluta ex mutuo consensu.

a. Copula est actus ad generandam prolem idoneus. Dicitur
copula *perfecta,* quae consistit in penetratione vasis feminei cum
seminatione ibidem facta, et copula *imperfecta* (inchoata), quae
consistit in penetratione vasis feminei ad generationem destinati,
sed absque seminatione ibidem facta. *Solutus* dicitur, qui excepto castitatis praecepto nullo alio vinculo sive matrimonii sive
voti vel ordinis sive cognationis ligatur. Ex *consensu* additur, ut
fornicatio a stupro distinguatur. Effusio *humoris feminei* ad copulam perfectam non requiritur, contra ac complures veteres
docuerant.

b. Copula imperfecta eo sensu, ut usque ad seminationem
non procedatur vel prius abrumpatur, non est fornicatio (nisi forte
intentionalis), sed tactus impurus cum delectatione venerea, quae

potest in altera parte completa esse. Copula *imperfecta* autem, in qua semen ex industria extra vas femineum effunditur, non est simplex fornicatio, sed onanistica, quae specie differt, cum sit contra naturam.

Si quis vera poenitentia ductus actum abrumperet et effusionem seminis iam non evitare posset, imputatur solum actus imperfectus cum desiderio copulae, non autem effectus.

16. *Ad fornicationem referuntur concubinatus et meretricium.*

1. **Concubinatus** est frequens copula cum eadem persona ad quandam similitudinem cum vita coniugali. Frequens copula, quae fit magis ex occasione vel infirmitate, nondum constituit concubinatum, sed accedere debet intentio vivendi more coniugum, quae intentio potest esse explicita in aliquo facto vel pacto (communi habitatione) — tunc pauci actus iam sufficiunt; vel potest esse implicita, — tunc maior frequentia requiritur, quae illam habitualem relationem demonstret.

Differt ergo a fornicatione vaga, eo quod addit habituale propositum continuandi peccatum cum eadem persona.

a. Quia concubinarius versatur in occasione proxima peccandi, quam sub gravi deserere tenetur, non potest absolvi, nisi concubinam eiiciat, vel si illam domi non habet, nisi serio promiserit se ad eam non amplius accessurum esse. Et si concubinam domi habet, eam eiicere debet, etsi in periculo mortis sit; et solum ubi mors iam imminet et deest tempus eam eiiciendi, absolvi potest, elicito firmo proposito eam eiiciendi, cum primum fieri possit.

b. Si in aliqua parochia duo in concubinatu vivunt, contra eos hoc modo procedendum est.

α. Imprimis privatim per parochum (aut per alios) monendi sunt, ut se emendent et vitae pravae et scandalosae finem faciant.

β. Si monitio effectu caret, res deferenda est ad ordinarium, qui pro officio suo publicos peccatores monere debet et excludere ab actibus legitimis ecclesiasticis[1]), id quod etiam per parochum nomine episcopi fieri potest.

γ. Quodsi etiam haec admonitio frustranea sit, ordinarius excommunicationem infligat vel publice ad auferendum scandalum, vel privatim per parochum. Qui non se emendant, sepultura ecclesiastica privandi sunt.

δ. Si monitio ecclesiastica effectu caret, invocari potest et debet auxilium potestatis civilis, ubi hoc praebetur.

2. **Meretricium** est status feminae omnibus prostitutae sive lucri sive libidinis explendae causa. Ut meretrix dici possit, saltem plures quam duos admittere debet. Etiam huius peccati propria malitia in prava voluntate cumulandi peccata consistit.

---

[1]) Cn. 2357 § 2. (pro clericis in maioribus Cn. 2359 § 1).

Nota. *Fornicarii* interrogandi sunt, num proles ex fornicatione nata sit, num generationem impediverint vel abortum procuraverint, num prolem natam forte neglexerint. Quoad *meretrices* notandum est, plerumque per talem abusum organorum generationem impediri.

17. Malitia. 1. Fornicatio semper est peccatum mortale: graviter enim tum iure naturae tum iure positivo prohibetur.

a. Iure naturae. Dixerat *Caramuel* fornicationem solo iure positivo illicitam esse, sed falso: nam adversatur bono prolis atque ideo propagationi generis humani. Sane, qui fornicantur, quaerunt vagum concubitum i. e. delectationem veneream copulae absque obligationibus et oneribus matrimonii; atqui vagus concubitus vergit in perniciem societatis humanae: proli enim, cuius apta educatio non solum curam matris, sed etiam curam patris exigit, non satis providetur; ergo graviter iure naturae prohibetur. Et licet per accidens a fornicario proles bene educaretur, semper tamen fornicatio grave peccatum est, quia considerandum est, quod communiter et ordinarie, non quod per accidens evenit[1]).

b. Iure positivo. S. *Paulus* locis supra (n. 11.) citatis fornicationem peccatis accenset, quae a regno coelorum excludunt; insuper 1. Cor. 6, 15 ss. multis rationibus internis deformitatem fornicationis ostendit.

2. Concubinatus et meretricium specifice a fornicatione non differunt, quare circumstantia concubinatus et meretricii *per se* in confessione declarari non debet; per accidens autem propter occasionem peccati confessario, praesertim interroganti, declaranda est. Ex magno numero peccatorum, quae accusantur, confessarius facile suspicari potest agi de concubinatu vel de meretricio.

18. De prostitutione. 1. *Prostitutio* est luxuria a mulieribus pro mercede exercita. *Publica*, quae a *clandestina* distinguitur, ea vocatur, quae a potestate civili permittitur et vel illimitata vel limitata et secundum quasdam normas moralitatis et sanitatis moderata est.

Solum nempe mulieribus licentia conceditur exercendi meretricium, quibus a medicis testimonium sanitatis tribuitur, iisque sub certis solum condicionibus, quibus moralitati publicae consulatur.

Prostitutio clandestina ibi potissimum grassatur, ubi publica a potestate civili non admittitur; sed etiam in civitatibus, quae publicam admittunt, praevalet clandestina.

---

[1]) Ideo damnata est ab *Innocentio XI.* haec propositio (48): *Tum clarum videtur fornicationem secundum se nullam involvere malitiam et solum esse malam, quia interdicta, ut contrarium omnino rationi dissonum videatur* (DB 1198).

2. *Quaeritur, num potestas publica meretricium permittere possit.*

Saepe provocatur ad verba *S. Augustini*[1]), quae *S. Thomas*[2]) quoque citat: »Aufer meretrices de rebus humanis, turbaveris omnia libidinibus«. Ex quibus verbis permissionem meretricii licitam esse putant ad maiora mala (violentiam erga honestas mulieres, sodomiam etc.) impedienda.

Haec verba non possunt ita intelligi, ac si continerent generalem licentiam ubique locorum et quolibet tempore tolerandi meretricium publicum, multo minus aliquam approbationem meretricii; nam *a. S. Augustinus* haec scripsit ante baptismum in opere philosophico; prae oculis habuit condiciones illius temporis, in quo gentilium mores nondum plane evanuerant; quod ergo tunc temporis valere poterat, non eo ipso ad alia loca et tempora transferendum est. *b. S. Thomas* illa verba solum *citat* pro confirmatione principii generalis, aliquando circumstantias tales inveniri, ut aliquod malum tolerari possit vel etiam debeat. *c.* Ad summum ergo ex his verbis deduci potest, magistratus, si de hac re quaeritur, obligatos esse ad examinandas circumstantias cuiuslibet loci et temporis, an tales sint, ut meretricium tolerari possit, et quo ambitu et modo tolerari possit.

Etsi concedatur, anteactis temporibus fortasse tolerantiam publicam meretricii maiora mala aliquatenus impedire potuisse, negandum est, hoc hodie obtinere; immo et ratio meretricii et modus permissionis tunc temporis alia fuerunt ac hodie. Inde deducimus:

a. Certe non potest permitti meretricium ex ratione, quod impossibile sit vehementiam appetitus venerei refraenare, vel quod sanitas postulet satisfactionem; hae rationes enim fatentibus omnibus medicis cordatis omnino falsae sunt et publicae moralitati nocivae, cum iuvenibus occasionem dent, immo invitationem, omnes habenas relaxandi.

b. Neque is modus permissionis licitus est, qui magis positivus favor censendus est; scil. eo quod meretrices quasi concessionem publicam sicut ad aliud negotium communitati proficuum acquirant, ex quo etiam tributa praestant; vel quod lupanaria quasi publica tutela gaudeant, quae non sunt nisi perpetua incitatio ad peccandum et fomites infectionum venerearum, quae insuper tot mulieres vi et fraudibus in tristi servitute retinent et ab emendatione prohibent.

c. Neque cura sanitatis publicae quoad luem veneream talis esse permitti potest, ut potius falsam securitatem praebeat viris, eo quod putent, se impune peccare posse, et tamen lue inficiantur aliosque iterum afficiant.

---

[1]) De ordine, l. 2. c. 4. n. 12; ML. 32, 1000; cf. *Gregorianum VI.* (1925) p. 442. — [2]) II. II. q. 10. a. 11.

Haec omnia certe neque *S. Augustinus,* neque *S. Thomas*
approbassent. Hoc unum dicere voluerunt: Si iam alicubi tanta est
perversitas hominum, ut potestas publica non possit *omnia* impedire, tunc permitti potest, ut toleret, quod non potest impedire,
et simul curet, ne saltem publica honestas et sanitas periclitetur.

d. Simul autem potestas publica officium habet ita
positive iuvandi educationem iuvenum utriusque sexus, ut
discant passiones refraenare; ita sanitati et saluti publicae
optime consultum erit.

Promovenda certe sunt etiam a sacerdotibus omnia
conamina ad hanc pestem publicam abolendam vel saltem
restringendam, praesertim societates pro tuenda honestate
publica et pro protectione filiarum (Mädchenschutz).

19. De adulterio. *Definitio.* Adulterium est copula
cum alterius coniuge. Distinguitur adulterium *simplex,* si
solutus peccat cum coniugata vel coniugatus cum soluta;
duplex, si coniugatus cum coniugata peccat.

a. Rationem adulterii habent etiam: α. actus imperfecti scilicet
tactus, oscula, amplexus, quos coniugatus committit cum alia persona non sua, sive soluta est sive ligata; β. delectationes venereae,
si excitantur per *desiderium* peccandi cum aliena; γ. Si coniugatus
se polluit, dum altera pars posset et vellet actum communem, laeditur ius alterius et potest dici adulterium imperfectum; secus, consentiente altera parte, non quidem ius eius laeditur, sed saltem
ordinatio divina, qua coniugati functionem suam sexualem nonnisi
communiter exercere debent; est peccatum saltem gravius quam
pollutio soluti.

b. Si ergo poenitens adultus se accusat de pollutione, ex
stricto iure interrogandus esset num sit coniugatus, saltem si iudicari potest apprehendisse differentiam.

c. Cum coniuges sibi debeant etiam fidelem amorem, *adulterium mentale* dici potest committere coniux, qui coniugi quidem ius
et usum actuum corporalium servat integrum, sed amorem ipsi subtrahit, conferendo hunc amorem (platonicum) in alienam personam[1]).

20. *Malitia.* 1. Adulterium *duo peccata* includit,
utrumque mortale, unum contra *iustitiam:* nam adulter
alterius ius violat, quod contractu matrimoniali ipse solus
acquisivit in corpus coniugis, alterum contra *castitatem;*
et si adulterium habetur *inter duos coniugatos,* duplex
adulterium ab utroque committitur, quia uterque laedit tum
ius proprii coniugis, tum cooperando ius coniugis alterius.

Immo, pro iis quorum matrimonium est sacramentum, sunt
qui non immerito etiam aliquam rationem sacrilegii affirment;
nam vinculum sacramentale est aliquid sacrum, quod adulterio
laeditur[2]).

---

[1]) Enc. *Cast. con.* l. c. 566.
[2]) *Lehmkuhl* I, 1491; *Vermeersch,* De cast. n. 313.

Coniugata, quae adulterium eo tempore committit, quo prolem concipere potest, aliam insuper iniustitiam contrahit tum contra maritum, qui prolem spuriam forte concipiendam alere, tum contra prolem legitimam, quae cum spuria hereditatem dividere cogitur.

2. Adulterium certe committitur, etiamsi alter coniux consentiat. Ideo s. *Paulus* generatim de muliere coniugata dicet: *vivente viro vocabitur adultera, si fuerit cum alio viro*[1]).

In explicatione rationis huius asserti auctores dissentiunt; sunt qui dicant, coniugem iure suo cedere non posse, utpote quod sequatur ex ipsa natura matrimonii[2]); alii dicunt, consentienti quidem non fieri iniuriam, sed tamen laedi contractum sacrum, quem etiam abstrahendo a dissensu coniugis laedere non liceret[3]).

Num copula cum alterius sponsa sit adulterium. Copula cum alterius sponsa est fornicatio, non adulterium, quia haec circumstantia aggravans est, non speciem mutans. Communiter enim probabile dicitur, peccatum sponsorum cum persona extranea non continere gravem iniustitiam contra alteram partem[4]).

Reipsa doctores in solvenda hac quaestione ita dissentiunt, ut alii simpliciter negent circumstantiam sponsalium mutare speciem fornicationis; alii vero dicant eam mutare speciem fornicationis in sponsa, non autem in sponso; alii tandem affirment eam mutare speciem fornicationis in utroque. Propria malitia huius peccati consistit in abusu, quo corpus alteri promissum violatur, ergo in laesione iuris alterius, cui convenit ius in corpus, quod promissum fuerat incorruptum; iam vero haec iniuria a sponsa illata certe gravior est quam ea, quae a sponso committitur; num vero tanta sit, ut novam speciem eamque gravem peccati constituat, certo non constat; quare necesse non est, ut poenitens circumstantiam sponsalium declaret, neque ut confessarius de ea interroget[5]).

21. De incestu. *Definitio.* 1. Incestus est copula cum cognatis vel affinibus intra gradus ab ecclesia pro matrimonio prohibitos. Ergo de ratione incestus est, ut committatur inter eos cognatos et affines, qui secundum legem ecclesiae validum matrimonium inire nequeunt.

a. Rationem incestus habent etiam tactus turpes, qui inter consanguineos et affines sive eiusdem sive diversi sexus committuntur, si non ex curiositate vel solum animo se polluendi fiant, sed ex pravo affectu erga personam, quae tangitur.

b. Si consanguinei vel affines peccant, postquam ad matrimonium ineundum dispensati sunt, non committunt incestum, quia dispensatio tollit prohibitionem matrimonii; ubi autem matrimonium non est prohibitum, non est incestus.

---

[1]) Rom. 7. 3. Propositio autem 50. ab *Innocentio XI.* damnata habet: *copula cum coniugata, consentiente marito, non est adulterium* ... (DB 1200). — [2]) Cf. *Ballerini-Palmieri* III. n. 273. *Lehmkuhl* I. n. 1049. — [3]) *Vermeersch,* l. c. — [4]) *S. Alphonsus,* n. 847. — [5]) Cf. *Ballerini-Palmieri* II. n, 1007.

2. In incestu duplex elementum distinguendum est: *naturale,* quatenus est peccatum luxuriae inter personas cognatione vel affinitate coniunctas, et *ecclesiasticum,* quatenus determinatur, usque ad quotum gradum coniunctionis malitia incestus extendenda sit. Committitur ergo incestus.

a. inter consanguineos, et quidem in linea recta in omnibus gradibus, in linea collaterali usque ad tertium gradum inclusive[1]);

b. inter affines, et quidem in linea recta in quolibet gradu, in linea collaterali usque ad secundum gradum inclusive[2]).

Nova legislatio C. i. c., sicut impedimenta matrimonialia, ita etiam extensionem incestus mutavit. Antea etiam copula illicita affinitatem et proinde incestum fundaverat, quod nunc non iam obtinet. Econtra antea ex matrimonio rato non consummato solum publica honestas et exinde nullus incestus habebatur, dum nunc ex quolibet matrimonio valido, etiam non consummato, affinitas, et ideo etiam incestus prodit. Antea pro coniunctione personarum, quae ex pietate matrimonium et commercium carnale prohibet, magis ad copulam attendebatur, nunc ad validum consensum matrimonialem.

3. Cum fundamentum incestus sit coniunctio inter personas, quae per luxuriam peccant, patet rationem incestus non habere peccata, quae committuntur:

a. inter eos, qui propter impedimentum publicae honestatis matrimonium inire nequeunt: his enim matrimonium non interdicitur propter coniunctionem, quae inter ipsos non exsistit, sed propter quandam indecentiam;

b. inter eos, qui spirituali cognatione coniuncti sunt e. g. inter baptizatum et patrinum, inter quos aliud vinculum spirituale intercedit. Attamen peccatum carnale cum spiritualiter coniuncta quandam reverentiam laedit, quae laesio non erit gravis, si impedimentum dirimens non habetur (v. g. in confirmatione).

c. inter eos, qui cognatione legali coniuncti sunt sive haec coniunctio matrimonium dirimat sive non dirimat, quia vinculum inter ipsos intercedens pariter non est nisi spirituale seu iuridicum.

22. *Malitia.* **1.** Incestus *duo peccata* gravia continet, alterum contra *castitatem,* alterum contra *pietatem:* repugnat enim reverentiae, quae parentibus et consequenter etiam personis aut sanguine aut affinitate cum eis coniunctis debetur.

---

[1]) Cn. 1076.   [2]) Cn. 1077.

Insuper quaedam circumstantiae adhuc aliam gravem laesionem pietatis inducere possunt, si v. g. pater cum filia, cuius
educationem adhuc ex gravi officio pietatis curare debet, peccat.

2. Quoad *differentiam specificam: a.* Incestum commissum cum consanguinea specie non differre ab incestu
commisso cum affine communiter admittitur. Ratio est, quia
peccata inter consanguineos et affines ex eodem pietatis
motivo prohibentur; utrobique laeditur eadem reverentia
sanguini debita.

b. Probabile est, incestus commissos inter consanguineos vel inter affines in quocumque gradu sive lineae
rectae (etiam in primo gradu inter parentes et filios) sive
lineae collateralis (etiam in primo gradu inter fratres et
sorores) esse eiusdem speciei; in omnibus enim laeditur
eadem virtus scilicet reverentia coniunctis debita eodemque quoad substantiam modo; quare diversitas coniunctionis
et propinquior gradus peccato non addit nisi circumstantiam aggravantem[1]).

S. Alphonsus (n. 448 s.) excipit primum consanguinitatis et
affinitatis gradum in linea recta existimans reverentiam, quae intra
primum gradum debetur, moraliter aliam esse ab ea, quae intra
alios gradus debetur. Verum certa haec sententia non est. Immo
Suarez (de poenit. d. 22. s. 3. n. 12) dicit: »De gradibus consanguinitatis, quatenus sunt circumstantiae incestus ... *probabilius* est non mutare speciem peccati.«

Quare sicut necesse non est, ut in confessione declaretur
coniunctio (consanguinitas vel affinitas), ita necesse non est, ut
declaretur gradus, sed sufficit dicere: *commisi incestum.*

23. De stupro. *Definitio.* 1. Stuprum triplici sensu accipitur: *late* est *oppressio* cuiusvis mulieris etiam viduae,
corruptae, coniugatae (ubi ad stuprum accedit adulterium);
iuridice (in iure civili) est oppressio cuiusvis mulieris
honestae, sive virgo est sive non; *theologice* (in iure canonico) est oppressio virginis seu defloratio virginis ipsa
invita[2]). *This latter is the case for canonical henaeturs etc.*

2. *Oppressio* est violatio mulieris sine *consensu,* ideo fornicari
cum amente, ebria, dormiente, item cum puella, quae perfectum
usum rationis nondum adepta est, habet rationem stupri. *Violentum*
autem dicitur stuprum non solum ubi vis *physica,* sed etiam ubi
vis *moralis* adhibetur: in utroque enim casu iniuria infertur.

Quintuplici modo *stuprum violentum* committi potest: a. physica violentia; *b.* minis vel metu iniuste incusso etiam reveren-
tiali. ut si stuprator sit superior et sua auctoritate abutatur;

---

[1]) Cf. *Sporer-Bierbaum* III. pr. 4. n. 609; *Ballerini-Palmieri*
II. n. 1016 ss. — [2]) Cf. c. *Lex.* 2. C. 36. q. 1; in cn. 2357 et 2359 § 2
praeter stuprum etiam peccata contra sextum cum personis infra
16 annos, iisdem poenis afficiuntur.

c. dolo, ut si quis puellae ignorantia abutatur eamque ad copulam adducat, quam dixerat licitam; *d.* fraude ut falsa matrimonii vel magnae dotis promissione; *e.* in somno vel ebrietate virginem opprimendo; *f.* codices civiles plerumque addunt: aetas impubes vel infra 14 annos.

24. *Malitia.* 1. Omne stuprum proprie dictum seu violentum *duo peccata* continet, alterum contra *castitatem,* alterum contra *iustitiam:* quaecunque enim est mulier, quae invita opprimatur, semper verum eius ius laeditur eique proinde iniuria infertur.

a. Qui corrumpit virginem consentientem, non committit peccatum a fornicatione specifice diversum: etsi enim integritas carnis, qua virgo privatur, sit bonum in magno pretio habendum, nulla tamen virgini infertur iniuria, cum in sui violationem consentire possit et reapse consentiat[1]). Recte autem affirmatur virginem, quae in sui deflorationem libere consentit, praeter peccatum luxuriae committere peccatum prodigalitatis, cum bonum integritatis corporalis temere abiiciat, et proinde circumstantiam virginitatis in femina fornicationi addere novam speciem peccati. Verum cum peccatum prodigalitatis non sit mortale, necesse non est, ut in confessione declaretur.

b. Qui opprimit virginem invitam, proprie duplicem iniuriam committit, cum eius corpore contra voluntatem ipsius abutatur et insuper virginitate eam privet claustrum virginale dilacerando[2]).

2. Stuprum, quod poena ecclesiastica[3]) affectum vel reservatum est, intellegitur stuprum sensu stricto, scilicet iniusta defloratio virginis, nisi aliud expresse notetur.

Ut mulier vi oppressa immunis sit a peccato:

a. non potest negative seu permissive se habere, sed tenetur, *resistere* tum *interne,* ne voluptati consentiat, tum *externe,* ut vim vi repellat.

b. At *clamare* non tenetur, si id fieri nequit absque vitae periculo vel notabili infamia vel absque nimia verecundia, nisi immineat proximum periculum consensus in actum consummatum. Ceterum, ut bene notat *Berardi,* casus mulieris oppressae absque propria culpa i. e. prorsus invitae non adeo frequens est.

c. Num possit, si resistendo, quantum possibile est, oppressorem impedire non valet, statim post oppressionem eluere semen v. n. 69 d.

25. De sacrilegio. *Definitio.* Sacrilegium, prout est peccatum luxuriae, seu *luxuria sacrilega* est violatio personae, loci, vel rei sacrae per actum venereum.

---

[1]) Cf. *s. Alphonsus* n. 443.
[2]) *Sanchez,* De matrimonio l. 7. disp. 14. n. 7.
[3]) De poenis in adulteros, incestuosos, stupratores vide Cn. 2357 et 2359.

Ergo etiam sacrilegium carnale seu luxuria sacrilega aeque triplex est, personalis, localis et realis, atque ipsum sacrilegium in se spectatum, quod est species irreligiositatis.

26. *Malitia.* 1. Sacrilegium duo peccata continet, alterum contra *castitatem,* alterum contra *religionem:* repugnat enim reverentiae Deo in personis, locis et rebus sacris debitae.

2. Sacrilegium *personale* committitur, si persona voto publico castitatis ligata (interne vel externe) contra castitatem peccat[1]), vel si quis peccat cum eo, qui tale votum habet.

Si voto ligatus (e. g. sacerdos) peccat cum persona pariter voto ligata, uterque duo sacrilegia committit: si sacerdos religiosus peccat contra castitatem, unum sacrilegium committit, quia laedit unam obligationem ex eodem motivo bis impositam.

Votum privatum non facit proprie personam sacram, i. e. ad cultum Dei destinatam; eius tamen violatio in propria vel alia persona est peccatum contra religionem, quod quandoque improprie sacrilegium dicitur.

3. Sacrilegium *locale cum effectibus canonicis* (i. e. violatione loci et obligatione reconciliandi illum) committitur solum per illos actus, qui ex Cn. 1172 hos effectus inducunt, inter quos humani seminis effusio non amplius enumeratur; solum in casu quo locus sacer *destinatus* fuisset ad peccata carnis committenda (impii et sordidi usus), violaretur et reconciliatione egeret. Attamen sacrilegium locale *morale* idque grave certe committitur per peccata consummata carnis saltem publica, quia gravem irreverentiam erga locum sacrum continent.

De actibus imperfectis probabiliter, de actibus internis certo affirmari potest, non haberi gravem reatum sacrilegii.

Locus sacer hic intelligitur ecclesia vel oratorium publicum (coemeterium), si consecratione vel saltem sollemni benedictione ad cultum divinum dedicata sunt.

4. Sacrilegium *reale* committitur per abusum rei sacrae ad turpia, ut si missa promitteretur ad obtinendum consensum in rem turpem, vel si sacerdos sacramentum administrans vel sacra communione refectus, quo tempore sacrae species nondum sunt corruptae, carnaliter peccaret. Huc pertinet etiam gravissimum illud sacrilegium *sollicitationis* in confessione, quo confessarius sacramento poenitentiae abutitur ad peccatum turpe.

27. De raptu. *Definitio.* Raptus (quatenus est pec-

---

1) Cf. *De praeceptis* n. 177, ubi huius rei explicatio traditur.

catum luxuriae) est abductio violenta personae cuiusvis explendae libidinis causa. Malitia propria raptus consistit in iniuria, quae per violentam abductionem infertur.

a. Distinguendus est raptus prout impedimentum matrimonii constituit, ad quem requiritur intentio matrimonii ineundi — et raptus ut delictum canonicis poenis plectendum[1]).

b. Ad raptum (ut peccatum) ergo requiritur: α. ut fiat *abductio* seu translatio de loco ad locum moraliter diversum; β. *vi illata* aut physica aut morali vel ipsi personae abductae vel iis, in quorum potestate est: parentibus, tutoribus, viro; proinde non raptus sed fuga habetur, si mulier consentit in fugam; γ. *libidinis causa;* hinc si in alium finem abducitur, e. g. ut adhibeatur ad servitia vel ad matrimonium ineundum, non est peccatum luxuriae; δ. *cuiusvis personae,* sive haec est mas sive femina, sive virgo sive corrupta, sive nupta sive innupta.

c. Unde non committit raptum, qui personae in eodem loco vim infert, nec qui eam excercendae libidinis causa ex uno cubiculo in aliud trahit, etsi in hoc casu praeter peccatum castitatis ob illatam violentiam committat etiam peccatum iniustitiae in confessione declarandum[2]).

28. *Malitia.* Raptus *duo peccata* continet, alterum contra *castitatem* vel per intentionem peccandi vel per copulam carnalem cum persona rapta, alterum contra *iustitiam* propter vim illatam aut personae raptae aut iis, quorum potestati subest, aut utrisque.

a. Ad *peccatum raptus,* quod quandoque reservatum est, committendum aliud non requiritur, nisi ut persona abducatur animo cum ea peccandi sive per copulam sive per alium actum turpem, etsi peccatum externum reipsa non sequatur. Ut raptus vero ad peccata luxuriae consummata vere numerari possit, cum persona rapta committi debet fornicatio.

b. Si femina libidinis explendae causa abducat marem, quoad malitiam quidem idem specifice committitur peccatum, poenam autem vel reservationem in raptum statutam femina non incurrit· poenae enim statutae censentur in raptum, prout hic ordinarie fit; ordinarie autem mares rapiunt feminas, non feminae mares.

Articulus secundus.

De peccatis contra naturam.

§ 1. De pollutione. 🕂

29. Definitio et divisio. 1. *Pollutio vi vocis* est in viro effusio seminis sive prolifici, sive (in impuberibus et senibus) non prolifici; in muliere secretio vaginalis et glandularum qua vagina et vulva madefit (ad iuvandam copulam).

---

[1]) Cn. 2353, 2354.
[2]) Cf. *De sacramentis* n. 578 s.

* Being a form of luxuria it must be a mortal sin. The specific nature of pollution, is that it is the complete natural act that should produce conception. There is the added malice of its being indirectly contrary to V th as well as VI th.

Haec utraque secretio normaliter locum habet, cum excitatio organorum sexualium certum gradum attigit; (in viro cum summo gradu, in muliere saepe iam antea incipit);*ideoque coniuncta est cum sensu delectationis venereae completae, vel (in muliere) etiam incompletae. Inde talis secretio normaliter in viro est signum delectationis completae, in muliere vel completae vel etiam incompletae.

Haec pollutio potest accidere ex causis *naturalibus* sicut in viris adultis caelibibus; et potest esse *morbosa*, ut in personis utriusque sexus, qui extraordinaria excitabilitate nervorum, praesertim sexualium, vel magna debilitate generali laborant, quae utraque affectio saepe per consuetudinem peccandi contrahitur (spermatorrhoea, resp. blennorhoea). Talis affectio morbosa plerumque non est coniuncta cum delectatione, saltem non plena, et levissimis ex causis (motu, tactu superficiali, conatu) locum habet.

[handwritten: INVOLUNTARY DISCHARGE]

2. *Pollutio sensu morali* est procuratio delectationis venereae completae*extra concubitum, quae coniuncta est cum praedicta secretione, a qua nomen vulgare accepit. Dicitur etiam *mollities* (respectu habito ad defectum fortis voluntatis) vel *masturbatio* (manustupratio, ex tactibus manualibus, quibus plerumque procuratur).

Id quod intenditur in hoc peccato, non tam illa secretio est, sed potius ipsa delectatio; et etiamsi quis putet se quaerere solum liberationem a statu molesto, quem efficit seminis accumulatio vel nervorum excitatio, tamen, quia seminis emissio et pacatio excitationis naturaliter nonnisi ex plena delectatione sequitur, hanc tamquam medium intendit.

30. 3. *Malitia* ergo pollutionis in eo est, quod vir vel mulier utitur functione generativa contra ordinem naturae (extra concubitum legitimum), eo quod quaeritur et procuratur per varia media delectatio venerea, quae solum ad ordinatum actum generativum data est.

a. Antiquiores auctores, qui secretiones femineas pro semine habebant, essentiam pollutionis pro utroque sexu ponebant in frustratione seminis; in tali definitione difficulter intelligitur, cur frustratio seminis sit gravis deordinatio, cum ipsa natura illud in tanta copia producat, ut nunquam omnia spermatozoa finem attingant, ut ipsa natura in pollutione naturali illud frustret, in copula sterilium et gravidarum licite frustretur, immo in ipso congressu foecundante praeter unum omnia spermata frustrentur. Praeterea, cum physiologi demonstrarent secretiones femineas nullo modo semen vocari posse, neque ad ipsam foecundationem aliquid conferre, quidam illorum auctorum ex definitione sua ad hoc pervenerunt, ut pollutionem in feminis non in aequali linea ponerent cum virili, sed potius actibus incompletis annumerarent.

Melius ergo reponitur essentia pollutionis in inordinato et innaturali usu facultatis generativae, quo quaeritur solitarie delectatio venerea. In pollutione utique naturali et morbosa magis attenditur

ad effusionem liquoris, in pollutione vero morali ad id quod intenditur, scil. ad delectationem veneream.

    b. Ideo praesertim mulieres non tam interrogandae sunt, utrum
pollutae sint vel humor effluxerit; talis enim madefactio haberi
potest etiam extra et ante completam delectationem, et vice versa
in completa etiam non habetur vel saltem non animadvertitur; sed
interrogandae sunt, num plene sibi satisfecerint, libidinem exple-
verint, (volle Befriedigung). Si dicunt se nescire quid hoc sit,
praesumi potest, eas nondum expertas esse plenam delectationem;
secus scirent illum statum.

    Nota. Ut pollutio sequatur, necesse est, ut aliqua causa nervos
genitales irritet, ex quorum contractione expulsio seminis habetur.
Eiusmodi causa potest esse physica (tactus, motus, frictiones, pres-
siones genitalium) vel psychica (phantasmata plus minusve obscoena).

    4. Pollutio alia est *voluntaria,* quae in se vel in causa
volita est; alia *involuntaria* seu naturalis, quae nulla ratione
volita est, sed ex causis naturalibus sequitur.

    Voluntaria alia est *directe* seu in se volita, si aliquid
fit ea ipsa intentione illam sibi procurandi, vel si involuntarie evenienti praebetur consensus; alia *indirecte* seu in
causa volita, quando aliquid fit cum praevisione sed sine
intentione futurae pollutionis.

    31. Num sint diversae speciei. 1. Pollutio specifice
differt ab actibus incompletis, sicut de delectatione venerea
dictum est (n. 8).

    2. Pollutiones secundum se consideratae non sunt
specifice diversae, sed *omnes eiusdem sunt speciei;* quia
nulla apparet differentia specifica, qua diversae species
constituantur. Diversi enim modi, quibus pollutio procuratur, ad ipsam pollutionem, quatenus est procuratio
delectationis sine concubitu, solum materialiter et per accidens se habent, modo sola pollutio intendatur.

    a. Ergo in confessione non est interrogandum de modo, quo
procurata fuit pollutio: sive enim sola imaginatione vel aspectu
turpi, sive tactibus propriis vel alienis, sive in proprio vel alieno
corpore quaesita fuerit, semper est idem peccatum pollutionis,
modo absit affectus ad personam vel ad concubitum. Accedit tamen
inductio vel cooperatio si alienis tactibus humanis provocetur.

    In pueris pollutio censenda est completa, si saltem erectio
et effusio humoris glandularis, etsi absque spermatozois, locum
habet; secus habebitur ad summum delectatio incompleta.

    b. Complures quidem auctores docent specifice diversas esse
pollutiones, prout per tactum viri, feminae vel bestiae provocantur,
quia intervenit affectus ad obiectum, quod tangitur; affectus autem
diversae speciei est, prout in virum vel feminam vel bestiam tendit.
Nihilominus ordinarie sufficit, si quis in hoc casu ita se accuset:
pollutus sum tactibus alienis, sive ipse alios tetigit, sive tangi se

permisit et sic se polluit, quia, si non adest concubitus, affectus
ordinarie non in sexum sed in solam pollutionem fertur. Quodsi
affectus reipsa tendat etiam in obiectum, quod tangitur, affectus
sane specifice diversus est, prout fertur in virum, in feminiam vel
in bestiam.

c. Notanda. α. Etiam iste modus, quo quis se polluit abu-
tendo ore alterius, non est nisi circumstantia aggravans, nisi adsit
affectus sodomiae. β. Si quis alium polluit invitum, duo peccata
committit, alterum contra castitatem, alterum contra iustitiam. Si
quis alium polluit consentientem, pariter duo peccata committit,
alterum contra castitatem, alterum per cooperationem contra caritatem. Si duo tactibus se mutuo polluunt, uterque triplex peccatum committit, duo contra castitatem se et alterum polluendo et
tertium per cooperationem contra caritatem.

d. Etsi secundum se omnes pollutiones eiusdem speciei moralis sint, *ex circumstantiis* tamen complures constituuntur species
diversae. Eiusmodi circumstantiae occurrunt: α. ratione *subiecti;*
sic si voto castitatis ligatus polluitur, committit sacrilegium, si
coniugatus polluitur, committit adulterium; β. ratione *obiecti;* sic
si quis polluitur cum desiderio peccandi cum soluta, committit
fornicationem (mentalem), si cum desiderio peccandi cum coniugata, adulterium (mentale); pollutio cum affectu sodomitico vel
bestiali; γ. ratione *complicis;* si quis polluitur tactibus alienis,
committit peccatum inductionis vel cooperationis contra caritatem.

32. De pollutione nocturna. 1. *Eius natura.* Haec
in somnis et proinde sine advertentia et consensu actuali,
sed cum delectatione accidit.

a. Pollutio nocturna est *involuntaria,* si sequitur ex causis
naturalibus a voluntate independentibus, aut ex causis voluntariis
quidem, sed positis sine praevisione futurae pollutionis; et est
voluntaria in causa, si sequitur ex actione in vigilia libere posita
cum praevisione securae in somno pollutionis.

b. Ex causis mere naturalibus potissimum est semen super-
fluum, quo natura gravata se exonerat; quocirca polluto nocturna
non denotat animum libidinosum, licet eam provocent et comitentur
phantasmata plus minusve inhonesta. Notatu digna sunt verba
s. Thomae: »cum humor seminalis superabundat in corpore vel
cum facta est humoris resolutio, ... somniat dormiens ea, quae
pertinent ad expulsionem huismodi humoris abundantis vel reso-
luti«[1]).

c. Hanc iuvenes post annos pubertatis patiuntur et coelibes,
quo tempore natura semen producit. Statutis temporibus eiusmodi
seminis eiectiones redeunt; tempora autem pro hominum diversa
constitutione diversoque vivendi genere variant; in aliis semel, in
aliis etiam bis in hebdomada, in aliis vix semel in mense pollutio
nocturna accidit.

33. 2. *Eius malitia.* *a.* Pollutio nocturna naturalis,
utpote tum in se tum in causa *involuntaria* omni culpa
vacat, sive dormienti placet sive displicet.

Ideo licet eam desiderare vel de habita gaudere propter alle-
viationem naturae.

---
[1]) *Summa* II. II. q. 154. a. 5.

HALF ASLEEP

b. Pollutio nocturna, *quae semisopitis* quandoque accidit, censeri non debet mortalis, etsi consensus ei praebeatur, quia fit cum imperfecta cognitione et voluntate. Idem dicendum est de nocturnis tactibus. In dubio nullum consensum adfuisse iudicandum est, si talia in statu vigiliae ordinarie displicent, quia ex ordinarie contingentibus iudicium ferendum est.

c. Pollutio nocturna vero, si est *in se voluntaria* non iam est naturalis, sed grave peccatum; *in causa* vero *voluntaria* grave vel leve peccatum est, prout actio ante somnum sine rationabili causa et cum sufficienti advertentia posita natura sua graviter vel leviter in pollutionem provocandam influit.

α. Pollutio nocturna, quae causatur a conversatione honesta cum persona alterius sexus, a cibis valde conditis vel a liquoribus calidis moderate sumptis, a certo situ commodiore in lecto, non imputatur in peccatum, etsi causae istae in vigilia cum praevisione futuri effectus positae fuerint: actiones enim licitas propter effectum futurae pollutionis omittere non tenemur, modo adsit rationabilis causa eas ponendi.

β. Pollutio nocturna, quae causatur a cogitationibus vel desideriis pravis, a lectionibus obscoenis, a colloquiis inhonestis, imputanda est in grave vel leve peccatum, prout causae istae in vigilia positae fuerint cum praevisione eas proxime vel remote influxum in pollutionem habituras esse.

solve in moral principles re causes of sin.

34. De malitia pollutionis in se voluntariae. Pollutio directe volita semper est peccatum mortale: nam *a.* quaelibet pollutio in se voluntaria continet totalem inversionem ordinis a Deo statuti pro usu facultatis generativae; *b.* non esset sufficienter provisum propagationi generis humani, sanctitati vitae coniugalis, destrueretur admirabilis proportio inter onera et commoda coniugii et moderatio voluptatis per ipsa onera coniugio imposita, — si non sub gravi prohiberetur; haec bona speciei et ordinis communis postulant gravem prohibitionem. *c.* Quare *s. Paulus* mollitiem expresse recenset inter peccata, quae excludunt a regno Dei: *neque molles ... regnum Dei possidebunt*[1]).

1. Ergo nunquam licitum est pollutionem directe procurare, ne quidem, si eiectio seminis ad sanitatem conservandam videretur necessaria[2]): nam etiam pollutio, quae tamquam medium ad aliquem finem obtinendum assumitur, in se et directe volita est, etsi non propter se

---

[1]) 1. Cor. 6, 10. Propositio 49. ab *Innocentio XI.* damnata habet: *mollities iure naturae prohibita non est ...* (DB 1199)
[2]) Cf. *S. Offic.* 2. aug. 1929. A. A. S. XXI. 490.

2. Neque licet consensum dare delectationi pollutionis praeter intentionem ortae.

3. Pollutionem (sive in vigilia sive in somno) sponte ortam aliquo modo ex intentione libidinosa vel per actionem (tactu, motu vel situ etc.) natura sua graviter influentem promovere graviter illicitum est; at nulla est obligatio impediendi pollutionem sponte sua evenientem vel in somno iam inceptam, sed permitti potest, ut natura se exoneret, modo absit consensus in delectationem.

a. Ratio, propter quam veteres putabant non esse necessario cohibendam pollutionem sponte inceptam, nullius quidem ponderis est nec tamen propterea imponenda est obligatio impetum naturae continendi. Opinati sunt ipsi semen iam decisum, nisi effundatur, corumpi et corruptum sanitati detrimentum afferre; at vero semen reipsa nunquam corrumpitur et etiam decisum naturam non inficit, sed potius iuvat. Quare consulendum utique est, praesertim propter periculum consensus, ut pollutio iam imminens, ubi fieri potest, cohibeatur, at obligatio id faciendi nulla exsistit, quia illa effusio involuntaria est[1]).

Liceret autem medicinam sumere, quae solum hunc effectum habet, ut organismus reguletur et consequenter eiectiones difficiles et molestae faciliores reddantur.

b. Ut caveatur *consensus* in delectationem, dum involuntarie contingit pollutio, optimum est situm mutare vel saltem aut orando et pias cogitationes fovendo aut de rebus profanis cogitando mentem ad alia divertere. Ad cavendam *cooperationem* ad pollutionem evenientem a tactibus et ab agitatione corporis voluntaria abstinendum est.

c. Quilibet motus seu impulsus corporis *deliberate* adhibitus, quo effectus pollutionis sequatur, graviter malus est, attamen a motibus deliberatis distinguendi sunt motus seu impulsus, qui sponte vi naturae se exonerantis in corpore oriuntur, ut effectus pollutionis perficiatur.

35. De malitia pollutionis in causa volitae ex iis iudicium ferendum est, quae supra (n. 12) dicta sunt, scilicet pollutio in grave vel leve peccatum imputatur, prout eius causa natura sua gravis vel levis in genere luxuriae est; in peccatum autem non imputatur, si non est luxuriosa vel si adest sufficiens ratio illam causam ponendi.

a. Ratio sufficiens in eo est, quod quis vere et sincere aliud agit, non luxuriam. Homo, qui sincere aliquid necessarium vel utile agit, non quaerit delectationem; si etiam exortae delectationi non consentit, haec per accidens sequitur et non imputatur. Si vero in ipsa causa ponenda iam quaerit aliquam delectationem, tunc iam initium pollutionis posuit, cuius completio proin in culpam imputatur.

b. Ut pollutio possit dici in causa voluntaria, requiritur, ut is, qui eius causam ponit, advertat ad effectum pollutionis ex ea secuturum. Qui ergo, quando causam pollutionis ponit, vel ad

---

[1]) *A. Eschbach* l. c. disp. 5. c. 4. a. 2. § 3.

effectum ea provenientem non advertit, vel prudenter iudicat effectum non esse secuturum, ei pollutio, etsi sequatur, imputari nequit.

c. Qui propter peculiarem dispositionem atque infirmitatem frequenter pollutiones patitur ex actionibus in se licitis, quae natura sua leviter tantum in eas influunt, e. g. ex equitatione, non tenetur ab illis actionibus abstinere, modo exclusus sit consensus in delectationem: utitur enim in illis ponendis iure suo. Sed si actio leviter peccaminosa est, ut lectio parum turpis, aspectus imaginis parum obscoenae, et iusta causa non excusatur, numquid tenetur eam propter malum hunc effectum sub gravi vitare? *Per se* sub levi tantum eam vitare debet: malitia enim pollutionis in causa volitae desumitur ex influxu, quem causa natura sua, non ex influxu, quem de facto ob peculiarem complexionem subiecti in eam habet. *Practice* vero a peccato gravi raro excusabitur ex alia ratione: qui enim experientia edoctus, se eiusmodi actione frequenter pollui, nihilominus sine necessitate eam ponit, ex prava intentione eam ponere convincitur.

Si ergo e. g. usus alcooli vel herbae nicotianae (tabaci) alicuius nervos ita excitet, ut inde pollutio sive in somno sive extra somnum sequatur, nulla est obligatio ab illis rebus abstinendi, si usus moderatus ideoque licitus est; malignus effectus simpliciter permitti potest, modo caveatur consensus. Quodsi usus illarum rerum immoderatus est, ex praecepto castitatis *sub levi* ab eis abstinere debet, alias peccat pro gravitate materiae graviter vel leviter contra temperantiam et leviter non graviter contra castitatem, quia res illae per accidens et ideo ex se leviter tantum libidinem excitant.

36. De sufficienti ratione. 1. *Declaratio.* Quia pollutio in peccatum non imputatur, si actio, quae illam causat, ex sufficienti ratione ponitur, iam quaeritur, *quando adsit sufficiens ratio* ponendi actionem, ex qua praevidetur secutura pollutio. In eiusmodi actione, quae potest esse causa pollutionis, adest duplex periculum: pollutionis et consensus in voluptatem veneream. A periculo consensus in turpem delectationem hic praescinditur: Ad illud namque applicanda sunt principia, quae de periculo seu de occasione peccandi alibi exponuntur[1]). Ad iudicium ferendum de sufficientia rationis in particulari casu principia notanda sunt, quae infra sequuntur.

Maior ratio requiritur, ut possit admitti periculum consensus, quam ut admitti possit periculum materialis pollutionis. Hinc fieri potest, ut quis propter periculum proximum consensus sub gravi teneatur evitare actionem, quam propter solum periculum proximum pollutionis cavere, vel saltem sub gravi cavere non tenetur. Qui e. g. in equitatione, quam recreationis causa suscipit, frequenter non solum polluitur, sed etiam per consensum in delectationem peccat, si aliis mediis peccatum excludere nequit, equitationem omittere tenetur, quam propter solum effectum pollutionis omittere non tenetur. — Lectiones eroticae otiose susceptae, colloquia tenera cum persona diversi sexus, oscula pueris impressa, etsi propter

---

periculum pollutionis leviter tantum peccaminosa sint, sub gravi
tamen ab eo evitari debent, quem coniiciunt in proximum periculum consentiendi.

37. 2. Principia. *a.* Si periculum se polluendi ex
natura actionis *proximum* est, *gravis* ratio requiritur, ut
actio inducens periculum licite poni possit; gravis ratio
autem censetur tum necessitas, tum vera utilitas propria
vel aliena.

Ergo licet medicis et chirurgis curare infirmos et procurare
partus, licet famulis inservire necessitatibus corporis in balneis
vel nosocomiis, etsi hac occasione patiantur pollutiones. Periculum
autem proximum consensus, si quod adest, semper praecaveri debet,
eo quod aptis remediis illud reddatur remotum aut nullum.

b. Si periculum se polluendi ex natura actionis *remotum* est, *levis* ratio seu quaevis causa rationabilis sufficit, ut actio inducens periculum licite poni possit.

a. Ergo excusant omnes illae rationes, quae bona fide ap-
parent vel necessariae vel utiles vel convenientes, quin etiam solum
commodae animae vel corpori. Quare per se licitae sunt hae actiones, etsi praevideantur provocare pollutionem: α. Oscula, amplexus, manus apprehensiones iuxta morem patriae; β. choreae
honestae ex convenienti recreatione susceptae; γ. equitare etiam
solum recreationis causa; δ. exercitia gymnastica peragere;
ε. certo situ decumbere etiam solum ad commodius quiescendum;
ζ. sedendo crus cruri imponere; η. cibos valde conditos vel potus
calidos moderate sumere.

b. Si causa ponendi actionem, ex qua secutura praevidetur
pollutio, habet quidem aliquid commodi et utilitatis, sed non suf-
ficientis ad turpem effectum excusandum, e. g. studium artis medicae
vel anatomicae ex curiositate susceptum, probabiliter non committitur peccatum mortale, modo exclusus sit consensus[1]).

38. *Num liceat pruritum, quem quis patitur in verendis, tactu vel fricatione abigere, quantumvis pollutio sequatur.*

a. Si pruritus (Jucken) est levis et facile tolerabilis,
s. Alphonsus non permittit tactum, quo ille abigatur cum
periculo pollutionis excluso consensu; tactum vero permittit, si aliqua tantum commotio secutura sit.

b. Si pruritus est magnus et molestus et ortum habet
ex acrimonia sanguinis vel aliquo morbo, licitum est illum
tactu vel fricatione abigere etiam cum periculo pollutionis,
excluso tamen consensu: habetur enim actio cum duplici
effectu; bonus intenditur, malus ex iusta causa permittitur.

c. Si autem pruritus ortum habet ex ardore libidinis,
non licet tactu vel fricatione illum abigere cum periculo
pollutionis, quia ex effectu malo demum sequitur effectus

---

[1]) Cf. *Lessius,* l. 4. c. 3. n. 118.

bonus: tactus enim directe tendit in procurandam pollutionem seu in sedandam libidinem et hoc medio demum
abigitur pruritus.

Ut discerni possit, unde dolores in genitalibus oriantur, ad
hoc attendendum est. Si dolores non cessant, nisi motus carnales
vel pollutio secuta sint, haec censeri debent medium ad sedandum
dolorem et proinde ex tactu et fricatione per se orta. Quodsi tactibus vel fricatione peractis dolores cessant, etsi motus carnales
vel pollutio aut nullatenus aut non semper sequantur, signum est
haec non esse medium sedandi dolorem et motus ac pollutionem
per accidens sequi. Ceterum si valde molestus est pruritus, ex
acrimonia sanguinis potius quam ex libidine ipsum ortum habere
iudicandum est. Si dubium est, utrum ex acrimonia sanguinis an
ex libidine oriatur, a pruritu se liberare licet: etenim ut hoc prohibitum sit, certo constare debet ipsum a libidine procedere[1]).

39. Pro praxi. Cum vitium pollutionis nunc temporis in
utroque sexu frequentissimum sit (frequentius tamen in viris quam
in feminis), iuvabit illius causas, effectus et curam paucis exponere.

1. **Causarum** aliae externae, aliae internae sunt. *Externae* sunt
mala aliorum exempla, quibus accensendi sunt libri pravi quamplu-
rimi cuiusvis generis et imagines turpes, quae excitant libidinem.
Otium, quod omnium quidem vitiorum, praesertim vero vitiorum
carnis origo est, item mollis et effeminata educatio. Omne id, quod
nervos genitales excitat, ut diu voluptatis causa cum rebus venereis
occupari, cubitus supini, calor lecti, cibi excitantes, cuiusmodi sunt
valde calidi et conditi, et abundantes potus alcoolici. Matres,
nutrices et famulae, quae ad infantes quietandos horum membra
genitalia contrectantes sensum venereum excitant. Praeterquam
quod lege morali id prohibetur, insuper dispositionem et proclivitatem ad venerea affert. Insuper immundities circa genitalia,
praesertim smegma praeputiale, quod inter praeputium et glandem
reperitur (quod propterea hinc inde lotione in aqua removendum
est). Addendum est impium medicorum consilium, quod adolescentibus praebetur, semel saltem in hebdomada se polluendi, cum
natura id exigat et valetudini non noceat. Verum hoc consilium
nec moralitati nec valetudini consulit, cum pravus se polluendi
habitus peiora vitia carnalia secum ferat, quae valetudinem paulatim destruunt. Causae *internae* sunt peculiaris status organismi,
cuiusmodi est complexio sanguinea et nervosa, defectus curae genitalium, aegritudines, quae systema nerveum afficiunt ut phthysis
pulmonaris et hysteria. Accedit magna delectatio, quam hoc vitium
affert, et facilitas, qua illud occultari potest.

Nota. Quamvis vitium pollutionis ordinarie ab hominibus
sanae mentis solum voluptatis causa committatur, concedi tamen
debet illud saepius non unice a voluntate pendere, sed complexio-

---

[1]) Cf. s *Alphonsus* n. 483.

nem corporis plus minusve ad illud disponere atque impellere eiusque culpam moralem imminuere.

2. **Effectus** huius vitii diu continuati funestissimi sunt, inter quos potissimum numerari debent graves irritationes systematis nervei, generalis totius organismi defatigatio atque debilitas, palpitatio cordis et circulationis perturbatio, ex quibus morbi hypochondriae et melancholiae facile oriuntur, qui quandoque in dementiam degenerant. Acies intellectus et energia voluntatis debilitantur, adeo ut ii, qui huic vitio indulgent, etsi post lapsum eos poeniteat, a peccato tamen abstinere vix possint.

Nota. Maligni huiusmodi effectus non tamen in omnibus se produnt. Sunt enim homines adeo robustae constitutionis corporis, ut ex hoc vitio exigua tantum valetudinis damna et leves nervorum perturbationes patiantur. Ideo ab exaggerationibus cavere debent, qui iuvenes luxuriosos expositis malis effectibus a vitio absterrere conantur.

3. **Cura.** Hoc vitium semel contractum, nisi specialis gratiae auxilium interveniat, aegre ac difficulter tantum eiicitur; nihilominus cum animae et corpori tot damna afferat, omnes, quorum interest, monendi sunt, ut in eius curationem serio intendant. Certa signa, ex quibus hoc vitium in adolescentibus cognosci possit, non habentur, attamen parentes et magistri, de hac re satis instructi, ex certis incommodis, quae filii eis manifestant, illud cognoscere et opportunis remediis cohibere possunt, praesertim removendo causas, ex quibus vitium inducitur.

Remedia naturalia seu hygienica: mentem distrahere; corpus exercere usque ad defatigationem; balneis vel lotionibus frigidis uti; genitalibus debitam curam impendere: organa genitalia tum in pueris tum praesertim in puellis (propter menstrua) crebris lotionibus indigent; lectum durum adhibere; non supine dormire; cum positio dorsalis seu supina nervos genitales excitet, cubitus sit lateralis et quidem dexter; mane somno excusso statim surgere; mane corpus circa genitalia aqua frigida (cum aceto mixta) lavare; ante cubitum vesiculam urinariam evacuare; eligere cibos leves, facilis digestionis, non excitantes, qui exiguo volumine sufficientem nutritionem praebent; a potionibus valde alcoolicis et vespere a carnibus abstinere; vestes ne sint nimis calefacientes nec comprimentes genitalia. Sunt etiam medicinae, quibus nervosae erectiones, si frequentes et vehementes sint, reprimantur.

Remedia moralia: vitii odium atque horrorem incutere et recuperandae virtutis desiderium aptis motivis inspirare; ad fugam occasionum, frequentiam sacramentorum et exercitia pietatis hortari; roborare voluntatem, ut spreta voluptate strenuo adhibeat apta remedia. Plerisque efficacissimum remedium est matrimonium, quod, ut quam primum contrahant, iis, qui huic vitio dediti sunt, consulendum est. Tamen non omnibus prodest; multi post matrimonium contractum nihilominus vitio indulgent; ideo iam antequam matrimonium ineant, aliqua emendatio procuranda erit.

4. **Confessarii**, qui in curam poenitentis habituati in vitio turpi intendunt, praeter ea, quae supra indicantur et quae consuetudinariis et recidivis passim suggeruntur, haec in particulari notent.

a. Prudenter explorent tempus, ex quo poenitens huic vitio deditus sit, pariter cognoscere studeant tum corporalem eius complexionem, tum peccatorum circumstantias, quo nimirum tempore, quo loco, in quibus rerum adiunctis lapsus accidere soleat.

b. Curent, ut ad eundem confessarium redeat, mox post lapsum confessionem instituat et, si fieri potest, etiam s. communionem suscipiat.

c. Inspirent ei spem victoriae atque in hunc finem exigant, ut quotidie mane et vespere ter salutationem angelicam recitet in honorem purissimae Virginis ad impetrandam corporis et animi puritatem, addito proposito non peccandi.

d. Sunt iuvenes utriusque sexus, habitu pollutionis irretiti, qui ob corporis complexionem nervosam vel sanguineam vehementes tentationes experiuntur, et quamvis resistant et orent, nihilominus polluuntur. Sciant pollutiones, quas vere inviti patiuntur, sine peccato esse.

e. Sunt alii, qui primum tentationi resistunt, deinde vero, si tentatio urgere pergat, ei cedere solent. Hi animandi sunt ad ulteriorem resistentiam: mox enim secutura erit pollutio, quae utpote praeter voluntatem eveniens, inculpabilis est.

f. Tandem inveniuntur alii, qui decumbentes in lecto vehementes commotiones carnis patiuntur, quibus si positivam resistentiam opponere pergant, obdormiscere nequeunt. His suadendum est, ut implorato Dei auxilio et elicito dissensu tuta conscientia passive se habeant, quidquid evenerit[1]).

40. Status plus minusve pathologici.

Etiam homines, qui secus castam vitam duxerant et ducere volunt, per diem neque cogitant de impuris, saepius molestas vexationes noctu experiuntur, se coactos dicunt ad pollutiones peragendas, nec resistere potuisse. Quorum numerus nunc temporis auctus cohaerere videtur cum debilitate nervorum et psychoneurosibus, quae frequentius occurrunt. Ita sunt in quibus pollutiones naturales retardantur vel retinentur, sive ex complexione physica, sive ex anxietatibus mentis; expergefiunt excitati, sed antequam

---

[1]) Cf. *s. Alphonsus* l. 5. n. 9. *Aertnys-Damen*, Theol. mor.[10] n. 620. *Eschbach* p. 556 ss.

res ad finem usque pervenerit; oriuntur phantasmata, congestiones molestae et dolorosae, capitis vertigo, ita ut noctes insommes ducant, usque dum pollutionem perfecerint. Alii, dum mens quiescere incipit ad somnum capiendum, excitationes semper vehementiores patiuntur, quae fatigant et tamen somnum impediunt; hi diu fortasse resistunt, et orant, et tamen in fine pollutionem adducunt.

Inveniuntur nunc confessarii, qui, simulatque talem statum pathologicum suspicantur, statim pronuntiant, nil peccaminosi haberi in actibus, quibus illi se polluunt, immo consilium dant, ut quieta conscientia actus ab illa impulsione postulatos perficiant, et ita se liberent ab infirmitate sua. Talis agendi modus confessariorum probari non potest et funestissimas sequelas habet; magna enim consideratione opus est et distinctione, ne per similia consilia omnes habenae relaxentur, et vitium altiores radices agat.

1. Etiam quando certe agitur de impulsu invincibili, tale consilium solum locum habet, ubi impulsus versatur circa actionem innocuam et indifferentem, ad quam non habetur vehemens inclinatio naturalis, neque periculum vitii nocivi contrahendi. Nemo sane homini, qui tali modo se attractum sentit ad alcoolica, consilium dabit, ut quieta conscientia sumat quantum et quoties ille impulsus postulat, et ita repetitis actibus se liberet a suo pathologico desiderio. In nostra materia multo funestius esset simile consilium.

Testibus medicis (v. g. *Ianet*) tales impulsus initio sunt valde tenues; augentur vero praecise per imaginatam irresistibilitatem, quam foveret tale consilium confessarii.

2. Neque ex eo, quod illi homines per diem ne cogitant quidem de peccato committendo, statim sequitur, illos impulsus insuperabiles et pollutiones involuntarias esse. Involuntarii esse possunt, si nempe oriuntur ex *impulsu mere mechanico* vel *motorio*, v. g. si pollutio demum adducitur per quosdam motus corporis nervosos, spontaneas crurium contractiones vel rigiditatem; si vero *impulsio* est *psychica*, ita ut homo quasi consilium ineat, quomodo se liberet et tunc tactus manuales vel corporales exercet, non est involuntaria, nisi forte aliqua absurda et erronea idea, quam vere vigil non admisisset, imperfectum voluntarium demonstret.

3. In dubio utique favendum est his miseris, quia praesumptio stat pro iis, cum vigiles nil peccaminosi agant. Immo etiam quoad actus peccaminosos dici eis potest, aliquam rationem mitius iudicandi adesse in morbosa qualitate totius status; hoc dici potest et debet, ne animum et spem deponant, sed ex altera parte non potest dici eos

omnino excusatos esse, iam ex hac ratione, ut etiam ipsi conatus faciant et collaborent pro sanatione.

4. Ex his facile iudicium patet quoad s. communionem et celebrationem; quoties pollutio orta est ex mere mechanica impulsione, vel etiam ex impulsione psychica coniuncta cum quodam errore in iudicando, porro in dubio de pleno voluntario, admittantur ad s. mensam praemisso actu contritionis; ubi agitur de impulsione psychica, cui plene vigiles et deliberati indulserunt, postulanda erit confessio, quod valebit etiam ad voluntatem firmandam.

5. Causa vero totius status morbosi secundum consilium probi et periti medici curanda est; sunt media, quae totam complexionem regulant, ita ut ex hoc etiam pollutiones nocturnae facilius et sine interruptione somni accidant; sunt alia media, quae excitationes nervosas paulo mitigant; praesertim vero successum habebit psychotherapia (per suggestionem et persuasionem anxietates removentur, concentratio et quies animi promovetur) coniuncta cum levibus exercitiis gymnasticis vel sola rhythmica et profunda respiratione in aëre salubri, quae etiam sine medico prudenter exerceri possunt.

41. De distillatione. Distillatio est effusio modica alterius humoris viscosi sine colore (sicut aqua) non prolifici e glandulis urethrae. In pollutione effusio humoris (flavi coloris) est copiosior et cum magna commotione coniuncta; in distillatione econtra effusio est exigua et fere guttatim accidit cum levi tantum aut vix ulla commotione.

Haec distillatio accidit: *a.* aut ex causa naturali (irritatione vel catarrho urethrae, glandularum vel ex debilitate); tunc non est peccatum, sed morbus a medico curandus; *b.* aut ex libidine oritur, tunc iam commotionem veneream continet et est inchoata pollutio.

§ 2. De sodomia.

42. Natura. *Sodomia* est concubitus cum persona eiusdem sexus vel cum persona diversi sexus, sed in vase indebito.

a. Concubitus non habetur, quando aliquis manu, pede, ore vel brachio alterius genitalia tangit et vicissim ab altero tangitur, sed de ratione concubitus est, ut corporum ipsorum coniunctio intercedat, adeo ut saltem ex una parte membri genitalis applicatio ad corpus alterius locum habeat, sive in vase praepostero, sive inter crura vel brachia, sive in alia corporis parte id fiat.

De ratione concubitus non est vasis alicuius penetratio; nihilominus specifice concubitus a tactu impuro differt; essentiale discrimen in eo est, quod in tactu affectus turpis fertur in pollutionem, in concubitu vero in personam, quacum fit concubitus contra naturam.

b. Ex definitione duplex distinguitur sodomia: *perfecta* et proprie dicta, quae est concubitus cum persona eiusdem sexus, ergo maris cum mare, feminae cum femina: et *imperfecta* seu improprie dicta, quae est concubitus cum persona diversi sexus, sed in vase innaturali seu praepostero.

c. Sodomia perfecta, quae est concubitus cum eodem sexu, duplici modo committi potest: aut *actu consummato* i. e. cum effusione seminis, aut *actu non consummato* i. e. sine seminis effusione. Pariter sodomia impropria dicta committitur aut actu consummato, aut actu non consummato in vase innaturali.

Sodomia consummata etiam inter feminas locum habere potest, si nempe in concubitu, qui inter eas habetur, delectatio completa intervenit.

d. Essentia huius criminis consistit in affectu aut ad sexum aut ad vas indebitum: utrumque est contra naturam, quia natura ad generationem prolis tum sexum tum etiam vas debitum requirit. Insuper continet peccatum contra caritatem propter cooperationem immediatam.

43. Principia. 1. Sodomia est crimen multo gravius simplici pollutione, tum in se, quia tendit in sexum aut vas indebitum, tum ratione cooperationis, quia uterque ad peccatum alterius concurrit. Eius specifica malitia consistit in accessu ad sexum aut vas indebitum, id quod ordini naturae speciali modo repugnat[1]).

2. Sodomia perfecta et imperfecta specie ab invicem differunt, quia affectus ad sexum indebitum specialem malitiam continet, diversam ab affectu ad vas indebitum.

a. Sodomia perfecta inter personas eiusdem sexus diversis modis committi potest; specifice tamen non differt, sive in vase praepostero sive in alia corporis parte concubitus fit. Quare in confessione sufficit scire concubitum cum seminis effusione locum habuisse, quin necesse sit de modo concumbendi ulterius interrogare.

b. Sodomia imperfecta inter marem et feminam uno tantum modo committitur, si nempe concubitus sit in vase praepostero. Quodsi concubitus in alia corporis parte locum habet, non committitur sodomia, sed fornicatio in affectu cum pollutione in effectu.

3. Nihil refert, utrum quis agens an patiens fuerit, species peccati eadem est: quare in confessione de hac re non est interrogandum. Sed in patiente affectus sodomi-

---

[1]) Cf. Rom. 1, 24 ss. Gen. 18, 20 s.

ticus deesse potest. Utrum autem pollutio, quae in agente facilius accidit quam in patiente, locum habuerit necne, declarandum est.

4. Ubi agitur de poenis ecclesiasticis[1]) vel reservatione, intelligenda est sodomia perfecta et consummata, quae conmittitur inter mares cum penetratione vasis praeposteri et cum seminatione ibidem facta[2]).

Nota. Hoc peccatum cum pueris peractum vocatur *paederastia.*

§ 3. *De bestialitate.*

44. Natura. *a. Bestialitas* est concubitus hominis cum bestia. Nihil refert, qua ratione concubitus acciderit, sive in vase naturali sive in alia corporis parte, sive cum seminis effusione sive absque illa, modo concubitus locum habuerit: specifica enim bestialitatis malitia in affectu ad alienam speciem consistit.

b. Si peccatum bestialitatis reservatum est, intelligenda est bestialitas, quae in vase naturali cum seminis effusione committitur, ergo bestialitas consummata, nisi aliud a reservante declaretur[3]).

45. Principia. 1. Bestialitas est gravissimum inter luxuriae peccata, horribilius ipsa sodomia. Specialis eius malitia in accessu ad speciem diversam consistit, quod rectae rationi magis adhuc repugnat, quam accessus ad sexum vel ad vas indebitum.

2. Bestialitas specie non differt, sive commissa fuit cum bestia huius vel illius speciei; et quandoquidem nunc exploratum est ex eiusmodi concubitu generationem sequi non posse, nihil refert, cuius sexus bestia fuerit, utrum mas an femina: specifica enim malitia in accessu ad diversam ab homine speciem consistit, ad quam diversitas specifica et sexus bestiarum solum materialiter se habet.

3. Tactus impudici cum bestia non sunt peccatum bestialitatis, nisi affectus turpis tangentis praecise in bestiam feratur, id quod raro accidit, cum peccans ordinarie solum libidinem explere intendat; quare haec circumstantia necessario in confessione declarari non debet, si quis mediante lingua iumenti vel alterius bestiae voluptatem veneream vel pollutionem in se excitaverit.

Appendix.

Ad complendam tractationem de peccatis luxuriae paucis agendum est *de appetitu sexuali abnormi.*

---

[1]) Cn. 2357—59. — [2]) *Salmanticenses* tr. 26. c. 7. n. 109. — [3]) Ibid. n. 140.

Appetitus sexualis duplici modo a communi norma deflectit: *a.* eo quod ultra modum auctus est *(hypersexualitas);* *b.* eo quod alio modo se exserit *(perversio sexualis).*

46. De hypersexualitate. 1. Affectus sexualis in diversis hominibus, quod vehementiam attinet, diversus in viris vehementior est quam in feminis; sed etiam personarum eiusdem sexus alii aliis vehementiorem sortiti sunt; quandoque vehementiam extraordinarie magnam attingit. Eiusmodi appetitus sexualis vehementior tum in iis reperitur, qui psychico defectu laborant, tum in iis, qui psychopathici non sunt.

2. Huius rei causa est partim dispositio hereditate acquisita, partim aegrotatio nervorum, partim abusus potus alcoolici. Accedunt excessus sexuales, qui tum animi aegritudinem tum affectum sexualem augent: repetiti enim excessus pravum habitum generant, qui quandoque adeo enormiter excrescit, ut libido ex quavis vel levissima causa excitetur et dein fere mechanice (physica necessitate) ad pollutionem propellat.

3. Signa, ex quibus dignoscitur, appetitum sexualem ultra modum (pathologice) auctum esse, haec sunt: si libido vix satiata mox iterum excitatur; si libido excitatur ex aspectu rerum in genere luxuriae indifferentium; si affectus sexualis hominem adeo occupat, ut fere solum de hac re cogitet et loquatur et media quaerat satiandi affectum.

4. *Imputabilitas.* Qui mente sani sunt, affectum sexualem, etiam vehementiorem, reprimere atque moderari possunt et debent; neque ullum sanitatis detrimentum patiuntur, eo quod appetitui sexuali etiam vehementissimo non satisfaciunt. Ideo peccata contra castitatem commissa eis imputanda sunt iuxta principia de concupiscentia in libro de Principiis (n. 53) exposita. Quin etiam illi, qui psychico defectu laborant, voluntarie et culpabiliter peccant, nisi defectus sit maioris gradus. Excessus sexuales eo minus voluntarii et culpabiles erunt, quo maior et intensior est animi aegritudo; plene involuntarii sunt in iis, qui mente aegroti seu plene psychopathici sunt.

Notandum est medicos materialismo addictos eos (praesertim iuvenes), qui frequentes pollutiones et vehementes excitationes sexuales patiuntur, pessimo consilio hortari, ut ad malum minuendum adeant mulieres: dicunt etiam abstinentiam saluti corporis et mentis gravia detrimenta affere. Non desunt media atque medicamenta, quibus vehementia libidinis sexualis minuatur, ideo ad medicum dirigendi sunt, quibus id opus est, sed ad medicum catholicum, qui mediis licitis utitur ad malum propulsandum, et cui persuasum est castitatem lege naturae praeceptam, etiam perpetuam, sanitati nec corporis nec animae nocere.

Nota. 1. Sunt *infantes,* qui iam ante pubertatem motus sexuales percipiunt; immo iam ante usum rationis abnormes huiusmodi dispositiones quandoque occurrunt. Huius rei causa saepius est absus ancillarum numquam satis detestandus, quae ad quietandos infantes horum genitalia titillant.

2. Sunt *homines,* qui rebus, quibus alii ordinarie ad libidinem excitantur, motus nullos percipiant. Huc pertinent sexualiter *frigidi* qui dicuntur.

3. Sunt *senes,* in quibus exstincto iam per aliquot annos sensu sexuali, hic iterum reviviscit.

47. De perversione sexuali[1]). 1. *Perversio sexualis* in eo consistit, quod appetitus sexualis et actiones sexuales eo *abnormes* sint, quod libido non actibus internis et externis ad venerea pertinentibus, ut ordinarie fit, sed aliis a vita sexuali prorsus alienis excitatur.

2. Fieri quidem potest, ut dispositio sexualis, initio a communi norma non aliena, per peccata luxuriae contra naturam diu commissa facta sit abnormis; ordinarie tamen dispositio abnormis hereditate a parentibus transmissa est cum morbida affectione systematis nervei.

3. Perversae dispositionis sexualis quatuor diversae formae distinguuntur: Sadismus, Masochismus, Fetischismus, Sexualitas contraria.

a. Sadismus[2]) dicitur, si delectatio venerea excitatur imaginationibus vel *actionibus,* quae crudelitatem et vehementiam continent, cuiusmodi sunt: strangulare, cultro pungere, percutere, flagellare, trucidare (Lustmord).

α. Hae actiones non peraguntur ad obtinendam copulam a persona, cui vis infertur, sed ad excitandam et sedandam atque explendam per eas propriam libidinem.

β. Frequenter in viris, vix unquam in feminis, haec perversio reperitur: cum enim vir in vita sexuali sit principium activum et, si ita loqui fas est, aggressivum, ipsa orta videtur ex degeneratione muneris, quod in functionibus sexualibus viro naturaliter competit.

b. Masochismus[3]) dicitur, si delectatio venerea eo excitatur, quod quis violentias et cruciatus *patitur,* cuius-

---

[1]) *Capellmann-Bergmann,* Past.-Mediz.[18] S. 196 ff.

[2]) Nomen ductum est a Marquis *de Sade,* qui hac perversitate affectus erat et veluti prototypon illius exhibet.

[3]) Nomen sumptum est a *Sacher Masoch,* qui hanc perversionem in suis fictis narrationibus (Romane) potissimum describit.

modi sunt percuti, calce impeti, verberari, flagellari, pungi usque ad effusionem sanguinis etc.

In mulieribus haec perversio potissimum reperitur, id quod ex supra dictis facile intelligitur, cum mulier in functionibus sexualibus magis passive se habeat. Non carent quidem sensu doloris, dum vim patiuntur, sed sensu voluptatis venereae dolor abunde compensatur.

c. Fetischismus dicitur, si libido excitatur imaginationibus vel actionibus, quae ad venerea non pertinent, et proinde alias aptae non sunt ad voluptatem excitandam.

Res vel partes corporis, quarum imaginatio vel contrectatio sensum venereum excitant, sunt manus, pes, oculus, crines, indusium, calcei, pennae, panni etc. Plerumque hae res vel corporis partes ad determinatam personam, inordinato affectu dilectam, relationem habent; sed fieri potest, ut etiam ex se independenter a relatione ad certam personam delectationem veneream et pollutionem provocent.

d. Sexualitas contraria dicitur, si appetitus sexualis in personam eiusdem sexus tendit (homosexualitas). Sensus venereus proinde non ex imaginatione, aspectu vel tactu personae diversi, sed eiusdem sexus provocatur.

α. Peccata, quae ab iis committuntur, qui hac perversione laborant, sunt pollutiones per tactus provocatae et concubitus sodomitici. Si perversa inclinatio in pueros fertur, *paederastia* vocatur, ordinarie tamen in viros tendit.

β. Haec perversio etiam in mulieribus reperitur, in quibus *amor lesbicus* vel sapphicus vocatur atque ad mutuas pollutiones et peccata sodomitica inducit, quae mulieres inter se committunt.

4. *Imputabilitas. a.* Perversio sexualis non semper est signum aegrotae mentis: perversiones etiam in iis reperiuntur, qui nullo defectu psychico laborant; id tamen affirmari posse videtur, perversiones frequentius in hominibus aegrotae quam sanae mentis haberi.

b. Non solum ii, qui mente sani sunt, sed etiam ii, qui psychico defectu laborant, appetitus sexuales perversos reprimere possunt; quibus proinde peccata (perversitates) commissa imputanda sunt, nisi defectus psychicus maiorem gradum attigerit. Ineluctabilis tum fit, cum ad defectum psychicum magna vehementia appetitus sexualis sive ordinarii sive perversi accedit.

5. Quaerunt, num peccata cum persona eiusdem sexus ab iis commissa, quibus contraria sexualitas innata est, sint peccata specifica sodomiae, cum affectus perversus erga eundem sexum in eis sine propria voluntate ideoque inculpabilis sit. — Verum cum specifica ratio sodomiae in affectu ad eundem sexum consistat, de ratione sodomiae dubitari nequit, etsi natura in eundem sexum ferantur et a sexu diverso aversionem patiantur. Sicut ergo alii in-

genitum affectum fornicarium ita illi ingenitum affectum sodomiticum reprimere debent.

Nota. Confessarius sciat oportet, quaedam vestigia dispositionis sexualis perversae quandoque etiam in iis reperiri, quorum vita sexualis ceterum a communi norma non discedit: non pauci enim occurrunt, qui imaginationibus vel actionibus turpiter excitantur, quae ad venerea vix quidquam referuntur, ut castigatione puerorum per imaginationem repraesentata, lectione cruciatuum, quos martyres passi sunt, imaginatione vel tactu crinium in nodum collectorum etc. Contra tentationes ex eiusmodi imaginibus vel actionibus ortas aeque pugnare debent ac contra alias tentationes castitatem invadentes. Ii, quorum perversio sexualis perfecta est, solum per media abnormia, per media turpia autem nullatenus aut parumper tantum excitantur.

Quaestio quarta.

De peccatis luxuriae non consummatis.

Peccata luxuriae non consummata, in quibus seminis effusio locum non habet, duplicis generis sunt: alia, quae ipsam luxuriam continent, alia, quae non ipsam luxuriam, sed solum causam luxuriam provocantem continent. Primi generis sunt *motus carnales*, secundi sunt *actus impudicitiae.* Impudicitia definitur voluntaria occupatio circa res, quae delectationem veneream provocant. Ad eam pertinent tum *actus interni:* cogitationes et desideria; tum *actus externi:* aspectus, tactus, oscula, amplexus, verba et lectiones.

Articulus primus.

De motibus carnalibus.

48. Declaratio. 1. *Motus carnales* (motus turpes, motus venerei, rebellio carnis) dicuntur commotiones membrorum genitalium cum voluptate coniunctae. Ordinarie adiunctam habent erectionem membri virilis vel motionem clitoridis femineae. Erectio tribuenda est sanguini ad illa membra confluenti.

2. Distinguuntur motus: *a. Leves* et transitorii, et *graves* ac diuturni. Hi proximum, illi remotum vel nullum periculum pollutionis inducunt.

b. Voluntarii sive in se sive in causa, et *involuntarii*, qui vel sponte et naturaliter oriuntur, quin ille, qui eos patitur, quidquam conferat, vel ita, ut eorum causam quidem ponat, sed ignoranter.

α. Causa, ex qua motus carnales oriuntur, vel est *externa:* modus sedendi, cubandi, tactus etc.; vel *interna* scilicet imagines phantasiae, quae vel ultro vel ex aspectu, colloquio, lectione excitantur.

β. Motus carnales ordinarie per erectionem membri virilis vel clitoridis femineae se manifestant, quae erectio in hoc casu cum voluptate coniuncta est et venerea vocari potest. Sed est etiam alia erectio mere naturalis, quae ex causis physicis non venereis oritur et absque voluptatis sensu habetur.

49. De malitia motuum carnalium. Cum motus carnales adiunctam habeant delectationem veneream et solum propter hanc pravi sint, ea, quae hic de corum malitia dicuntur, ex iis, quae supra (n. 11 s.) exposita sunt, facile intelliguntur. Scilicet advertendum est, hos motus, immo ipsam etiam pollutionem sponte ortam, si in se spectentur, esse processus physiologicos moraliter indifferentes. Ex causis enim naturalibus hi motus etiam sponte oriri possunt et reipsa oriuntur. Malitia moralis eis accedit ex mala voluntate. *(Pleasure in se ≠ sin; consent to it is a sin).*

1. Motus carnales *directe voluntarii*, qui vel deliberate excitantur, vel quibus consensus praebetur, si sponte et involuntarie oriuntur, sunt grave peccatum, quantumvis illi sint leves: habetur enim consensus in delectationem veneream, qui semper grave peccatum est, cum haec delectatio non admittat parvitatem materiae (n. 12). Nec specificam differentiam efficit modus excitandi diversus (per tactus, phantasiam etc.)

The consent (content of subsequent makes it = consent g. a2.

2. Motus carnales tum in se tum in causa *involuntarii*, quantumvis graves, nullum sunt peccatum, nisi consensus et complacentia voluntatis accedat: nam sine consensu voluntatis peccatum esse nequit.

3. Motus carnales *voluntarii in causa* seu causa, a qua motus praeter intentionem excitantur, est grave peccatum, si causa natura sua graviter in eos excitandos influit, nec adest sufficiens ratio eos admittendi.

Etsi causae leviter influentes in commotiones turpes sub gravi vitari non debeant, ne ab iis quidem, qui ex eis graves motus carnales, quin etiam pollutiones patiantur, nisi adsit proximum periculum consensus, qui tamen eiusmodi actiones ex iusta causa admittunt, enixe instanterque monendi sunt, ut eas omittant, nisi sint necessariae. Ob summam enim corruptae naturae in venerea proclivitatem magnum imminet periculum, ne paulatim graviora admittantur. Insuper facile occurrit periculum hallucinationis: qui enim eiusmodi actiones admittunt, facile sibi persuadent se in iis admittendis non duci nisi curiositate vel urbanitate vel amicitia, reipsa autem libidinis aestu ad ea impelluntur.

50. De resistentia his motibus opponenda alia sub gravi, alia sub levi debita, alia non quidem debita, sed tamen summopere consulenda.

1. Si motus involuntarii *leves* et transitorii sunt, de iis curandum non est, sed negligendi et *contemnendi* sunt, tum quia causae tales motus excitantes frequentissimae sunt, et proinde obligatio eos reprimendi nimis difficilis foret, tum quia contemptu melius et efficacius reprimuntur: sollicitudo enim eos impediendi imaginationem excitare motusque augere solet.

2. Si motus sunt *vehementes*, sive ortum habent ex causa voluntarie vel involuntarie posita, sive adsint absque causa ab homine posita, urget obligatio *positive eis resistendi* (nisi adsit iusta causa eos admittendi), et quidem sub levi, si periculum consensus vel pollutionis est remotum, sub gravi, si idem periculum est proximum. Ratio est, quia periculum consensus, immo ipse consensus virtualiter in eo adesse censetur, qui motus non reprimit, cum possit; et quia non licet pollutionem, ne indirecte quidem, provocare, nisi ex causa proportionate gravi.

a. Passive vel permissive se habet, qui eos neque approbat neque adhibitis mediis reprimit, sed admittit, donec per se evanescant. Aliqua ergo resistentia positiva necessaria est, quaecumque ea est, modo ad finem apta sit. Cum finis in eo consistat, quod ipsi motus compescantur, actus simplicis displicentiae de motu et delectatione carnali ad positivam resistentiam non sufficit, quia ille actus ad ipsos motus reprimendos inefficax est.

b. Positiva resistentia alia est *directa*, qua commotae partes (vestibus tectae) comprimantur, alia est *indirecta*. Resistentia directa non est suadenda, eo quod ad finem intentum non confert, sed potius nervos irritat motusque auget. Indirecta alia est externa, alia interna. Ad *externam* pertinet: mutare locum vel situm, opus interrumpere, aliam occupationem assumere, sensum doloris excitare manum vel brachium vellicando, pungendo vel se verberando etc. Ad *internam* pertinet: mentem ad alia divertere, divinum auxilium implorare, ss. nomina invocare, actum amoris Dei elicere, renovare propositum non peccandi etc., quae etiam ad praecavendum consensum in turpem delectationem conferunt.

c. Quando motus excitantur ex propria actione voluntaria eaque superflua, debita resistentia in eo est, quod eorum causa removeatur et ab illa actione cessetur. Qui ergo ex eiusmodi actione vehementer excitatur, eam sub gravi statim abrumpere, qui vero leviter se commotum advertit, sub levi ab ea desistere tenetur. Quodsi diutius illam continuat, graviter peccat propter grave periculum ad ulteriora progrediendi ac tandem consentiendi. Ideo e. g. diuturnus aspectus otiosus pulchrae mulieris vel diuturnum colloquium vanum cum puella vel continuata cogitatio impura, quando hae actiones iam libidinem vehementius excitant, grave peccatum sunt. *S. Alphons.* n. 422.

3. Si motus habentur etiam *vehementiores,* nec posita sit eorum causa graviter influens, nec supponi debeat proximum periculum consensus, *non est obligatio gravis positive iis resistendi,* sed mere passive se habere licet, quidquid commotionis inde sequatur. Attamen positiva resistentia etiam in hoc casu valde consulenda est tum propter periculum hallucinationis, quod in hac materia magnum est, tum propter studium servandae castitatis.

4. Nulla est obligatio positive resistendi motibus carnalibus etiam vehementioribus, si iusta adsit causa eos admittendi: ipsa enim iusta causa excludit indirectum et virtualem consensum. Licet ergo in hoc casu erga ipsos motus negative se habere, modo retineatur firmum propositum non consentiendi.

a. Iusta causa eos permittendi adest: α. si quis experientia novit, resistentiam eos potius augere; β. si excitantur ex actione necessaria vel quomodocumque utili e. g. ex auditione confessionis, ex lectione utili, ex tactu necessario.

b. Quia ad evitandos motus carnales nemo tenetur omittere actiones necessarias vel utiles, monendi sunt poenitentes, ne inceptum opus bonum ideo dimittant, quia eiusmodi miserias, uti sunt motus turpes, patiuntur, modo absit periculum consensus; iidem monendi sunt, ne orationes vel exercitia pietatis omittant, eo quod maxime inter orandum pravis imaginibus et motibus vexentur. Motus contemnendi et incepto operi insistendo reprimendi sunt[1]).

c. Etsi positiva resistentia in hoc casu, si e. g. inter laborandum vel cubandum motus vehementiores excitentur, necessaria non sit, valde tamen suadenda est sive externa sive saltem interna; ad cavendum vero voluntatis consensum eliciendus est de illis motibus actus displicentiae.

d. Accidit, ut piae feminae, praesertim moniales, in oratione vel in s. communione sensibili amore adeo inflammentur, ut delectationem veneream percipiant, quin et pollutionem patiantur. In hoc casu magna discretione opus est. Si non sunt hystericae, eis dicendum est, ut malignos hosce effectus non curent, nisi propterea in vita spirituali anxietatibus turbentur, quo in casu expedit, ut affectus amoris moderentur. Frequenter tamen eiusmodi feminae, quae inter orandum carnaliter excitantur, hysteria (religiosa) laborant: constat enim personas hystericas libenter obscoena phantasmata fovere proindeque vehementes genitalium commotiones pati usque ad pollutionem. Hae moneri debent, ut quantum fieri potest, eiusmodi phantasmata reiiciant.

---

[1]) *Ballerini-Palmieri* I. n. 597.

Articulus secundus.

De peccatis externis (impudicitiae).

51. Declarationes. Ut de actuum externorum malitia morali iudicium ferri possit, haec praenotanda sunt:

1. Actus impudici externi sunt: aspectus, tactus, oscula, amplexus, sermones (cantiones), lectiones. Iam si de eorum specie morali agitur, proprie de aspectibus et tactibus quaestio fit: oscula enim et amplexus ad tactus revocantur, sermones autem, cantiones et lectiones ex intentione delectationis venereae habitac ex se sunt eadem peccata ac cogitationes et desideria, quae interius foventur, dum verba proferuntur.

Inter aspectus et tactus notandum est hoc discrimen, quod *aspectus* non adeo materialis et concretus sit, et proinde facile abstrahat a circumstantiis personae qua talis eamque aspiciat tamquam virum vel mulierem, non tamquam coniugatam, sacram, consanguineam; *tactus* vero natura sua magis materialis et concretus est, et proinde a circumstantiis personae, quae tangitur, non facile abstrahit.

2. Partes corporis, quae aspiciuntur vel tanguntur, respectu affinitatis ad luxuriam, distinguuntur in partes *ex se non incitantes:* facies, manus, pedes; hae ad summum mediate per delectationem sensibilem vel generalem excitare libidinem possunt; — in partes *aliqualiter excitantes:* pectus, dorsum, crura; hae non solum mediate sicut priores, sed etiam ob propinquitatem ad partes genitales animum libidinosum demonstrare vel excitare possunt; — denique partes *ex se incitantes* (ab aliis turpes, inhonestae dictae) — genitalia et proxime adiacentes, pectus femineum nudum (relate ad viros); harum tactus vel aspectus, si non ex causa verae et sincerae necessitatis vel utilitatis fiat, immediate ex se libidinem demonstrat et excitat.   Concedendum utique est, assueta minus allicere, sed ex altera parte saepe etiam lupus libidinis in pelle affectatae utilitatis incedit.

a. Notandum, non omnem nuditatem vocari posse obscoenam; est nuditas *simplex*, quae attentionem allicere non vult vel ad alium finem non malum tanquam medium eligitur, ut si quis se exuit, ubi per accidens ab aliis videri potest; haec potest esse periculosa pro aliis, sed ad summum per scandalum indirectum. Sed est etiam nuditas *affectata*, quae allicere vult et propter se quaeritur; haec ultima est obscoena[1]), et aequivalet scandalo directo vel inductioni.   Ideo vitare voluimus in praecedente divisione terminos »partes inhonestae vel minus honestae«.

---

[1]) *Vermeersch* n. 181.

b. Quamvis inter partes non incitantes ponatur facies, tamen attendendum est, labia (sicut etiam mamillam femineam) esse etiam centra erotogenea, ita ut per oscula in labia directe nervi delectationi venereae inservientes excitari possint, praesertim in iis, qui libidinem iam experti sunt, dum puellae castae saepe nil sentiant. Quod a fortiori valet de sic dicto osculo columbino, quo lingua in os alterius immittitur.

3. Actus impudicitiae externi considerandi sunt *a. ratione actus* in se; *b. ratione finis,* propter quem ab agente exercentur; *c. ratione periculi,* quod inducunt, delectationis venereae, pollutionis et consensus in delectationem.

4. Distingui debet inter actus impudicos, qui *solitarie,* et actus, qui *in alia persona* fiunt; in his accedit malitia scandali, inductionis, cooperationis.

Eorum moralitas ratione actus. 1. Actus qui dicuntur impudici, in se nondum continent delectationem veneream; ideo *in se* sunt *indifferentes* et ex fine honesto vel manifeste utili licite ponuntur. Attamen plus vel minus ad libidinem disponunt, eam excitant, vel aliis manifestant. Inde periculum oritur delectationis venereae vel etiam consensus in eam; tale periculum autem nonnisi ex causa proportionata in nos suscipere possumus. Et cum concupiscentia carnis in statu hominis lapsi maiori vi et inordinatione quam concupiscentia aliorum bonorum agat, post lapsum homini datus est pudor, cuius exercitium virtuosum per pudicitiam propugnaculum est virtutis castitatis, eo quod hominem inclinat ad vitanda ea quae luxuriam praeparant.

a. Qui ergo sine ratione vere et sincere necessaria vel utili tales actus ponit, propugnaculum a Deo datum diruit, periculo portam aperit.

b. Insuper cum hi actus sint naturae grati et sensibilem delectationem afferant, concupiscentia carnis iudicium intellectus turbat, eo quod putet homo se ex utili ratione vel pura delectatione sensibili ponere, quod tamen ex occulta (»larvata« dicit Vermeersch[1]) libidine prodit.

c. Coram aliis vel cum aliis habiti tales actus manifestant animum pronum vel minus custoditum erga libidinem, et ita scandalum vel cooperationem continent.

Quo magis hoc triplex periculum adest, eo maior et gravior ratio requiritur ad illud compensandum, eo sincerior debet esse intentio, ut periculum remotum fiat.

---

[1]) Ib. n. 387

4*

Si tamen essent (quod sane raro accidet), qui ex his actionibus nullum periculum paterentur sive motus turpis sive consensus in turpes delectationes, illae actiones pro iis solum peccatum otiosae actionis, sensualitatis, nullatenus vero peccatum contra castitatem continerent. Quatenus autem actus non consummati vel explicite vel implicite exercentur ex fine libidinoso, haberi debent ut initium et inchoationes actus venerei consummati. Implicite ex fine libidinoso exercentur, si alium finem operantis non habent.

2. Actus impudicitiae externi cum delectatione venerea incompleta coniuncti *specie inter se non differunt.* Etsi aspectus et tactus ratione actus essentialiter differant, ratione malitiae moralis tamen specifice non differunt: propria enim eorum malitia in delectatione venerea per eos quaesita vel admissa consistit, quae specificam malitiam non sortitur, eo quod hoc vel illo sensu seu medio ex se indifferenti procuretur, sed in omnibus hisce actibus eiusdem speciei est[1]).

Ergo in confessione sufficit de actibus impudicis in genere se accusare, quin distinguatur in specie, utrum aspectu an tactu id acciderit vel de delectatione incompleta, quin declaretur, quo modo orta sit. Sicut ergo pollutiones omnes eiusdem speciei sunt (n. 31), ita delectationes incompletae venereae (solitariae) specifice inter se non differunt.

3. Actus impudicitiae tum externi tum interni *specie differunt* ab actibus perfectis seu consummatis (pollutio, copula): in illis enim vel non continetur delectatio venerea, vel si intenditur et percipitur, quamdiu est incompleta, specie differt a completa (n. 8). Ideo non sufficit accusare tactus impuros, si habita fuerit pollutio.

52. Eorum malitia moralis ex fine agentis. Actus impudicitiae extra matrimonium ob quadruplicem finem exerceri possunt: *a.* ex intentione delectationis venereae seu ex affectu libidinoso; *b.* ex intentione delectationis sensualis; *c.* ex ioco, levitate et curiositate; *d.* ex iusta et rationabili causa.

a. Si fiunt *ex pravo et libidinoso affectu,* licet ex se parum in libidinem influant ut aspectus mulieris, contrectatio manus etc., semper grave peccatum sunt propter intentionem graviter malam; ideo nihil refert, utrum actus ipsi magis an minus turpes sint.

b. Si fiunt *ex sola intentione delectationis sensualis* leve peccatum sunt, nisi inducant proximum periculum commotionis carnalis et consentiendi in delectationem veneream, ut evenire potest, si cum aliquo affectu et mora exerceantur.

---

[1]) Cf. *S. Thomas* II. II. q. 154. a. 4. *Bucceroni* I. n. 783.

In his actibus ex sola delectatione sensuali habitis duplex malitia reperitur, quod inordinati sint i. e. quod ad finem rationabilem non referantur nec referri possint, et quod periculum delectationis venereae et consensus in eam inducant; sed utrumque leve peccatum est, nisi periculum sit proximum. Iam vero quo maior in illis actibus est affectus et mora, eo maius est periculum delectationis venereae et consensus; immo mora diuturnior, qua exercentur, frequenter signum est non solum magni affectus, sed etiam animi libidinosi, quamvis adsit iusta causa eos peragendi e. g. osculum dando. — Ergo tactus, oscula, amplexus, si absque rationabili causa ob solam delectationem sensualem fiant, per se levia peccata sunt.

c. Si fiunt *ex levitate, ioco vel curiositate* ideoque breviter et perfunctorie, licet ex se vehementer ad libidinem excitare possint ut turpes aspectus vel tactus, leve peccatum sunt, tum quia curiositas levis est, tum quia influxus in motus turpes in his levis et remotus est.

d. Si fiunt *ex iusta causa,* etsi sensus delectationis vel etiam pollutio praeter intentionem excitetur, nullum sunt peccatum, modo absit consensus. Iusta eos ponendi causa est: decentia, utilitas, necessitas. Sed quo magis laeditur pudor, eo maior requiritur causa, quae actionem impudicam excuset; hinc actionem graviter impudicam (aspicere, tangere partes incitantes personae alterius sexus) sola necessitas excusat ut in medicis et chirurgis.

53. Actus impudici in alio habiti. 1. Tactus (oscula, amplexus), qui ex prava intentione in alio fiunt, sunt peccata diversae speciei pro diversitate circumstantiarum in personis, quae inhoneste tanguntur: cum enim tactus personam materialiter et in concreto attingat, sicut in ipsis actibus luxuriae fit, censentur esse eiusdem naturae atque actus perfecti, ad quos naturaliter ordinantur.

Supposito pravo affectu ad personam, quae tangitur, specie differt tactus in persona eiusdem et tactus in persona diversi sexus: hic enim per se ad fornicationem refertur, ille ad sodomiam; specie differt tactus in persona soluta et tactus in persona coniugata: hic enim per se in adulterium tendit, ille in fornicationem. Unde in confessione explicandum est obiectum tactus. Si tamen constaret, affectum non transiisse ad aliam personam, sed actus impudicos solum adhibitos esse ad voluptatem sibi procurandam, sufficeret sic se accusare: impudice egi graviter, vel leviter vel temere vel ex affectu libidinoso.

2. Aspectus turpes autem, qui ex prava intentione in alio fiunt, nisi desiderium tactus vel actus consummati accedat, non sunt peccata specie diversa pro diversitate circumstantiarum in persona, quae aspicitur. Aspectus enim ordinarie a circumstantiis personae praescindit, nisi affec-

tus libidinosus in talem praecise personam feratur. Ideo in confessione non est declaranda qualitas personae turpiter visae, num fuerit consanguinea, coniugata, sacra etc.

Specie tamen differunt turpis aspectus maris et feminae, atque ideo delectatio venerea ex turpi aspectu maris vel feminae quaesita: etenim potest quidem aspectus a circumstantiis personae, non autem a diversitate sexus praescindere; quare aspectus maris refertur ad copulam cum mare, aspectus feminae ad copulam cum femina[1]).

Nota. *a.* Si impudicitia cum alia persona commissa est, id in confessione declarari debet, propter peccatum scandali, quod ad luxuriam accedit. — *b.* Qui tangendo aliam personam pollutionem passus est, de pollutione se accusare debet, quia est peccatum distinctum a tactu in alia persona commisso, qui continere potest malitiam fornicationis, sodomiae, incestus etc. — *c.* Solum si constaret, nullum adfuisse scandalum (e. g. in tactu circa dormientem), nec affectum transisse in aliam personam, sed actus impudicos solum adhibitos fuisse ad voluptatem sibi procurandam, sufficeret dicere: impudice egi (leviter, graviter; temere, ex affectu libidinoso).

✱ 54. Eorum malitia moralis ex periculo. Ad determinandam malitiam moralem actuum impudicitiae, qui fiunt sine directa intentione sibi procurandi delectationem veneream, attendendum est ad *periculum,* quod inducunt, plus minusve proximum commotionis venereae et pollutionis seu ad influxum, quem in excitandam libidinem exercent. Gravia igitur peccata sunt illi actus, qui proxime et notabiliter, levia illi actus, qui remote et leviter in excitandam libidinem influunt.

V. IMP

Ad determinandum hunc influxum tria potissimum considerari debent: α. *actuum natura:* alii enim actus ex se et natura sua graviter, alii leviter tantum commovent; β. *varia eorum adiuncta:* actus enim, qui morose fiunt et saepius iterantur, multo magis excitant quam actus, qui obiter et semel tantum fiunt; pariter magis commovent actus, qui vehementer et magno ardore quam actus, qui leviter et pacate fiunt; γ. *dispositio agentis:* actus enim, qui alios vehementer excitant, alios ob subiectivam dispositionem parum commovent. De singulis itaque actibus impudicitiae iudicandum est, quinam ordinarie graviter et proxime, quinam vero leviter et remote in commotionem veneream et in pollutionem influant, quinam ergo ordinarie gravia, quinam vero levia peccata sint.

Nota. Quamvis morum corruptela plerumque ex colloquiis obscoenis oriatur: *Corrumpunt bonos mores colloquia mala[2]),* audita tamen minus influunt in phantasiam atque ideo in commotionem carnis quam visa; omnium autem maxime atque efficacissime caro sollicitatur ex tactu.

---

[1]) Cf. *Ballerini-Palmieri* II. n. 969 ss
[2]) 1. Cor. 15, 33.

✱ This section is extremely sound and certains the principles underlying the wide problem of im- modesty: It is a sin to expose one's self voluntarily to danger of sin, wire suff. reason.

55. De tactibus. 1. *In proprio corpore. a.* Se ipsum tangere *in partibus etiam ex se incitantibus* necessitatis vel utilitatis causa ad curandum morbum, ad abigendum pruritum vel ad abstergendas sordes, excluso consensu in delectationem forte suborientem, licitum est, quamvis motus carnales, quin etiam pollutio sequantur.

Suadendum autem: α. ut quantum fieri potest eiusmodi tactus obiter et mechanice, cogitatione ad alias res conversa peragantur; β. ut a tactibus cessetur, quando motus vehementiores fiunt.

b. Se ipsum tangere in partibus iisdem sine iusta causa, sed citra affectum pravum in iis, qui sciunt se eiusmodi tactibus non commoveri, peccatum, saltem in genere luxuriae, non est. Pueris autem eiusmodi tactus, praesertim dum in lecto decumbunt, severe interdicendi sunt ob funesta huius rei consectaria. Sed qui diutius sine causa turpiter se tangunt, ordinarie motus carnales excitant atque delectationem veneream; immo plerumque id faciunt ex pravo fine delectationis vel pollutionis.

2. *In alieno corpore. a.* Tangere personam eiusdem sexus *in partibus ex se incitantibus* sine iusta causa grave est, quia multum commovet. Etsi mediate supra vestes tantum fiat, saltem de gravi suspecti sunt. Exclusa tamen intentione libidinosa, si obiter tantum et sine mora ex levitate vel ioco fiat, non est grave peccatum. De eiusmodi tactu in persona diversi sexus dicendum est, eum non facile excusari a gravi peccato, praesertim si fiat in persona tenere amata.

α. Eiusmodi tactus inter *impuberes* habiti ex levitate vel ioco et absque mora gravia peccata non sunt, quia in hac aetate non solent excitare commotiones.

β. Auctores, qui aspectus vel tactus inhonestos in persona diversi sexus *ex curiositate* factos a mortali excusant, supponunt abesse tum periculum consensus in delectationem tum periculum pollutionis; at vero raro erunt adiuncta, in quibus utrumque hoc periculum absit.

b. Tangere personam eiusdem sexus *in partibus remote incitantibus* exclusa prava intentione, vix erit peccatum, saltem grave; tangere autem personam diversi sexus in partibus minus incitantibus a gravi excusari vix potest, nisi valde obiter ex levitate vel ioco in brachio vel scapulis fiat. Etsi enim tactus initio ob delectationem sensualem fiant, plerumque impossibile est, quin motus carnales immo ipsa pollutio ex iis sequantur.

c. Tangere *mulierem in mamillis,* etsi a persona eiusdem sexus fiat, a gravi non excusatur, quia valde commovet et proinde periculum pollutionis atque consensus inducit.

d. Tangere personam etiam diversi sexus *in partibus honestis,* si fiat ex rationabili causa, peccatum non est; si fiat absque rationabili causa, etsi cum aliqua mora et affectu, exclusa prava intentione, ex se leve peccatum est, facile autem grave periculum inducit.

e. Tangere *bestiam in partibus incitantibus* ordinarie peccatum grave non est, nisi ex affectu libidinoso fiat; si tamen tactus de industria continuantur, praesertim si fiant usque ad animalis pollutionem, ordinarie grave peccatum est, tum propter periculum consensus in turpem delectationem, quae in tangente facile oboritur, tum propter grave periculum propriae pollutionis.

56. De osculis. 1. Oscula morosa, saepius repetita, cum magno affectu impressa inter personas diversi sexus, *ordinarie* gravia peccata sunt, quia valde commovent; praeterea saepe ex affectu libidinoso procedunt: inter solutos enim raro aliam causam habent. (n. 51, 2, b.)

Fieri tamen potest, ut gravia peccata non sint. Sic si quis e. g. alio migraturus personam diversi sexus consanguineam vel probe notam ex affectu sensuali saepius vel morose osculatur, de motibus autem carnalibus, quos forte experitur, non curat, eisque non consentit, graviter non peccat: adest enim legitima causa et exclusus est tum affectus libidinosus tum consensus in voluptatem. Cum tamen desit debita moderatio in usu actionis licitae, veniale peccatum committitur; omni autem culpa vacant eiusmodi oscula et amplexus iterata et morosa inter parentes et filios, quae fiant in signum specialis dilectionis.

2. Oscula decentia, quae fiunt iuxta morem patriae, urbanitatis, amicitiae, cognationis causa vel ad honestum amorem significandum et augendum etiam inter personas diversi sexus, licita sunt, quamvis motus carnales excitentur, modo caveatur consensus in delectationem veneream. Idem dicendum est de amplexibus et manuum contrectatione.

3. Oscula decentia (amplexus, manuum compressiones), quae nulla causa necessitatis vel utilitatis cohonestante ex ioco, levitate vel etiam ex affectu sensuali fiunt, levia peccata sunt, si delectatio venerea aut **nulla aut** citra praevisionem oriatur, et si ab illis actionibus **ob** periculum consensus et pollutionis cessetur, ubi eiusmodi delectatio percipiatur.

Item veniale peccatum est, si oscula (tactus, amplexus) decentia fiant ex *affectu sensuali* (n. 7), quo quis e. g. prosequitur puerum vel puellam impuberem ob eius pulchritudinem. Hoc mortale non est, quia deest prava intentio et proximum excitandae delectationis vel pollutionis periculum; culpa tamen non caret, quia deest rationabilis finis. Quia vero a delectatione sensuali pronus est transitus ad delectationem veneream, hi actus ex affectu sensuali commissi gravia peccata sunt, si inter puberes diversi sexus morose et absque iusta causa fiant nec cessetur, quando delectatio invalescens iam percipitur, quia grave periculum pollutionis, immo consensus inducunt[1]).

4. Oscula in alias partes corporis incitantes, praesertim vero in partes ex se incitantes grave peccatum sunt, quia valde commovent. Praeterea haec vix procedere possunt nisi ex affectu libidinoso, cum rationabilis causa eas partes deosculandi aegre fingi possit.

57. De aspectibus. 1. *Se ipsum* aspicere in partibus incitantibus ex necessitate vel utilitate excluso affectu pravo, nihil est. Id facere ex curiositate vel levitate excluso consensu veniale non excedit; quia propria minus movent, attamen mortale potest esse, si absque necessitate morose fiat. Aspicere partes minus incitantes proprii corporis etiam sine causa peccatum, saltem in genere luxuriae, non est, quia hoc non commovet.

2. Aspicere personam nudam *eiusdem sexus* (e. g. simul natantem) obiter ex curiositate, veniale est, quia ordinarie non multum movet; sed personam nudam eiusdem sexus serio, deliberate et morose praesertim cum affectu aspicere etiam ex sola curiositate, mortale est, quia id natura sua et proxime ad libidinem excitat.

a. Nihilominus a simul natantibus exigi debet, ut tectis partibus incitantibus id faciant, nisi alicubi (ut in Anglia, in Oriente) communis usus ferat, ut detectis etiam partibus istis natent: eiusmodi enim aspectibus assueti difficilius commoventur; pari modo consuetudo quarundam regionum efficit, ut imagines et statuae personas nudas (angelos) repraesentantes absque periculo aspiciantur, nisi studiose et morose fiat.

b. Graviter reprehendendi sunt pueri et puellae sibi invicem ex levitate vel curiositate genitalia detegentes; etsi enim id in hac aetate mortale non sit, castum pudorem tamen minuit atque ad ulteriora disponit et conducit.

3. Aspicere partes minus incitantes personae *diversi sexus,* per se mortale non est, quia notabiliter non excitat; sed diuturnus eiusmodi aspectus a mortali excusari non potest. Item personam diversi sexus etiam solum ex curiositate aspicere in partibus incitantibus mortale est, quia hoc ordinarie multum excitat naturam corruptam. Excipiendus est aspectus, qui valde obiter et fere ex inopinato, vel qui breviter et e longinquo fiat, item aspectus infantuli nudi diversi sexus.

---

[1]) Cf. *Ballerini-Palmieri* II. n. 976 ss.

4. Aspicere *statuas vel imagines* utriusque sexus plane nudas sine ratione necessitatis vel magnae utilitatis aspectu in genitalia fixo, serio et cum aliqua mora, grave peccatum est, quia multum excitant rebellionem carnis, nisi forte sint statuae valde antiquae, quae teste experientia non adeo commovent. Si autem statuae et imagines inhonestae sine causa aspiciuntur obiter et perfunctorie, veniale est, quia aspectus, qui non sunt intensi et cum mora, non multum excitant.

Iudicium in particulari casu ferendum ponderare debet: *a.* modum repraesentationis, an sit nuditas simplex vel affectata (n. 51, 2, a.); *b.* causam, an scil. revera studio artis inserviat, ad quod v. g. genitalia nil conferunt; *c.* periculum subiectivum, quod in assuetis artificibus minus est; *d.* scandalum, quod **v. g.** sacerdos vel religiosus praeberet.

5. Aspicere *partes genitales* vel *coitum animalium* ex curiositate sine affectu libidinoso veniale est, praesertim si animalia sint minora ut aves vel canes et si obiter tantum aspiciantur, quia hoc non multum excitare solet voluptatem. Aspicere *coitum humanum* grave peccatum est, nisi breviter et e longinquo fiat.

Necessitas excusat coniungentes animalia domestica ut tauros et equos, etsi oriretur commotio carnis vel etiam pollutio, excluso consensu; sed hoc munus quantum fieri potest, demandandum est coniugatis aut senioribus, qui ad venerem non adeo proclives sunt ut iuvenes.

Nota 1. de operibus artis. Ex his desumendum est etiam principium ab artificibus, sive pictoribus sive sculptoribus, in repraesentatione humani corporis servandum. Ars enim non est exempta ab observatione legis naturalis et divinae, sed econtra legibus moralibus in operibus suis producendis plane tenetur. Facile conceditur corpus humanum in se honestum et pulchrum, sed tamen aptum esse, quod in aliis sensum venereum excitet. Cum igitur lege morali prohibitum sit, ne quis suis actionibus alios sollicitet ad peccatum, prohibitum dici debet, ne illae corporis partes ita nudae atque detectae exhibeantur, ut aspicientes communiter excitent ad libidinem. Etiam simplicis nuditatis repraesentatio sine restrictione concedi non potest, cum multis occasio peccandi esse possit. Si tamen ex circumstantiis (v. g. quod opus non in publico loco exponendum sit) occasio minuitur, causa gravis (detrimentum vel inefficacia denegationis[1]) excusare potest.

Nota 2. De balneis. Balnea sive in aqua sive in sole vel aere licita sunt non solum sanitatis, sed etiam recreationis causa; sed hodie peccatur *per excessum*, ac si cultus corporis esset summum

---

[1] *Vermeersch* l. c. n. 399.

bonum, omnibus mediis, etiam periculosis, obtinendum; et peccatur *per defectum*, scil. rectae intentionis et pudicitiae. Itaque:

1. Cultum corporis ita extollere est grave peccatum contra
caritatem sui et potest esse contra fidem.

2. Quaerere delectationem sensualem in conversatione cum
personis alterius sexus leviter vestitis, est quaerere periculum peccati in se et aliis. Hoc valet praesertim de otiosa conversatione
extra aquam.

3. Omnes fines honesti balnei obtineri possunt absque praesentia alterius sexus; proinde in locis vel temporibus distinctis
pro utroque sexu fiant. Nec ratio lucri excusat eos, qui tales oc-
casiones praebent, propter pericula et scandala.

4. Si separatio fieri non potest, ut in litore maris, vel in
amplis locis ad natandum aptis ubi simul periculum est minus ob
distantiam, saltem separatae cellae ad exuendas vestes et decens
vestitus postulanda sunt.

5. Exercitia gymnastica et rhythmica nudo omnino corpore
peragere, praesertim coram aliis, tolerari non potest, a fortiori si
personae diversi sexus sint. Nulla enim est necessitas vel utilitas
plenae nuditatis, cum finis salubritatis eodem modo obtineatur,
si corpus levi, non constringenti veste tectum sit, ita ut aëri pateat.
Consentiunt medici cordati, immo dicunt primum symptoma quorundam morborum animi esse amissionem pudoris.

58. De sermonibus. 1. Turpia loqui tripliciter peccaminosum esse potest:

a. ratione finis, si quis turpia loquitur ex affectu libidinoso ad capiendam delectationem veneream, vel ad alium
seducendum ad peccatum;

b. ratione *periculi* excitandi motus turpes vel etiam
pollutionem et in ea consentiendi;

c. ratione *scandali,* quod audientibus, praesertim si
iunioris aetatis sint, praebetur.

Grave ergo peccatum committit, qui turpia loquitur, canit ex
pravo delectationis fine vel cum periculo proximo consentiendi in
delectationem vel cum gravi aliorum scandalo.

2. Turpia loqui, si verba sunt leviter obscoena vel
graviter quidem, at ioci causa ad vanam recreationem pro-
ferantur, ut fit ab operariis inter laborandum, leve est; quin
etiam si ex levitate sermones valde obscoeni misceantur
e. g. de actu coniugali, de mediis impediendi generationem,
de membris genitalibus praesertim alterius sexus, de modo
se polluendi, de modo generandi etc. non semper mortalia
sunt, quia teste experientia naturam frequenter parum excitant. Sunt autem mortalia, si habentur ad iuniores, inter
amantes, vel si accurate describuntur res.

3. Ex iactantia narrare gravia peccata a se patrata, idque verbis valde obscoenis expolire, grave est et ordinarie quidem tripliciter: ratione gaudii de re mala, ratione scandali et ratione periculi delectationis impurae, praesertim si colloquia diutius protrahantur.

4. Sermones turpes *audire* grave peccatum est, si audiens suo agendi modo sermones graviter turpes provocat vel si ex pravo affectu de iis delectatur; qui vero ex respectu humano subridet vel etiam aliquod verbum immiscet, item qui ex curiositate talia audit, cum facile abire posset, graviter non peccat[1]).

5. Cantare cantilenas etiam valde obscoenas secluso scandalo non semper grave peccatum est, si nempe fiat ex levitate vel ob melodiam: cum enim, quae ex hoc fine cantantur, ordinarie graviter non commoveant, exclusum esse potest periculum proximum gravis peccati.

Quoad verba obscoena interrogandi sunt poenitentes, coram quibus ea protulerint: coram adolescentibus vel magis adultis, coram solutis vel uxoratis, propter scandalum; facilius enim scandalizantur soluti quam uxorati, pueri et puellae quam adulti. Non decet autem confessarium ex poenitentibus, qui de pravis colloquiis se accusant quaerere, quid dixerint; quare ad iudicium ferendum de gravitate huius peccati facta interrogatione, num colloquia valde inhonesta fuerint, ex condicione poenitentis gravitatem peccati potius praesumere debet. Notandum itaque sermones turpes, quos coniugati inter se habent, raro gravia peccata esse, sermones autem turpes, quos iuvenes inter se vel coniugati cum solutis vel coniugatus cum persona extranea diversi sexus proferunt, facile gravia peccata esse posse, sive ob pravum affectum, sive ob periculum consensus in motus turpes, praesertim si sermones diutius protrahantur.

59. De lectionibus. 1. Legere libros leviter tantum turpes ex curiositate vel recreationis causa sine pravo affectu veniale est: nam periculum pravae delectationis, si libri leviter tantum turpes sunt, remotum est.

Lectio *librorum romanensium*, qui de amoribus ita tractant, ut nec omnino casti nec omnino obscoeni sint, iuvenibus utriusque sexus valde dissuaderi debet, cum eorum lectio indolem enervet, phantasiam ineptis imaginibus repleat atque universim ad mollitiem disponat. Ab iis, qui experientia sciunt, se ex eiusmodi lectione graves tentationes vel frequentes pollutiones pati, hi libri sub gravi vitari debent; alias autem sub gravi non prohibentur, etsi hinc inde commotio vel etiam pollutio consequatur, cui tamen non praebeatur consensus. Eorum lectio licita est, si ex rationabili causa instituitur (propter eruditionem, propter stylum) et tentationes forte suborientes reiiciantur.

2. Legere libros proprie obscoenos, ordinarie grave peccatum est, quia eiusmodi lectio utpote diutius protracta

---

[1]) Cf. *Berardi*, Praxis confess.[3] I. n. 921.

ordinarie graviter commovet et proximo periculo turpis delectationis et pollutionis exponit. Raro autem causa excusans aderit.

Si quis tamen parum quid legeret ex curiositate, vel si experientia sciret se tali lectione non commoveri vel commotioni ortae se non consentire, (sicut in coniugatis vel aetate provectis fieri potest) graviter non peccaret. — Item iuvenes, qui ex curiositate in lexicis quaerunt verba obscoena, per se graviter non peccant.

3. Legere libros etiam leviter tantum turpes ex intentione libidinosa vel cum proximo periculo consentiendi in turpem delectationem, grave peccatum est.

4. Legere libros turpes ex causa iusta et proportionate gravi excluso proximo periculo consensus in turpem delectationem, peccatum non est.

a. Ideo non peccant contra legem naturalem, qui legunt libros obscoenos ad debitam scientiam sibi comparandam, ad mores corrigendos etc., item qui legunt libros classicos obscoenos ob sermonis elegantiam ad perficiendum stylum (qui libri tamen iuvenibus non sunt tradendi), dummodo turpi delectationi non consentiant[1]).

b. Sedulo dispiciendum est, num causa, ob quam liber obscoenus legitur, satis gravis sit: etenim quo maius est periculum turpis delectationis, eo gravior debet esse causa. Curiositas, item recreatio (quae aeque ex aliis rebus innocuis capi potest) non est iusta causa. Commotio tamen vel pollutio, quae ex studio medicinae, anatomiae, artis pulchrae etc. oritura praevidetur, excluso consensu non imputatur in grave peccatum, etsi studium absque necessitate ex mera curiositate fiat[2]).

60. *Num pictoribus et sculptoribus licitum sit diu aspicere personas nudas eiusdem vel diversi sexus, quae pro exemplari ipsis se sistunt (Modell stehen).*

Id certe non licet ad pingenda vel sculpenda obscoena: nam finis malus non potest cohonestare aspectum periculosum; ad honesta autem pingenda vel sculpenda, quatenus ad finem artis necessarium est, sub certis condicionibus et cum debitis cautelis licet.

a. Patet tum personas, quae se aspiciendas praebent, tum artifices eas aspicientes gravi periculo peccandi se exponere; quocirca eatenus tantum haec licita sunt, quatenus ad finem artis necessaria sunt. Contendunt autem artifices »studia« in nudo corpore ad perfectionem artis, etiam honestae et religiosae, prorsus necessaria esse; atqui haec necessitas illos aspectus excusat.

b. Condiciones requisitae sunt: α. ut exemplar vere necessarium sit; β. ut denudatio non ultra necessitatem extendatur: etenim finis artis obtineri potest, etsi partes proprie incitantes tegantur; γ. ne se vestibus exuant coram aliis; hoc enim gravius incitat; δ. ut adhibitis cautelis, praesertim oratione et honesta

---

[1]) *Officiorum ac munerum* n. 10. -- cf. tamen Cn. 1399. 9.
[2]) *Lessius* l. 4. c. 3. n. 99.

intentione serio artis studio vacandi, excludatur periculum consensus in delectationem forte suborientem.

c. Usus exemplarium, ubi hae condiciones non servantur, per se grave peccatum est. Si tamen iuvenibus pictoribus, qui artis addiscendae causa academias frequentare coacti sunt, in academiis citra necessitatem tamquam exemplaria proponuntur personae nudae, iuvenes quidem talia aspicientes non peccant, dummodo adhibeant debitas cautelas ad cavendum consensum, quia ab iis abstinere non possunt, quin ab academiis exulare cogantur; attamen ratione scandali et inductionis graviter peccant, tum qui eiusmodi sine necessitate et aptis cautelis proponunt, tum personae, quae se conspiciendas praebent[1]).

Num licitum sit admittere tactus vel oscula, quae cognoscuntur proficisci ex affectu libidinoso.

Si tactus ex se sunt inhonesti et absque necessitate fiunt, id non licet, tum quia est cooperatio ad peccatum alterius sine iusta causa, tum quia ille, qui tangitur, se exponit periculo peccandi: non solum enim inhoneste tangere, sed etiam inhoneste tangi excitat voluptatem. Si autem tactus vel osculum ex se honestum est, et id fit publice coram aliis, qui pravum alterius affectum non advertunt, admitti potest, si declinari nequit, quin alius diffametur; si autem secreto fit vel si absque proprio vel alieno incommodo praecaveri potest, non licet, cum nulla sit causa cooperationem excusans; sed affectus libidinosus in dubio non debet praesumi.

De vestitu mulierum, qui aliis periculum creat, cf. de scandalo II. n. 107.

Articulus tertius.

De peccatis internis.

Peccata interna contra castitatem vulgo nomine cogitationis impurae significantur; reipsa autem tria distinguuntur. *a.* cogitationes impurae; *b.* delectationes morosae; *c.* desideria impura.

61. De cogitationibus impuris. Impurae dicuntur cogitationes vel potius imaginationes, quae rem turpem repraesentant. Huiusmodi cogitationes per se indifferentes sunt, sed duplicem efficaciam periculosam continent, excitandi libidinem usque ad pollutionem et alliciendi ad consensum, ut nempe res ipsa turpis placeat vel eius perpetrandae desiderium oriatur. De cogitatione impura, prout continet periculum provocandi motus libidinosos, in hoc

---

[1]) Cf. *Génicot* I. n. 407.

numero, prout continet periculum consensus, in sequenti numero sermo est.

Cogitatio mere intellectualis, v. g. de essentia adulterii, non est peccatum, cum in se nil luxuriae contineat nec communiter incitet. Cogitatio autem phantasia repraesentata ob influxum phantasiae in appetitum sensitivum commovet; de hac in sequentibus sermo est.

1. *Malitia moralis. a.* Cogitationes impuras admittere ex affectu libidinoso seu ex pravo fine fruendi delectatione venerea, quam excitant, grave peccatum est sed unum idemque cum delectatione quaesita; item complacere sibi de voluptate, quam eiusmodi cogitationes praeter voluntatem ortae provocant.

b. Cogitationes impuras non multum commoventes ex mera levitate vel otiositate admittere vel illis immorari leve peccatum est, quia non coniiciunt in grave periculum per consensum in delectationem veneream peccandi vel se polluendi.

c. Cogitationes impuras multum commoventes ex mera levitate vel otiositate admittere vel illis immorari ordinarie grave peccatum est, quia adducunt proximum periculum consensus in delectationem et pollutionis. Attamen ut hae cogitationes grave peccatum sint, requiritur, ut adsit advertentia ad grave periculum peccandi.

d. Cogitationes autem impuras admittere vel illas fovere ex honesto fine licitum est, etsi motus carnales, quin et ipsam pollutionem causent, excluso tamen consensu in delectationem.

Ubi quis advertit se ex cogitatione inhonesta carnaliter commoveri, tenetur eam repellere, si non habeat iustam causam ei immorandi, et ubi nihilominus morose et diutius ei inhaeret, graviter peccat ob periculum proximum consentiendi in delectationem et perveniendi ad pollutionem. Quodsi iusta adest causa eam cogitationem continuandi, consensum in delectationem saltem per actum displicentiae praecavere debet.

2. *Malitia specifica.* Cogitationes impurae, quae eatenus peccaminosae sunt, quatenus motus libidinosos excitant, non sunt specifice diversae pro diversitate obiecti repraesentati, sed omnes sunt eiusdem speciei moralis: in *

hoc enim omnes conveniunt, quod excitent libidinem; affectus autem et complacentia voluntatis in hunc effectum unice fertur; quare necesse non est, ut obiectum cogitationis impurae declaretur: nihil enim refert, utrum voluptas venerea ex hoc an ex alio obiecto oriatur vel quaeratur.

62. De delectationibus morosis. *Delectatio morosa* significat deliberatam complacentiam de peccato turpi per

* Th[o] senses have diff obj[s]. Will has one only: that is sex pleasure in gen. Therefore all of same nature. Only if affective attitude transfers obj of will to act obj, is there a specification.

imaginationem repraesentato, ac si nunc fieret, ut si quis
sibi repraesentat tactus turpes, pollutionem, fornicationem,
sodomiam, ac si nunc vel a se vel ab alio fierent.   De ipsa
quaeritur, quantum et quale peccatum sit[1]).

1. Delectatio morosa de re turpi est peccatum eius-
dem gravitatis et speciei atque ipsa res turpis cogitatione
et imaginatione repraesentata; actus enim voluntatis spe-
ciem theologicam et moralem accipit ab obiecto, in quod
tendit.

Delectatio voluntaria de tactu turpi in mare specie differt a
delectatione de tactu turpi in femina; item specie differt delectatio
de fornicatione a delectatione de sodomia.   Quod gravitatem peccati attinet, utraque haec posterior gravis est; delectatio de tactu
pro ratione tactus gravis vel levis esse potest.

2. Delectatio morosa non contrahit specificam malitiam circumstantiarum, quae in obiecto turpi continentur,
nisi voluntas de ipsis circumstantiis delectetur: in re turpi
ordinarie voluntas praescindendo a circumstantiis de solo
obiecto delectatur.

a. Quaestio est, num delectationes morosae malitiam specificam etiam a circumstantiis obiecti, de quo voluntas delectatur,
accipiant; num e. g. is, qui de tactu turpi in consanguinea morose
delectatur, non solum delectationem de tactu venereo in femina,
sed etiam de tactu incestuoso admittat; item num solutus, qui
morose delectatur de copula cum coniugata, non solum delectationem de fornicatione, sed etiam de adulterio committat.

Cum in delectatione morosa abstrahatur ab exsecutione rei
malae, abstrahi potest et ordinarie reipsa abstrahitur ab obiecti
circumstantiis, quae proinde suam malitiam in delectationem non
refundunt.   Sane delectatio eatenus ab obiecto accipit malitiam
specificam, quatenus obiectum placet et delectat; sed circumstantiae
obiecti turpis (consanguineum, coniugatum esse) non sunt aptae,
quae delectent: ideo dici potest voluntatem de eis non delectari,
nisi explicite etiam in circumstantias ferantur.   Quamvis ergo
obiectum delectationis morosae in confessione declarari debeat,
necesse tamen non est, ut etiam obiecti circumstantiae speciem
mutantes declarentur: sententiae enim, quae negat delectationem
morosam specificam malitiam induere ab obiecti circumstantiis,
nisi voluntas de illis delectetur, vera probabilitas negari nequit[2]).

b. Etsi simplex delectatio seu complacentia de actione turpi
per cogitationem repraesentata eiusque inefficax desiderium theo-
retice distingui possint, in concreto tamen cum simplici delectatione
fere semper coniungitur desiderium inefficax. Ideo fideles ordinarie
nesciunt distinguere inter delectationem morosam et desiderium
turpe inefficax.   Pariter simplex delectatio de re turpi et delectatio

---

[1]) De quovis alio opere malo morose delectari aliquis potest,
ut si quis sibi repraesentat inimicum ut occisum et de hac occisione
repraesentata seu ficta gaudet.

[2]) Cf. *Lacroix* l. 6. pr. 2. n. 1028. *Reuter* l. c. n. 209. *Lehm-*
kuhl l. n. 363 ss.

venerea de eadem reipsa distinguuntur; sed quia simplex delectatio fere semper excitat delectationem (sensum) veneream, fideles hanc ab illa non satis distinguunt.

Pro confessariis ex his sequitur fideles, qui se accusant de cogitationibus impuris, interrogandos esse, num etiam turpe quid desideraverint. Quodsi negent, necesse non est, ut confessarii de obiecto turpis cogitationis sint solliciti, sed sufficit, ut interrogent, num delectationes seu sensus turpes experti sint eisque consenserint. Quodsi desideria turpia affirment, munus confessarii per se postulat, ut eorum obiectum et circumstantias prudenter et discrete investiget; quia tamen haec investigatio frequenter nimis ardua est et confessionem molestam reddit, quia insuper fideles inter cogitationes et desideria non satis distinguunt, saepe causa aderit eam investigationem omittendi.

63. De desideriis impuris. Desiderium impurum est voluntas, qua quis rem turpem perficere intendit. Duplex est: *efficax,* quando aliquis absolute rem turpem perficere intendit; et *inefficax,* quando aliquis condicionate (si possem) rem turpem exsequi intendit.

Etiam in desiderio inefficaci per se adest affectus ad rem turpem; quare eadem malitia theologica et specifica ei convenit ac desiderio efficaci, atque ideo necesse non est in confessione declarare, utrum desiderium efficax an inefficax fuerit.

1. Desideria impura sive absoluta sive condicionata peccata eiusdem gravitatis et speciei sunt atque opus externum, quod optatur: actus enim internus malitiam specificam accipit ab obiecto, in quod tendit.

Pravum desiderium esse peccatum eiusdem gravitatis et speciei atque obiectum desideratum patet etiam ex verbis Domini: *Omnis, qui viderit mulierem ad concupiscendum eam, iam moechatus est eam in corde suo*[1]). Quod hic de adulterio dicitur, de quovis alio opere turpi dicendum est: qui illud desiderat, in corde suo iam peregit.

2. Desideria impura specificam malitiam sumunt non solum ab obiecto, sed etiam ab omnibus circumstantiis obiecti apprehensis: cum enim prava voluntas feratur in determinatum obiectum concretum, necessario fertur in omnia, quae in illo obiecto continentur, modo sint cognita.

Ergo desiderium fornicandi cum consanguinea est peccatum incestus, et desiderium fornicandi cum coniugata est adulterium, idem scilicet peccatum, quod committeretur, si desiderium compleretur. Hinc qui confitetur desiderium turpe, per se declarare debet eius obiectum et omnes circumstantias obiecti speciem mutantes.

Num sponsis gaudere liceat de copula futura. — Desiderium copulae futurae post initum matrimonium habendae et gaudium de ea in sponsis peccatum non est

---

[1]) Matth. 5, 28.

quia eius obiectum licitum est; attamen res periculo non caret. Cogitatio enim copulae habendae facile excitat sensum venereum; gaudium vero et delectatio de sensu venereo in sponsis aeque grave peccatum est atque in solutis. *

Nota. Poenitentes pii, qui pravis imaginibus importune vexantur, non vituperandi nec increpandi sed apte in hunc modum instruendi sunt: *a.* eiusmodi imaginationes per se non esse peccata, sed tentationes a natura vel a daemone excitatas; quare *b.* eas crucem esse patienter ferendam, qua meritum bonorum operum augetur; easque *c.* precibus iaculatoriis subinde interiectis, ceterum autem contemptu, efficaciter impugnari.

Re Penitents — If they confess to impure thoughts ask them if they also had impure desires, don't probe to the precise object unless they would appreciate the distinction.

In most cases the thoughts ipsos are not impure but the desires usually are.

Liber secundus.

De usu matrimonii.[1])

64. *Usus matrimonii* consistit in illa coniugum actione, quae a natura ad conservandum et propagandum genus humanum instituta est, scilicet in *copula carnali.* Ab Apostolo haec coniugum actio vocatur *debitum*[2]), quia coniuges ex contractu matrimoniali eam sibi mutuo debent. Agendum est: *a.* de liceitate actus coniugalis in se; *b.* de eius liceitate ratione circumstantiarum; *c.* de eius obligatione; *d.* de iis, quae coniugibus in matrimonio licita sunt; *e.* de impedimentis actus coniugalis.

a. Copula seu actus coniugalis ex supra dictis (n. 6.) ex parte viri consistit in penetratione vasis muliebris et completur effusione seminis cum delectatione carnali coniuncta; ex parte mulieris consistit in receptione seminis virilis pariter cum delectatione carnali coniuncta. Ex his intelligitur, quid nomine *seminationis* significetur. Seminatio ex parte viri est emissio seminis, emissio humoris vulvo-vaginalis ex parte mulieris solum improprie dicitur seminatio.

b. Ad generationem efficiendam in muliere nec sensus voluptatis nec seminatio necessaria est: experientia enim constat mulieres sine hisce rebus factas esse gravidas. Seminatio tamen iuvat ad fecundationem faciliorem reddendam, eo quod spermata in humore vulvo-vaginali facilius et velocius moveri atque ad interiora organa mulieris progredi possunt.

---

[1]) *S. Alphonsus.* l. 6. De usu matrimonii n. 900—954. *Thom. Sanchez,* De matrimonii sacramento l. 9. De debito coniugali. *Sporer-Bierbaum,* Theologia mor. sacram. (Paderbornae. Typograph. bonifac. 1901) III. pr. 4. De peccatis coniugum in usu matrimonii n. 467—520. *Ballerini-Palmieri,* Opus theolog. mor.[3] (Prati. Giachetti. 1900) VI. n. 306—416. *Lehmkuhl* II. n. 1063—1099. *Aertnys-Damen,* Theol. mor.[11] II., p. 584 ss. *Antonelli* II. n. 354—479. *Vermeersch,* Theol. mor. IV. *Génicot-Salsmans,* Theol. mor. II. n. 543 ss. *Merkelbach,* Quaestiones de cast. et lux. q. 8. *Fr. v. Streng,* Das Geheimnis der Ehe (Benziger, Einsiedeln). Enc. *Cast. con.* A. A. S. XXII, 539 ss. — [2]) 1. Cor. 7, 3.

5*

Quaestio prima.

De liceitate actus coniugalis in se.

———

Articulus primus.

De ipsa liceitate.

65. Num licitus sit. Actus coniugalis *in se licitus et honestus est:* etenim medium a Deo ordinatum est ad propagandum genus humanum; quare, si non excludatur rectus finis, non solum licitus, verum suppositis supponendis etiam meritorius est. Insuper in s. scriptura Deus benedicit protoparentibus relate ad actum coniugalem: *crescite et multiplicamini*[1]); atqui sine blasphemia dici non potest Deum benedicere, quod non sit honestum. Tandem *Christus* contractum matrimonialem, quo coniuges mutuo sibi conferunt ius ad actus coniugales, evexit ad dignitatem sacramenti; atqui solum contractus, quo contrahentes se obligant ad rem licitam et honestam, ad tantam dignitatem evehi potuit. Ideo *s. Paulus* matrimonium laudat et actum coniugalem coniugibus praecipit[2]).

66. Num licitus sit infoecundus. Obiectum contractus matrimonialis non est immediate generatio prolis, neque actualis foecundatio (passiva), sed *actus qui et quatenus ad generationem ordinatus est.* Alias senes et steriles non possent valide contrahere. Ipsa foecundatio ovuli per semen iam non est opus hominum, non pendet ab eorum voluntate, neque in coniugibus aptis semper certo sciri potest, an foecundatio locum habeat. Si ergo quaeritur de liceitate, unice considerandus est actus inquantum a coniugibus ponitur; si ponitur ita ut a natura postulatur, obiective ordinatus est et continet tendentiam in finem primarium. Ergo etiam licitus est in iis circumstantiis, in quibus de facto passiva foecundatio obtineri non potest. „Habentur enim tam in ipso matrimonio quam in coniugalis iuris usu etiam secundarii fines, ut sunt mutuum adiutorium mutuusque amor et concupiscentiae sedatio, quos

———

[1]) Gen. 1, 28; 1. Cor. 7, 3.
[2]) Hebr. 13, 4; 1. Cor. 7, 3.

intendere coniuges minime vetantur, dummodo salva semper sit intrinseca illius actus natura ideoque eius ad primarium finem debita ordinatio"[1]) Sterilitas temporanea
vel etiam pepetua, vigor ovuli et seminis etc. sunt merae
circumstantiae, quae speciem actus non mutant.

a. Licite copulam habent *senes et steriles,* dummodo naturalis copulae capaces sint. Hoc valet etiam si sterilitas ortum habet
ab operatione iusta de causa peracta.

b. Quod si sterilitas *malitiose,* ex intentione impediendi finem
primarium *procurata* fuerit, copula perdurante hac mala intentione
peccaminosa est. Ut fiat licita, vera poenitentia illa intentio revocari debet. Vera autem poenitentia non est, quae non reparat
laesionem, ubi reparabilis est. Ubi ergo impedimentum tolli potest
vel brevi evanescet, tolli debet vel exspectari; si laesio non iam
es. reparabilis, seria poenitentia peracta copula haberi potest. Facile
tamen in his casibus peccatur mala intentione et approbatione
praeteriti facti.

c. Licita est copula *tempore praegnationis,* etsi eo tempore
conceptio fieri non possit, nisi ob aliam causam copula prohibeatur.

d. Licita est etiam si exclusive habetur illis *temporibus,* quibus foecundabilitas deesse dicitur. (n. 75.)

e. Quid coniugibus *impotentibus* liceat vel non liceat, facilius
solvitur, si impotentia sumitur pro incapacitate copulam peragendi,
quod alibi tanquam verius assumpsimus[2]). Scilicet:
α Qui impotentes matrimonium attentarunt, nullum ius ac-
quisiverunt, cum matrimonium sit nullum; proinde neque tentamina
copulae eis licent, simulatque conscii sibi sunt nullitatis. β. Impotentia dubia, sicut non impedit matrimonium, ita nec conamina
copulae. γ. Qui post matrimonium plene et irreparabiliter impotentes facti sunt, secundum notionem impotentiae supra enuntiatam
neque copulae capaces sunt, proinde etiam tentamina eis non lice-
bunt; delectatio procurata per meram externam applicationem
membrorum genitalium nil esset nisi pollutio. δ. Si vero impotentia
superveniens orta est ex vitio functionali (defectus erectionis ex
debilitate viri, vaginismus ex parte feminae), quamdiu spes est,
per repetita conamina tollendi defectum, haec conamina licita sunt,
etsi semen praeter intentionem effundatur. ε. Si defectus organicus
est et per operationem tolli potest, (arctitudo vaginae), consulendum est, ut abstineant usque dum operatio facta sit.

67. Quomodo perficiendus. 1. Actus coniugalis *ita*
perfici debet, ut essentialis matrimonii finis, qui est generatio prolis, quod ipsum actum attinet, naturali modo
obtineri possit[3]). Non est necesse, ut finis iste reipsa obtineatur, id autem omnino requiritur, ut ex parte actus saltem obtineri possit. Etenim apparatus sexualis ad alium
finem a natura non subministratur, nisi ut ad prolem naturali copula generandam inserviat.

---

[1]) Enc. *Cast. con.* l. c. 561.
[2]) *De Sacramentis* n. 567.
[3]) Enc. *Cast. con.* 559.

Graviter ergo peccant coniuges, si positive quidquam faciant, quo actus ipse ita deformetur, ut non iam fini suo primario aptus sit; ita enim finis primarius positive excluditur. Ideo non licet actum interrumpere, ita ut semen extra effundatur, nec licet viro membrum involucro (condom) tegere, ita ut semen non in organum mulieris deveniat; immo, illicitum est etiam aliquod medium adhibere, quo conceptio minus probabilis fiat. *(l emcillini ?.)*

2. Non solum pro foecundatione, sed etiam pro valetudine optimum est, si in utroque coniuge completa delectatio simul habetur; sed absolute necessarium non est ad ipsam foecundationem obtinendam ut mulier quidquam delectationis sentiat.

a. Inde nil contra naturam fit, si vir emisso semine se retrahit, quamvis mulier non habuerit delectationem vel non completam.

b. Similiter per se peccatum non est, si mulier aliquid facit, ne excitetur (v. g. si animum ad alia divertit vel sensibilem dolorem sibi infert) dummodo semen recipiat; non enim impedit foecundationem. Si tale quid facit ex rationabili causa (v. g. ex cordis debilitate), nullo modo peccat; si faceret ex intentione prohibendi foecundationem, hac intentione peccatum internum committeret.

68. Condiciones ad generationem requisitae.

Ad generationem naturali copula obtinendam *ex parte actus duo requiruntur:*

1. *Ut vir membro genitali vas mulieris penetret ibique semen effundat.*

a. Dicunt quidem physiologi, foecundationem possibilem esse, etiamsi semen solum ad os vaginae effundatur. A fortiori foecundatio vere probabilis est, si vagina partialiter penetretur, ita ut semen in priore parte vaginae deponatur (copula dimidiata). Sed quoad liceitatem huiusmodi congressus dicendum est:

α. Numquam licet confessario talem modum, quicunque sit, positive commendare vel simpliciter licitum declarare.

β. Neque licet coniugibus ad evitandam foecundationem vel ad eam difficiliorem faciendam talem modum adhibere, si perfectior modus possibilis est. Et prior quidem modus (effusio ad os) ex communi sententia grave peccatum est; posterior saltem leve. Nam prior modus electus ex hac intentione, ubi perfectior possibilis est, videtur esse declinatio a vera copula; posterior (copula dimidiata) saltem hanc inordinationem continet, quod conceptionem difficiliorem reddit et viam parat ad priorem; qui enim foecundationem evitare conatur, mox illum eliget, qui ad hoc securior est[1]).

γ. Ex causa vere urgenti in particulari casu copula dimidiata licita esse poterit. Effusionem ad os etiam plurimi auctores permittunt, si alius modus impossibilis est, quamvis sit qui contradicat[2]); permittendus videtur, si saltem intentione rationem verae copulae habet tentatae, quantum fieri potest.

---

[1]) *S. Offic.* 1. dec. 1922. Cf. Theol. pr. Qsch. Linz 1923, p. 306.
[2]) *Vermeersch,* De Cast. n. 240, 4.

b. Actum coniugalem licite exercere possunt coniuges,
qui ob senectutem vel ob aliam indispositionem semen plerumque extra vas effundunt, modo adsit probabilis spes
semen intra vas effundendi: quamdiu enim spes probabilis
generationis adest, coniuges ius habent ad copulam; quodsi
semen reipsa profunditur, id fit per accidens[1]).

*c. An liceat copulam rite inceptam abrumpere ante
completam voluptatem?* In *omnibus casibus* vitandum
est proximum pollutionis periculum, et adesse debet consensus partis, quae nondum complete satiata est; habet
enim ius ad hoc. Dein varii casus distingui possunt:

α. Ante utriusque partis completam delectationem licitum
esse potest iis coniugibus, qui sciunt, se non incurrere proximum
pollutionis periculum, si iusta ratio adest et mutuus consensus.
Ex communiter contingentibus raro aberit proximum periculum;
tamen fieri potest, ut coniuges ex sua constitutione et experientia
securi sint; si hinc inde pollutio praeter exspectationem accideret,
periculum nondum proximum dici debet. Iusta ratio cohonestans
facilius aderit ex impedimento physico (molestia, dolore, interventu aliorum), quam ex intentione non habendi prolem. Difficilius
permitti poterit, ab initio copulam incipere cum intentione eam
abrumpendi, quia difficilius praevideri poterit an absit periculum
pollutionis, et quia raro deerit intentio onanistica, vel quia causa
facilius putabitur sufficiens (n. 94, 3).

β. Interruptio ex parte viri ante propriam seminationem, sed
ubi mulier completam iam habet vel in eo est, ut eam impedire
non possit, sub iisdem condicionibus licita erit; delectatio mulieris
ex intentione actus completi iam habita vacat a culpa, vel ex impedimento superveniente per accidens est.

Sententia complurium auctorum, quos secutus est *s. Alphonsus* (1. 6. n. 918), hac nempe actione committi grave peccatum,
falso nititur supposito, nempe frustrari semen mulieris (ad generationem necessarium). Concedunt quidem hi auctores, illam
frustrationem non esse ita intrinsecus malam, ut nulla ratione
excusari possit, exigunt autem gravissimam causam e. g. periculum
mortis vel scandali, ut licita sit. Verum *Capellmann*[2]), quem recte
sequitur *Berardi*[3]), non exigit causam adeo gravem; hi opinantur
e. g. sensum magni doloris, quo afficitur alterutra pars, sufficere,
ut vir se retrahat, sive quod uxor iam satiata fuerit, sive quod
ipsa gravi periculo pollutionis se exponit: nam ad permittendam
frustrationem sic dicti feminei seminis adeo gravis ratio non requiritur.

γ. Interruptio ex parte mulieris, si haec iam satiata est, ante
seminationem viri, facillime intentionem onanisticam prodit, nisi
adsit et consensus viri, et exclusum sit periculum pollutionis eiusdem, et gravis revera causa urgeat.

δ. Denique, si vir se retrahit post seminationem propriam,
uxore vero nondum satiata, nil mali operatur; plerumque neque
ultra protrahere copulam poterit, quia statim relaxatio sequitur.

---

[1]) *S. Alphons.* n. 954. [2]) Medicina pastor.[18] p. 300 ss.
[3]) Praxis confessar.[3] I. n. 993.

Nota. Sermo est de copula *maritali;* copulam enim fornicariam vel adulterinam ante seminationem abrumpere non potest esse prohibitum, dummodo fiat ex sincera poenitentia.

69. 2. *Ut mulier semen receptum retineat.*

Ratio est: Qui ius ad copulam tradidit, non potest data opera impedire finem eius intrinsecum. (Hoc valet etiam de muliere, quae se voluntarie tradit fornicationi; secus praeter peccatum fornicationis peccat contra naturam.)

a. Ergo omnis actio, qua mulier semen receptum expellere conatur ad impediendam generationem, in se mala et grave peccatum est, nec ullis incommodis excusari potest[1]). Talia incommoda possunt excusare a reddendo debito, sed actum in se malum non reddunt licitum.

Lotiones vaginales, quae mox post copulam fiunt, praesertim si adhibentur substantiae ad necandum semen, hunc effectum habent, ideoque sub gravi prohibentur. Si sanitatis vel munditiei causa utiles videantur, ad aliud tempus differantur (aliquot horas post coitum). Si medium iam non est aptum, peccari potest per malam intentionem; quod valet etiam de aliis mediis ineptis (statim surgere, ambulare, mingere etc.).

b. Omnis actio, qua mulier ascensum seminis in uterum impedire conatur, eadem malitia intrinseca laborat, nec ullo modo permitti potest. Huc refertur usus pessarii *occludentis* os uteri, vel spongiae etc. cum substantiis semen necantibus.

Ne confundatur hoc pessarium cum alio (magis annulo) quod non occludit uterum, sed praeservat a prolapsu.

c. Si vero organa mulieris propter naturalem vel morbosam indispositionem semen retinere non possunt, copula non est illicita.

d. Mulier *innupta* (vel uxor ab alieno viro) *vi opressa,* tenetur aggressionem externam repellere quantum potest, etsi exinde semen effundatur. Si vero hoc non potuit, licebit semen lotione expellere[2])

Idem dicendum videtur de muliere, quae a proprio viro vi opprimitur in iis casibus, ubi vir ius copulae amisit (ebrius curam non agens familiae, amens); habetur enim aggressio iniusta; pessarium autem ponere, antequam talis aggressio timetur, non permitterem uxori, quia faceret actum ab initio contra naturam.

Contra hanc sententiam afferuntur auctores antiquiores cum *S. Alphonso*[3]). Sed cum ovulum anno 1827 demum detectum fuerit[4]), illi auctores ex scientia sui temporis incompleta videntur semen considerasse tamquam animalculum omnia tam continens

---

[1]) Enc. *Cast. con.* 559. — [2]) *Lehmkuhl,* Theol. mor. I. n. 1013. *Génicot,* I. 378 bis. *Vermeersch,* IV, n. 71 — [3]) 1. III, n. 394; 1. IV. n. 954 cf. *Merkelbach,* de cast. n. 38. — [4]) *Eschbach,* disp. physiol. D. I. c. II. a. 15. c. III. a. 1.

pro evolutione hominis, quod in utero solum quaerit nutrimentum
et habitationem. Ideo opponunt, semen receptum esse in posses-
sione pacifica suae sedia finalis. — Hoc autem negandum est;
semen est aliquid incompletum et migrans quaerit suum complementum; quod si non invenit, non est in sede finali, sed perit, et unicum nemasperma ex millibus, quod ovulo coniungitur, est in sede
sua finali. Migratio autem spermatis est continuatio iniuriae a
viro commissae; si enim copula iniusta est, etiam eius finis (foecundatio) iniuriam infert. Femina vero, si externam aggressionem
repellere non poterat, licite defendit suum ovulum contra invasio-
nem iniustam. — Si dicunt: Homo in semen dominium non habet,
nil probant; nam defensio non est actus dominii in aggressorem.

70. De licitis in actu coniugali. In usu matrimonii
coniugibus liciti sunt *actus luxuriae imperfecti* sive mutui
sive solitarii, qui ad actum coniugalem perficiendum vel
necessarii vel utiles sunt: cui enim permittitur finis, ei permittuntur etiam media, et cui permittitur actus consumma-
tus, ei permittuntur etiam actus, qui ab ipsa natura ut
dispositio et praeparatio ad illum destinati sunt.

a. Hinc quando adest intentio perficiendi copulam,
coniugibus liciti sunt aspectus, tactus etc., qui ad copulam
excitant, sive ante copulam sive in ipsa copula peraguntur.
Cavere autem debent coniuges, ne diutius in eiusmodi
actibus immorando pollutio sequatur; si tamen praeter intentionem quandoque sequeretur, culpa vacaret.

b. Si copula ex parte viri iam consummata hic se
retrahit, antequam mulier actum complevit, potest ipsa
tactibus vel alio modo actum complere et plenam voluptatem sibi procurare.

α. Rationes plures afferri possunt: Ex institutione matrimonii
uxor ius habet ad totum et completum actum; si omnia praestitit,
quae ad hominis generationem requiruntur, et onera subire debet,
etiam ius habet ad delectationem ideo a Deo additam. Actum
quem rite posuit, potest etiam ad finem deducere. Insuper magna
incommoda subire deberet, immo nervis et organis genitalibus
nocere posset, si excitatio saepius non rite relaxaretur; praeterea
illa immutatio organorum in summa delectatione aliquid conferre
videtur ad generationem[1].) Non solum post actum, sed etiam ante
eum coniux qui secus non satiaretur, se excitare potest, ut moraliter
simul cum alia parte habeat completam voluptatem.

β. Censuit *Capellmann* mulieri hoc complementum etiam tum
licere, cum actus coniugalis ex culpa viri, qui ante seminationem
se retrahit, non completur[2]), eique assentit *Berardi,* quia actus
legitime inceptus ad debitum finem perduci potest[3]). *Lehmkuhl,*
econtra (II. 1095) hoc illicitum pronuntiat: cum enim seminatio ex
parte viri non contigerit, delectatio ex parte mulieris procurata rationem merae pollutionis habet, cum neque ad actum coniugalem com-

---

[1]) *Capellmann-Bergmann*[18] p. 305. — [2]) Cf. *Capellmann,* Medicina pastor[9] p. 143; sed in ed. 18, p. 304 ad moralistas quaestionem devolvit. — [3]) Cf. Praxis confess.[3] I. n. 993.

plendum neque ad conceptionem iuvandam ullo modo conferre possit. Saepe tamen secundum regulas in bona fide relinqui poterit. *c.* At non licet viro tactibus ad seminationem se excitare, si mulier habita iam delectatione se retrahat non exspectans viri seminationem: haec enim seminis emissio non esset actus generationis complementum, quia vir non omnia praestitit ad completum actum ordinatum; sed esset novus actus solitariae pollutionis.

Articulus secundus.

De sodomia et onanismo.

Contra finem primarium et essentialem matrimonii coniuges dupliciter peccare possunt: *a.* sodomia imperfecta; *b.* onanismo.

71. De sodomia. *Sodomia imperfecta* committitur, quando vir vas praeposterum mulieris penetrat, sive in illo seminat sive extra illud.

1. Sodomia inter coniuges commissa grave peccatum est, tum quia adversatur fini naturali actus coniugalis, tum quia adversatur fidei coniugali, quae postulat, ne coniuges aliter utantur corpore nisi modo ad generationem apto, nec fidem hanc coniuges sibi remittere possunt.

Si igitur concubitus sodomiticus ex mutuo consensu fit, gravissimum peccatum est ex utraque parte; si dissentiente uxore fit, certe vir gravissime peccat peccato contra naturam; sed quaeritur, num uxor id unquam permittere et ad peccatum viri cooperari possit.

2. Positiva cooperatio ad sodomiam nunquam licita est[1]); ex gravissima tamen causa uxor concubitum viri sodomiticum licite pati potest sub hac duplici condicione: *a.* quod hunc coitum impedire conatur et tum solum permittit, quando absque periculo gravissimi mali eum impedire non potest: *b.* quod delectationi venereae tunc suborienti non consentit.

Nota. In hac re omnino insistendum est principio: praeter ea, quae sunt contra finem naturae, non occurrunt actiones inter coniuges, quantumvis inordinatae et foedae sint, quae *certo* gravis peccati incusari possint. Quocirca excluso affectu sodomitico duplex haec actio non est dicenda graviter culpabilis: *a. inchoare* copulam in vase praepostero cum animo consummandi eam in vase naturali; *b. tangere* genitalibus vas praepoterum uxoris, modo praecaveatur effusio seminis.

72. De onanismo. *Onanismus* dicitur copula ita peracta, ut ex semine effuso generatio sequi non possit.

---

[1]) *S. Poenitent.* 3. apr. 1916.

Inter varia media, quae ad hunc finem inventa sunt, duplex classis distingui debet, ratione inordinationis actus et cooperationis alterius partis: *a.* Actus copulae naturali modo inchoatur, sed inordinatio inter vel post actum accedit; ita si vir ante effusionem se retrahit et semen effundit; vel si mulier post actum rite factum lotionibus semen expellit vel destruit. Patet in his modis fieri posse, ut culpa sit solum ex parte unius. *b.* Copula iam ab initio inordinationem secum fert; ut si vir membrum involucro (condom) tectum habet; vel ex analogia si mulier os uteri occlusum (pessario vel spongia) habet, quo semini viam obstruit illudque postea eiicit; vel si media chimica introducit, quibus semen sterilizetur. His mediis adhibitis iam ab initio actus contra naturam inchoatur, et altera pars cooperationem ad malum semper committit.

Quamvis hi modi non absolute efficaces, nec aequaliter efficaces sint, (ex copula interrupta non raro minima pars seminis in uterum venit, condom lacerari potest, pessarium non accurate occludere potest), tamen peccatum iam habetur, si cum intentione prava medium ponitur. Omnia autem media testibus medicis sanitati nocent, praesertim genitalibus mulieris et nervis utriusque partis.

a. Doctores medici nomine onanismi etiam peccatum mollitiei seu pollutionem solitariam designant; theologi autem peccatum pollutionis a peccato onanismi distinguunt et nomine onanismi solum seminis effusionem extra vas femineum significant, quae cum copula coniuncta est. Quandoque onanismus etiam *malthusianismus* vocatur a *Malthus* anglo, qui media quaesivit impediendi nimiam hominum multiplicationem; ipse vero continentiam postulavit, non abusum.

b. Peccatum onanismi nomen accepit ab *Onan,* qui teste s. scriptura »introiens ad uxorem fratris sui semen fundebat in terram, ne liberi fratris nomine nascerentur«[1]). Idem peccatum iam ante Onan frater eius Her patraverat.

c. Prior modus onanismum committendi olim fere unicus erat, quare ab antiquioribus auctoribus onanismus definiri solet: copulae inceptae abruptio, ita ut semen extra vas effundatur et sic generatio impediatur; recenti vero aetate inventa sunt quaedam media praeservativa seu praeventiva, quibus efficiatur, ut semen in vas mulieris non perveniat, aut, si pervenerit, ibi enecetur[2]).

d. Rationes, ob quas hodie coniuges frequenter modo onanistico congrediuntur, potissimum hae sunt: *α.* ob insufficientem

---

[1]) Gen. 38, 9.
[2]) Cf. *Seved Ribbing,* Die sexuale Hygiene. (Leipzig. Hobbing. 1898) S. 102 f. *G. Adolf,* Die Gefahren der künstlichen Sterilität. (Leipzig. Krüger. 1899). *Antonelli* l. n. 458 ss. *Nardi,* De Sanctitate matrimonii vindicata contra onanismum³ (Romae. Desclée. 1907).

sustentationem vel habitationem; *β*. ne patrimonio inter plures
diviso status familiae detrimentum patiatur; *γ*. ad satiandam libidinem et simul ad effugienda incommoda gestationis, partus et
educationis.

73. Eius malitia. 1. Onanismus *mutuo coniugum con-*
sensu commissus utrimque grave peccatum est, tum quia
adversatur fini primario matrimonii, tum quia adversatur
fidei coniugali, tum denique quia adversatur non solum
valutudini coniugum sed praesertim bono societatis humanae; ideo in s. scriptura *res detestabilis* dicitur[1]) et s.
sedes illum *iure naturali prohibitum*[2]) et *intrinsecus ma-*
lum[3]) declarat.

Ab onanismo distinguenda est copulae interruptio, quae ex
fortuita necessitate accidit e. g. ad evitandum scandalum, quod
persona ex improviso superveniens pateretur. Quodsi copula interrupta semen effunderetur, effusio culpa vacaret: cum enim copula
ex alio fine interrumpatur, effusio praeter intentionem accidit, ideoque aequiparanda est pollutioni involuntariae.

Hodie non raro accidit, ut viri ex vero aut vano timore, ne
uxor peritura sit, si iterum concipiat, inchoatam copulam ante
seminis effusionem abrumpant. Quamvis hortandi sint, ut propter
periculum pollutionis ab huiusmodi re abstineant, si tamen asse-
verent raro tantum sequi pollutionem, id eis prohiberi nequit. (Cf.
n. 68, c.)

Nota. *a*. Quo magis haec lugenda et detestanda praxis,
qualis est *prohibitio prolis*, etiam in Germania non solum in divi-
tum sed etiam in opificum et pauperum familiis invalescit, eo magis
apparet necessitas tum in examine sponsorum tum in confessio-
nali aperte declarandi prohibitionem prolis in nullo unquam casu
licitam evadere, et abstinentiam unicum esse medium licitum prae-
cavendae prolis. Neque dicatur, continentiam praesertim iuniori-
bus coniugibus moraliter impossibilem esse ob proximum periculum peccandi. Coniuges enim christiani, qui non ex motivis egoïs-
ticis, sed solum ex causis vere iustis vel ad tempus vel in perpetuum ab usu matrimonii abstinere debent, in oratione aliisque
pietatis exercitiis media habent impetrandi a Deo donum continen-
tiae, qui neminem patietur tentari supra id, quod potest[4]).

b. In plerisque casibus culpa frustratae generationis in viro
est, rarius in muliere, praeterquam quod mulieres erga viros matrimonio abutentes indulgentiores sunt et suis querimoniis de timore
morbi et ipsius mortis, de incommodis gestationis et educationis
sua morositate in praestando debito viro ansam praebent abutendi
matrimonio. Quocirca mulieres pro diversitate adiunctorum diversimode tractari debent. Aliae de obligatione parendi docendae;
innocentes solandae et docendae sunt, quomodo se gerere debeant
erga viros onanistas, ne etiam ipsae peccatum committant; pusilla-

---

1) Gen. 38. 9, 10.
2) *S. Officium* 21. maii 1851.
3) *S. Officium* 19. apr. 1853. Enc. *Cast. con.* l. c. 559 ss.
4) 1. Cor. 10, 13. Enc. *Cast. con.* l. c. 561 s.

nimes erigendae et monendae sunt, ut in Deo confidant nec medicis pericula graviditatis et puerperii exaggerantibus facilius credant, ipsas multa peccata mariti impedire atque hoc modo ad ipsius aeternam salutem conferre posse. Mulieres vero, quae de gestationis, partus, nutritionis et educationis incommodis ac difficultatibus conqueruntur, memores sint has esse sequelas peccati originalis: *Multiplicabo aerumnas tuas et conceptus tuos: in dolore paries filios*[1]) et proinde in spiritu humilitatis et poenitentiae ferendas.

74. *De cooperatione uxoris (vel viri) ad copulam onanisticam.*

1. Cooperationem formalem, qua nimirum uxor in onanismum consentit, graviter illicitam esse patet. Et uxor quidem etiam tum graviter peccat, quando suis querimoniis de partus doloribus, de numerosa prole etc. cum praevisione peccati committendi marito ad congressum onanisticum ansam praebet. Has revocare debet.

2. Cooperatio materialis *ad primum modum onanismi* ex causa mediocriter gravi licita est[2]). Non est necesse, ut haec causa plane gravis sit, quia uxor (vel vir) non cooperatur rei iam initio malae; hoc tamen requiritur, ut alteram partem ad actum rite perficiendum prudenter moneat: nam ex caritate peccatum alterius impedire tenetur. Caute vero et *prudenter* monere debet, ne, si forte in bona fide esset, postea formaliter peccet. Attamen non tenetur singulis vicibus monere, si nullus fructus speratur; et si absque gravi incommodo e. g. absque timore indignationis, dissidii, adulterii etc. monere non possit, monitionem omittere potest.

a. Cooperationem positivam (materialem) uxoris ad congressum onanisticum mariti non esse intrinsecus malam ideoque non esse in se illicitam, hodie ab omnibus admittitur: immediate enim cooperatur copulae licitae et mediate tantum illicitae effusioni seminis. Neque ex eo haec cooperatio arguitur illicita, quod cooperatio ad congressum sodomiticum illicita est. Sane congressus onanisticus cum congressu sodomitico comparari nequit: congressus enim onanisticus initio ex utraque parte licitus ex parte viri incipit fieri malus, quando vir se retrahit, dum mulier mere passive se habet. Econtra congressus sodomiticus quovis instanti ex utraque parte intrinsecus malus ideoque ex neutra parte unquam licitus est.

b. Si mulieres se accusant, quod de praxi onanistica mariti gavisae sint, non statim de peccato mortali arguendae sunt: saepe enim non de peccato, sed de re prorsus licita gaudent, scilicet vel

---

[1]) Gen. 3, 16.
[2]) Id confirmatur compluribus responsis *s. Offic.* 19. ap 1853; *s. Poenit.* 3. iun. 1916. et Enc. *Cast. con.* l. c. 561.

de voluptate copulae vel de effectibus peccati ut de praeservatione a molestiis graviditatis et puerperii.

c. Voluptati inter copulam exorienti uxor consensum praebere potest, quia ipsa debitum reddendo viro onanistae rem licitam facit; post copulam autem secundum plures auctores non potest complere (n. 70, b. β.). Quandoque experientia teste etiam ex congressu onanistico (prioris modi) proles concipitur. Iam si probabile esset, ex hac determinata copula onanistica conceptionem sequi, vel saltem si uxor probabile iudicaret, se semen excepisse, ius haberet se excitandi ad completam voluptatem. *Monal is regular.*

d. Causa sufficiens, quae uxori cooperationem ad onanismum viri licitam reddit, haec esset: α. timor incommodi ut iurgiorum, rixarum etc.; β. timor, ne maritus adulteria committat; γ. si alias diu cum proprio incommodo ab usu matrimonii abstinere deberet; δ. si ab exercitiis pietatis et ab usu sacramentorum impediretur; ε. si turbata pace domestica cohabitatio redderetur molesta.

e. *Uxor viro onanistae (in hoc casu) copulam reddere* potest, cum enim vir petat rem, quae sine peccato praestari potest, uxor ad praecavenda dissidia domestica et ad virum a gravioribus delictis retrahendum ex caritate eam praestare potest, etsi sciat, virum ea esse abusurum. Immo S. Alphonsus[1]) cum aliis dicit eam quandoque etiam *debere reddere* ex eadem ratione. *Vermeersch*[2]) ratione correptionis fraternae, si efficax speretur, putat mulierem negare posse et debere debitum, ut hac ratione virum emendet. Raro talem efficaciam sperari posse ipse concedit addendo, quod plerumque petitio mulieris, ut vir bene agat, et tristitia, si non bene agit, magis efficax erit.

f. Ex causa mediocriter gravi *uxor (in hoc casu) debitum a viro onanista licite petit.* Cum enim actus, quem petit, in se non sit malus et vir eum, si velit, sine peccato praestare possit, petitioni nihil obstat, nisi praeceptum, quo ex caritate peccatum mariti impedire tenetur. Quoniam vero caritas non obligat cum gravi incommodo, ipsa licite petit, quoties sibi grave est carere actu coniugali.

3. Cooperatio materialis ad *secundum modum onanismi* solum ex metu gravissimi mali permitti potest et consensus in delectationem excludi debet; nam in hoc uxor (vel vir) ad rem ab initio prorsus illicitam proxime cooperatur. Dum ergo uxor in priore casu, in quo copula rite inchoatur, debitum reddere et ad copulae abruptionem simpliciter passive se habere potest, in posteriore casu non licet ei passive se habere, sed actum in se peccaminosum pro viribis positive resistendo impedire tenetur fere sicut vi oppressa[3]); et solum ex gravissima causa permittere potest, quod impedire nequit. Vir autem, qui scit uxorem pessario uti,* remotionem postulare debet, nec potest inducere ad

---

1) l. 6. n. 947.
2) l. c. n. 266.
3) *S. Poenitent.* 3. iun. 1916.

* No equivalence to historectomy or naturally occluded vagina ∴ this is a delib. responsible frustration of coit. hart [...] is not as much a sin + ∴ just as wrong as frustration (delib.) of the natural act.

congressum uxorem occlusam pessario. In viro passivus modus se gerendi haberi non potest.

75. Media cavendi onanismi.

1. Imprimis coniuges hortandi sunt, ut aut actum rite perficiant, ubi nulla vel non sufficiens ratio est, aut abstinentiam servent. Hoc ultimum praesertim in casu, ubi nova graviditas uxori ex iudicio medici non exaggerato verum periculum vitae allatura est.

Motiva, quibus coniuges ab onanismi crimine deterreri possunt: *a*. Non est status vitae, qui solas amoenitates habeat, sed quandoque ob altiores rationes magna et heroica sacrificia requiruntur (v. g. status medici, parochi, militis); qui libere talem statum elegit, etiam paratus esse debet ad onera. Nec impossibile est, cum gratia Dei abstinentiam servare. *b*. Honorem et dignitatem mutuam minuunt, cum coniuges ita agentes sibi sint sola media voluptatis. Inde etiam divortia inter tales numero crescunt; *c*. onanismus causa est adulteriorum: cum enim coniuges, praesertim mulieres, eiusmodi imperfectis actibus non satientur, illicitas voluptates quaerunt; *d*. coniugalem pacem atque concordiam destruit; *e*. gaudia patris et matris e familiis exulare facit, in quorum locum succedunt remorsus conscientiae et timores, ne Deus tam horribile crimen castiget, et unicam prolem e vivis eripiat; *f*. onanismus causa est, ob quam familia, in qua una tantum vel altera proles procreatur, mox intereat; *g*. tandem corporis dolores et multiplex sanitatis detrimentum (praesertim in mulieribus affert[1]).

2. Illis coniugibus, quibus plena abstinentia durior est, qui tamen rationabilem causam habent, evitandi novam conceptionem, prudenter suaderi potest, ut ex consilio medici saltem partialem abstinentiam servent

a) Abstinentia partialis intelligitur abstinentia per illos dies inter cyclum menstruum feminae, quibus solis conceptio possibilis vel valde probabilis dicitur; sunt dies ab ovulatione tot, quot ovulum praesumitur foecundabile (circiter a die 16a usque ad 10am ante sequentem menstruationem) additis initio aliquibus diebus, per quos semen prolificum manere potest; ergo abstinentia circiter a die 20—10 ante sequentem menstruationem.

b. Medicus consulendus est: nam spatium illud variat secundum varias circumstantias in constitutione mulieris, ita ut medicus per exactas observationes conicere debeat diem sequentis menstruationis et exinde diem ovulationis; hoc autem confessarius facere non potest nec eum decet.

c. Talis abstinentia licita est: quod patet tum ex natura rei, cum actus sit in se ordinatus, sicut in senibus et sterilibus, et ipsa etiam partialis abstinentia potest esse actus virtutis; tum ex declaratione ecclesiae[3]); sunt enim praeter primarium etiam

---

[1]) *Eschbach*, p. 569 ss. *Stöhr*, Handbuch der Pastoralmedizin (Freiburg. Herder. 1900). S. 497 ff.
[2]) *Capellmann-Niedermeyer*, Fakultative Sterilität. (Limburg. 1931); *Smulders*, Periodische Enthaltung in der Ehe (Regensburg. Manz 1931). — [3]) *S. Poenit.* 16. iun. 1860; Enc. *Cast. con.* l. c. 561.

alii fines, qui honeste intendi possunt. Hortandi sunt utique fideles, ne hac methodo utantur ex motivis peccaminosis (avaritia, pigritia etc.) vel ad solum voluptatem, sed ex fine secundario. Propterea haec methodus non est indiscriminatim propaganda, sed solum in casu necessitatis consuli potest. *should be consequentially bad.*

Ut coniuges pro tota vita coniugali hac methodo uti possint, ratio sufficiens non invenietur. Immo, si de ea conventio fieret, qua ius in corpus restringeretur ad tempora ageneseos, etiam matrimonium invalide contraheretur.

76. Modus tractandi poenitentes.

Concorditer cum prioribus responsis S. Sedis[1]) monet SS. Pontifex confessarios, „ne circa gravissimam hanc Dei legem fideles ... errare sinant, nec in iis ullo modo conveniant"; et qui fideles aut in hos errores induxerint, aut saltem, sive approbando, sive dolose tacendo in iis confirmaverint, graviter suo muneri deesse dicit[2]).

Abortion can't be left in good faith

Inde *a.* si confessarius certo sciat, poenitentem esse onanistam, non potest ei absolutionem impertire, nisi ex sufficientibus signis cognoscat eum dolere et propositum habere, non iam onanistice agendi.

b. Si dubitat, vel suspicionem habet, poenitentem hoc peccatum tacere, tenetur prudenter interrogare. Prudenter, i. e. descentiam servando; interroget ergo, an aliquid commiserit circa matrimonii sanctitatem vel finem, generationem evitaverit etc.

c. Tacere solum poterit, si nullum dubium, nullam suspicionem habet, poenitentem in hac re peccasse.

d. Quoad *absolutionem* dandam vel negandam haec regula servari poterit: qui ex propositio onanismum exercent, immo contra confessarii monitiones defendere eum conantur, ex defectu dispositionis absolvi non poterunt; qui vero voluntatem habent observandi legem et aut abstinendo aut recte congrediendo hanc voluntatem ostendunt, si quandoque ex timore vel passione delinquunt, animandi sunt ad continuandam bonam voluntatem et ita dispositi absolvi poterunt.

Nota. Iuvat referre praecipua responsa hac de re edita: S. C. Inq. 21. maii 1851: Quaeritur a Sede Apostolica, qua nota theologica dignae sint tres propositiones sequentes:

1. Ob rationes honestas coniugibus uti licet matrimonio eo modo, quo usus est Onan.

R: Propositionem esse scandalosam, erroneam et iuri naturali matrimonii contrariam.

2. Probabile est istum matrimonii usum non esse prohibitum de iure naturali.

R: Propositionem esse scandalosam, erroneam et alias implicite damnatam ab Innocentio XI prop. 49.

---

[1]) *S. Offic.* 21. maii 1851; *S. Poen.* 14. dec. 1876; 10. mart. 1886.
[2]) Enc. *Cast. con.* 1. c. 560.

3. Numquam expedit interrogare de hac materia utriusque sexus coniuges, etiamsi prudenter timeatur, ne coniuges sive vir sive uxor abutantur matrimonio.

R: Propositionem prout iacet esse falsam, nimis laxam et in praxi periculosam.

S. Poenitentiaria 1. febr. 1823. Quaesitum: Berta habet virum, quem constanti experientia cognoscit esse onanistam. In vanum omnia tentavit media, ut illum a tam nefando crimine retraheret. Quinimo gravissima aut saltem gravia mala ei imminent nunc probabiliter, ita ut vel haec mala incurrere debeat aut fugere e domo mariti, nisi permittat saltem aliquando abusum matrimonii.

R: Cum in proposito casu mulier a sua quidem parte nihil contra naturam agat detque operam rei licitae, tota autem actus inordinatio ex viri malitia procedat, qui loco consummandi retrahit se et extra vas effundit: ideoque si mulier post debitas admonitiones nihil proficiat, vir autem instet minando verbera aut mortem aut alia gravissima mala, poterit ipsa (ut probati theologi docent) citra peccatum permissive se habere, cum in his rerum adiunctis ipsa viri peccatum simpliciter permittat, idque ex gravi ratione, quae eam excusat, quoniam caritas, qua illud impedire tenetur, cum tanto incommodo non obligat. Cf. S. Poenit. 16. nov. 1816, 23. apr. 1822, 8. iun. 1842, ad 1, 13. nov. 1901.

S. Poenit. 27. maii 1847. Episcopus N. humillime supplicat pro huius dubii solutione:

1. An possit absolvi mulier, quae pateretur equidem virum, si recte ageret in copula coniugali, vehementer autem desiderat, ut se retrahat vir, quia mulier illa prolem habere formidat? R: Negative.

2. An possit absolvi mulier, quae in copula coniugali posset suis blanditiis obtinere a viro quod se non retraheret, et non facit, quia illa copula sibi displicet? R: Negative.

S. Poenit. 19. apr. 1853. **1.** An usus matrimonii imperfectus sive onanistice sive condomistice fiat, prout in casu, sit licitus? R: Negative, est enim intrinsece malus. **2.** An uxor sciens in congressu condomistico possit passive se praebere? R: Negative, daret enim operam rei intrinsece illicitae.

S. Poenit. 3. apr. 1916. Dubium: Utrum mulier alicui actioni mariti, qui, ut voluptati indulgeat, crimen Onan aut Sodomitarum committere vult, illique sub mortis poena aut gravium molestiarum minatur, nisi obtemperet, cooperari licite possit? R: a) Si maritus committere velit crimen Onan effundendo scilicet semen extra vas post inceptam copulam, ut supra 1. febr. 1823 etc.

b) At si maritus committere velit cum ea crimen Sodomitarum, cum hic sodomiticus coitus actus sit contra naturam ex parte utriusque coniugis sic coeuntis, isque doctorum omnium iudicio graviter malus, hinc nulla plane de causa, ne mortis quidem vitandae, licite potest uxor hac in re impudico suo marito morem gerere. Miratur vehementer S. Poenitentiaria, quod opposita sententia cum humanae naturae dedecore, in quorundam sacerdotum animis (ut refertur) insistere potuerit.

S. Poenit. 3. iun. 1916. Quaesita: 1. Utrum mulier in casu, quo vir ad onanismum exercendum uti velit instrumento, ad positivam resistentiam teneatur? R: Affirmative.

2. Si negative, utrum sufficiant ad resistentiam passivam ex parte mulieris cohonestandam rationes aeque graves ac pro onanismo naturali (sine instrumento) vel potius omnino necessariae sint rationes praegravissimae? R: Provisum in primo.

3. Utrum, ut tutiore tramite tota haec materia evolvatur et edoceatur, vir talibus utens instrumentis, oppressori vere debeat aequiparari, cui proinde mulier eam resistentiam opponere debeat quam virgo invasori? R: Affirmative.

S. Poenit. 16. mart. 1886. 1. Quando adest fundata suspicio, poenitentem, qui de onanismo omnino silet, huic crimini esse addictum, num confessario liceat a prudenti et discreta interrogatione abstinere, eo quod praevideat, plures a bona fide exturbandos, multosque sacramenta deserturos esse? Annon potius teneatur confessarius prudenter et discrete interrogare? R: Regulariter negative ad primam partem, affirmative ad secundam.

2. An confessarius, qui sive ex spontanea confessione sive ex prudenti interrogatione cognoscit poenitentem onanistam, teneatur illum de huius peccati gravitate, aeque ac de aliorum peccatorum mortalium, monere eumque (ut ait Rituale Romanum) paterna caritate reprehendere eique absolutionem tunc solum impertiri, cum sufficientibus signis constet eundem dolere de praeterito et habere propositum non amplius onanistice agendi? R: Affirmative iuxta doctrinas probatorum auctorum.

S. Poenit. 16. iun. 1880. An licitus sit usus matrimonii illis tantum diebus, quibus difficilior est conceptio? R: Coniuges praedicto modo utentes inquietandos non esse, posseque confessarium sententiam, de qua agitur, illis coniugibus, caute tamen insinuare, quos alia ratione a detestabili onanismi crimine abducere frustra tentaverit.

77. Foecundatio artificialis ea dicitur, qua semen virile citra copulam perfectam in uterum mulieris iniicitur. Iam vero foecundatio artificialis illicita dici debet[1]).

a. Foecundationem modo artificiali fieri posse, primus docuit *Spallanzani,* sacerdos mutinensis, in universitate papiensi physiologiae professor, qui in animalibus semen masculum in organa feminea felici successu introduxerat. Idem eodemque successu medici in hominibus tentarunt atque in dies perficiunt, quando coniuges prolem exoptantes, uxor quidem conceptionis capax, maritus vero copulae rite peragendae incapax est.

---

[1]) *S. Officium* ad quaesitum: »An adhiberi possit artificialis mulieris foecundatio« die 25. mart. 1897 respondit: *Non licere.* Cf. *Eschbach,* Disputationes physiol. theolog.[2] p. 70 ss. *Berardi,* Praxis confessariorum[3] I. n. 1009 ss. *Antonelli* I. n. 115 ss.

b. Cum mulieri non liceat semen excipere nisi proprii viri, in foecundatione, de cuius liceitate quaeritur, proprii viri semen in uterum uxoris introduci supponitur, id quod duobus modis peragi solet.

α. Primus modus in eo consistit, quod vir cum coniuge copulam habet, sed imminente seminatione se retrahit et in aliquo vase semen effundit, quod deinde medicus ope instrumenti colligit atque in uterum inicit. Iste modus illicitus est, quia onanismus seu effusio seminis extra vas femineum locum habet.

β. Secundus modus in eo consistit, quod vir citra copulam in vase aliquo semen effundit, quod deinde medicus ope instrumenti colligit atque in uterum uxoris introducit. Iste modus illicitus est, quia solum per medium illicitum, per voluntariam nempe pollutionem, obtinetur foecundatio.

c. Uxor tamen ad vitanda incommoda vere gravia artificialem foecundationem admittere posset, quia ipsa non active in mala actione cooperatur, sed mere passive et permissive se habet in recipiendo semine viri sui, supposito, quod matrimonium non sit invalidum ob impotentiam viri.

d. Est duplex modus foecundationis, qui artificialis dici potest, sed licitus est. *Primus* in eo consistit, quod vir in vase femineo instrumentum ponit, sive ut vagina dilatetur, sive ut uterus in naturali positione collocetur, quo facto copulam habent more consueto. Modus iste licitus est, cum solum natura iuvetur in peragenda copula. *Alter* in eo consistit, quod vir more solito copulam habet et intra vaginam semen effundit, quod deinde medicus ope instrumenti haurit atque in uteri fundum. iniicit. Etiam iste modus licitus est, quia copula naturalis habetur, qua posita ope instrumenti defectus naturae suppletur. *Tertium* modum, quem nescio in praxim deductum esse, affert *Vermeersch*[1]), scil. si punctione ex ipsis testiculis spermatozoa desumuntur et in organa mulieris introducuntur. Cum hic modus sine pollutione fiat, licitus esset.

Num per foecundationem artificialem (illicitam) consummetur matrimonium, si ex ea proles sequatur, affirmant *Vermeersch*[2]), *Sanchez*[3]), qui censent matrimonium consummari, quoties semen recipiatur intra vas naturale mulieris, quacunque arte id fiat; negat *Gasparri*[4]), et recte quidem: matrimonium enim non consummatur nisi copula, ad quam matrimonium a natura ordinatum est; haec autem est copula, quae fit cum penetratione vasis feminei et seminis in eodem effusione. Quare matrimonium ne tum quidem consummari censetur, cum maritus semen ad os vaginae apponat, etsi exinde proles nascatur.

[1]) l. c. n. 241, 3.
[2]) l. c. n. 240 fine.
[3]) L. 7. disp. 99. n. 37.
[4]) II. 1302.

6*   * Marraige gives right to natural intercourse. No other use of faculties.

Quaestio secunda.

De liceitate actus coniugalis ratione circum stantiarum.

Circumstantiae, quae efficere possunt, ut actus coniugalis evadat illicitus et moraliter malus, sunt eius *finis, modus* seu *situs, tempus* et *locus.*

§ 1. De fine.

78. Complures sunt fines, propter quos actus coniugalis exerceri potest: *a.* ad generandam prolem; *b.* ad mutuum adiutorium et mutuum amorem fovendum et conservandum, qui simul impellit ad societatem domesticam stabiliendam; *c.* in remedium concupiscentiae. Horum finium primus, generatio prolis, est *primarius,* quamvis non immediatus, sed mediante copula ordinata; alii sunt *secundarii,* i. e. etiam intenti a Creatore, sed dependenter a primario, quem nunquam licet positive excludere.

»Remedium concupiscentiae« est matrimonium eo quod concupiscentia per gratiam sacramenti mitigatur, per actum coniugalem sedatur et ad finem positive honestum ordinatur.

1. Actus coniugalis *ob quemcunque finem honestum* licite exerceri potest. Si de aliquo fine operis agitur, ratio est, quia actio naturae conveniens licite exercetur ob illos fines, propter quos auctor naturae illam instituit; si vero de fine operantis agitur, ratio est, quia actio non mala licite adhiberi potest ad finem honestum, ad quem obtinendum utilis est.

a. Sunt, qui cum S. *Thoma* dicant actum coniugalem ad vitandam propriam (non coniugis) incontinentiam peractum esse peccatum veniale[1]). Verum *α.* finis iste non solum in se honestus et laudabilis est, sed etiam ad essentiales matrimonii fines pertinet; atqui actum in se indifferentem ob finem honestum exercere nequit esse peccatum. *β.* S. **Paulus** docet hunc finem a Deo in matrimonio instituendo fuisse intentum (1. Cor. 7, 2. 5.), et cum Apostolus actus coniugalis hunc solum finem assignet, manifesto supponit opus coniugii in hunc solum finem peractum esse licitum. *γ.* Ecclesia benedicit nuptiis senum, quos novit inire matrimonium ad propriam incontinentiam vitandam, quod quidem ecclesia facere non posset, si usus matrimonii propter illum finem peractus esset illicitus[2]).

b. Actum coniugalem exercere cum affectu ad aliam personam, quam quis sibi repraesentat, ut ex delectationem veneream

---

[1]) *Supplem.* q. 49 a. o.
[2]) Cf. Catechismus rom. 2. c. 8. q. 14. S. *Alphonsus* n. 882. *Lindner,* Der usus matrimonii (München. 1921).

capiat, est mentale adulterium ideoque grave peccatum. In actu coniugali aliam personam sibi repraesentare, ut ex eius pulchritudine delectationem capiat et ad actum coniugalem excitetur, non quidem peccatum sed valde periculosum est. Si tandem coniuges pulchras imagines sibi ob oculos ponant easque aspiciant, sive ut se excitent, sive ut prolem formosiorem concipiant, non committunt peccatum, modo imagines non sint sacrae.

2. Actum coniugalem *ob solam voluptatem* exercere est peccatum veniale: nam inordinatio est, etsi non gravis, velle sistere in aliqua re tamquam fine, quam auctor naturae voluit tamquam medium ad finem[1]).

Actus coniugalis *ob solam voluptatem* exerceri dicitur, si alius finis honestus positive excluditur, vel actus peccaminoso modo ponitur, ita ut in ultimum finem referri non possit. Non autem prohibitum est, delectatione *moveri* ad actum, quia delectatio a creatore ideo addita est actibus, ut hominem alliciat ad hos ponendos. Quamvis ergo aliquis moveatur ad actum per delectationem, si ponit eum ordinatum et moderatum, ipse actus tanquam licitus vel saltem non prohibitus apprehenditur et eo ipso homo licite hanc honestatem approbat et intendit; ergo actui nihil deesse intelligitur, quominus naturae rationali sit conveniens ideoque ordinabilis et obiective ordinatus in Deum, finem ultimum[2]).

3. Non est necesse, ut coniuges in usu matrimonii generationem prolis velint, immo ex iusta causa optare possunt, ne ea generetur et ex hoc desiderio usum matrimonii restringere ad illud tempus, quo minor est spes futurae conceptionis. Requiritur tamen, ne intentio prolis positive excludatur, i. e. ne quidquam fiat, quo actus in se ita deformetur, ut fini suo naturali iam non sit aptus.

§ 2. De situ et loco.

79. De situ. Situs *naturalis* et ordinarius actus coniugalis hic est, ut fiat iacendo, ita ut mulier succumbat et vir incumbat: iste enim situs aptissimus est ad seminis in vas mulieris infusionem. Situs *innaturalis* quivis est, qui a naturali recedit, ut si copula fiat sedendo vel stando vel ita, ut vir succumbat et mulier incumbat. Per situm innaturalem generatio redditur quidem difficilior, attamen non impossibilis, quia semen non per descensum, sed per motum interiorum partium vaginae et motum spermatozoarum ad ovaria pertingit[3]).

Ex intentione difficiliorem reddendi conceptionem eligere modum coëundi, quo ea reapse difficilior reddatur, veniale peccatum est, si fiat sine iusta causa: cum enim generatio prolis sit

---

[1]) Damnata est haec propositio (9) ab *Innocentio XI.:* »*Opus coniugii ob solam voluptatem exercitum omni penitus culpa caret ac defectu veniali*« (DB 1159).

[2]) *De principiis* n. 88 ss.

[3]) *S. Alphonsus* n. 917. *Capellmann,* Medicina past.[18] p. 312.

primarius matrimonii finis, sine iusta causa sic agere contra rationem est, non tamen graviter, quia conceptio non impeditur.

1. Situs innaturalis, quicunque is sit, non excedit peccatum veniale, modo exclusum sit grave periculum semen extra vas effundendi: quivis enim situs, quo copula haberi potest, ad generationem aptus est.

Ergo nunquam interrogandi sunt coniuges de situ, quem in actu coniugali peragendo adhibent, cum res non sit ad confessionem necessaria; et si ipsi poenitentes consilii causa de hac re interrogant, confessarius in genere tantum respondeat, ut actum debite et, quantum fieri potest, naturali modo perficiant; quodsi poenitentes de situ innaturali se accusant, interroget num ex illa copula sequi potuerit generatio, quia confessario sufficit scire, num prorsus impedita fuerit generatio.

2. Si mutatio situs naturalis ex iusta causa fit e. g. propter periculum abortus vel propter difficultatem naturali modo congrediendi, nullum est peccatum, etiamsi aliqua pars seminis dispergatur, immo, si alius modus copulae impossibilis est, etiamsi magna pars seminis perdatur: nam hinc quidem dispersio per accidens fit, inde vero generatio non impeditur, cum ad eam modica pars seminis sufficiat[1]).

80. De loco. 1. Locum *secretum* esse debere naturalis verecundia et lex caritatis, qua scandalum praecavere debemus, postulat.

a. Coram aliis coire ratione scandali grave peccatum est.

b. Cavere debent parentes, ne filii huius rei cognitionem acquirant et sic scandalum patiantur.

2. Ante C. i. c. copula in loco sacro peracta grave sacrilegium locale constituerat, saltem si publica vel notoria erat; polluebatur locus sacer. Nunc in Cn. 1172, quo violationes loci sacri enumerantur, effusio seminis omittitur. Sacrilegium ergo *canonicum* certe non adest; hinc probati auctores negant haberi grave sacrilegium locale, ubi locus non polluitur. A publica tamen fornicatione in loco sacro peracta vix aberit sacrilegium *morale*[2]).

§ 3. De tempore.

Quaeritur, num licitus sit actus coniugalis imprimis *temporibus sacris,* dein aliis quibusdam temporibus, quibus actus coniugalis alterutri coniugum aut proli conceptae maius minusve nocumentum affert. Haec tempora sunt: tempus *menstruationis, praegnationis, purgationis, lactationis* et *infirmitatis,* de quibus universim dicendum est: si

---

[1]) *Capellmann,* Medicina pastor.¹⁸ p. 312.
[2]) *Vermeersch,* De castitate n. 314, 6.

subest periculum gravis damni in sanitate vel vita, actus
coniugalis graviter illicitus est, si periculum damni leve
est, sub levi prohibitus est; causa vero iusta, praesertim
si damnum, quod timetur, leve est, usum matrimonii licitum reddit. Causa autem censetur esse iusta, si incommodum, quod ex abstinentia oritur, damno, quod ex usu
timetur, praevalet vel saltem ei aequivalet. Ideo si damnum leve tantum timetur, abstinentia autem diuturna esset,
copula licita dicenda est, tum quia diu abstinere coniugibus
valde onerosum est, tum quia diuturna abstinentia periculum incontinentiae affert.

Insuper si amicus pro salute etiam corporali amici
damnum subire potest, a fortiori caritas vera suadebit coniugibus, ut, — servato ordine inter bona — pro invicem
aliquid damni vel periculi in se suscipiant.

81. 1. **Tempore sacro i. e.** diebus festis, adventus,
quadragesimae et s communionis actus coniugalis licitus
est, quia nullo iure prohibetur. Et licet consultum sit, ut
coniuges diebus, qui poenitentiae agendae potissimum de-
dicati sint et praesertim diebus s. commuionis a *petendo*
debito abstineant[1]), si tamen nocte praecedente honeste
copulam habuerint, a. s. communione non arcentur.

a. Non exsistit neque unquam exstitit lex ecclesiastica, quae
usum matrimonii diebus sacris prohibuisset; verba autem ss. Pa-
trum et canones ecclesiastici, qui eum prohibere videntur, non de
lege in conscientia obligante, sed de consilio intelligendi sunt[2]).

b. Rigidior est sententia *s. Alphonsi* (n. 922) affirmantis veniale peccatum eum committere, qui post copulam ex voluptate ha-
bitam ad s. communionem accedat: coniuges enim, qui ad copulam
peragendam moventur motivo mutui amoris vel in remedium concupiscentiae, nullo modo peccant; si nulla alia causa moventur
quam a voluptate, venialiter quidem peccant, sed absque peccato
ad s. communionem accedere possunt (n. 78). Sapienter autem
docet *Laymann* monendam esse uxorem, ne in reddendo debito dif-
ficilem se praebeat, praesertim si frequenter communicare soleat.
Hoc a fortiori valet de cotidiana communione; rogare potest hinc
inde maritum, ut abstinere velit; quod si aegre ferat maritus, ipsa
ad debitum reddendum obligatur[3]), neque opus est ideo communionem omittere.

c. In genere tamen enixe hortandi sunt coniuges, ut hinc inde
in continentia salutari se exerceant, quae corpori et animae proficua
est, et eos aptos reddit, ad facilius continentiam exercendam, quando
necessaria est. Et si iam commendanda est talis temporanea continentia, optimum tempus praebebunt dies festi et s. communionis.

---

[1]) Cf. 1. Cor. 7, 5. — [2]) *Ballerini-Palmieri* VI. n. 366. *S. Alphonsus* VI. n. 923. — [3]) Cf. *Laymann*, Theol. moralis. l. 5. c. 6.n. 16.

82. 2. Tempore fluxus menstrui. Distinguendum est inter fluxum menstruum seu fluxum sanguinis ordinarium, de quo supra (n. 41), et extraordinarium, qui ex morbo provenit et longiore tempore quandoque ad quindecim dies perdurat.

a. Copula, quae tempore *fluxus extraordinarii habetur,* nunquam non damnum affert sanitati mulieris; quare abstinentia ab usu matrimonii per id tempus consulta est; at copula prorsus illicita dici nequit, nisi ex iudicio medici grave damnum immineat uxori, quia onerosum est viro tam diu a copula abstinere, si diuturnior fluxus est.

b. Tempore *fluxus ordinarii* copula non est quidem illicita, ex duplici tamen ratione abstinentia ab usu matrimonii suadenda est, praesertim cum ea paucorum sit tantum dierum. Imprimis propter peculiarem indecentiam (non moralem sed physicam); quare vir etiam naturali et innata nausea se avertit a muliere, quae fluxum menstruum patitur, et pari modo mulier eo tempore insitam aversionem ab omni congressu maritali experitur. Deinde vero propter periculum sanitatis, quod imminet uxori, cuius organa genitalia eo tempore per se iam sunt irritata[1]). Cum tamen utraque haec ratio non sit gravis, copula tempore fluxus menstrui dicenda est licita, modo adsit rationabilis causa coëundi. Quod veteres timebant, nempe prolem hoc tempore conceptam nasci infirmam vel leprosam, inane est[2]).

In lege vetere usus matrimonii tempore fluxus menstrui peculiari praecepto prohibitus erat[3]); antiquiores theologi etiam in lege nova usum matrimonii hoc tempore graviter illicitum habebant, praesertim ob damnum futurae prolis: putabant enim prolem, si hoc tempore concipiatur, fore infirmam vel monstruosam. Alii copulam per id tempus saltem leviter illicitam dicebant, quia mulier ad generationem tunc est inepta. Cum hodie constet has rationes non subsistere, antiquorum sententia in hac re omittenda est.

83. 3. Tempore praegnationis copula illicita esse potest, quia inducit periculum abortus, praesertim si saepe et impetuose perficiatur. Sed cum abortus periculum solum primis praegnationis mensibus proprie exsistat, maturescente autem foetu paulatim evanescat, status vero incipientis praegnationis vix cognosci possit, copula hoc tempore simpliciter licita dicenda erit; coniugibus tamen, qui

---

[1]) *Capellmann,* Medicina past.[18] p. 313.
[2]) *Olfers,* Pastoralmedizin[2] p. 64.
[3]) Lev. 15, 19. 20; 18, 19.

praegnationem suspicantur, tum quoad numerum tum quoad modum concubitus moderatio commendanda est.

Difficile est, quod nonnulli auctores docent, copulam scilicet cum praegnante culpa non vacare, quia semen frustratur: non enim ad generationem tantum, sed etiam ad alios fines, et praesertim in concupiscentiae remedium matrimonium ordinatur; et actus in se ordinatus est.

84. 4. Tempore purgationis post partum conceptio quidem non fit, ideo ex hac parte damnum mulieri non imminet; at ex ipsa copula mulieri periculum morbi imminet, tum propter magnam debilitatem ex partus doloribus contractam, tum propter organa genitalia post partum prorsus alterata. Periculum, quod primis diebus post partum maius est, paulatim minuitur et tamdiu durat, quamdiu organa genitalia nondum sunt in priorem statum restituta. Elapsis duobus circiter mensibus rediens menstruatio indicat organa suis locis esse restituta et novam conceptionem fieri posse. Quare primis post partum diebus copula propter periculum damni graviter, postea leviter illicita est.

Censet *Capellmann* periculum gravis nocumenti post partum per duas, levis nocumenti per quatuor sequentes hebdomadas perdurare[1]). Viris dicendum est, ut concupiscentiam hoc tempore orientem compescant per amorem et reverentiam erga coniugem. Si tamen gravis causa, praesertim periculum incontinentiae, copulam cohonestat, ipsa etiam hoc tempore a peccato excusatur.

85. 5. Tempore lactationis nova conceptio ordinarie timenda non est; si tamen accidit, mox etiam lac diluitur ac diminuitur et brevi prorsus desinit. Cum copula hoc tempore habita aliud nocumentum non afferat, licita dicenda erit: proles enim, si nova conceptio oritur, alio modo nutriri potest, insuper coniuges nimis diu (lactatio ultra annum perdurat) ab usu matrimonii abstinere deberent, si toto hoc tempore copula non concederetur.

86. 6. Tempore morbi actus coniugalis per se illicitus est, si vitae vel sanitatis periculum affert; ex gravi causa vero licitus est; si nimirum coniuges alias diu abstinere deberent cum periculo incontinentiae, modo non inducatur proximum periculum mortis. In particulari vero distinguendum est inter morbus contagiosos (syphilis, phthisis) et non contagiosos. De qualitate morbi consulendus est medicus. Itaque

---

[1]) *Capellmann* l. c. p. 315.

a. Si una pars laborat *morbo syphilitico* (morbus gallicus theologorum) vel *gonorrhoea,* usus matrimonii illicitus videtur propter horrendas sequelas, quas tam com-parti quam proli affert. Insuper periculum infectionis cer-tum est, morbus autem, si levis est, intra breve tempus removeri potest.

In hac affirmatione recentiores *(Lehmkuhl, Ballerini-Palmieri, Marc* etc.) consentiunt ducti rationibus, quae a medicis afferuntur. Hi unanimes sunt in describendis gravissimis malis, quae coniugi-bus et proli ex hoc morbo oriuntur et paulatim innumeras familias, quin et integram nationem afficiunt[1]). *S. Alphonsus,* qui usum matrimonii in hoc casu non absolute interdicit (n. 909), cum theo-logis recentibus forte conciliari potest. Distinguuntur enim diversi gradus morbi gallici; ideo fieri potest, ut recentiores de summo gradu negent, quod s. Alphonsus de mitiore gradu concedit. Num usus matrimonii etiam in summo gradu morbi gallici absolute loquendo concedi possit, quia non inducit proximum periculum mortis intra breve tempus subeundae alii iudicent. Certe coniux sanus non *tenetur* reddere debitum.

b. Phthisi laborantibus usus matrimonii illicitus non est, tum quia phthisici ordinarie vehementem concupiscen-tiam experiuntur, tum quia ex modico usu matrimonii grave damnum non provenit.

α. Etsi phthisis per se morbus sit contagiosus, ex usu matri-monii tamen potius hereditarius dicendus est, quia periculum in-fectionis per copulam vix unquam inducitur. Proles ex parenti-bus phthisicis genita non oritur phthisi affecta, sed postea eam facillime contrahit propter maximam ad hunc morbum disposi-tionem a parentibus hereditate acceptam.

β. Quia frequentior copula hoc morbo laborantibus multum nocere potest, magna parsimonia in hac re eis commendanda est.

γ. Quod proles phthisica vel potius ad phthisim disposita nascatur, usum matrimonii non impedit, tum quia certum non est, ex hac particulari copula prolem generari, et si generetur, certum non est, eam infectam generari, cum hereditaria dispositio saepe per saltum progrediatur, tum denique quia proli, quae generatur infirma, »melius est sic esse, quam penitus non esse«[2]).

c. Si morbi *non sunt contagiosi,* copula licita est, ubi morbi sunt leviores nec multum debilitantes, quia per copu-lam non fiunt peiores; at illicita est ubi morbi sunt multum debilitantes et cum febri vel magno dolore coniuncti: hi enim per copulam ordinarie multum ingravescunt. Ad hoc genus morborum numerari debent aegrotationes genitalium in muliere, quae per usum matrimonii adeo augeri solent, ut difficulter postea sanentur[3]).

---

[1]) Cf. *Capellmann* l. c. p. 321. *Olfers* l. c. S. 67. *Antonelli* l. c. II. n. 393 ss.

[2]) *Antonelli,* Medicina pastoralis II. n. 418.

[3]) Cf. *Capellmann* l. c. p. 327.

Mulieres, quibus ex iudicio medici proximus partus mortem sit allaturus, ordinarie non sunt obligandae, ut ab usu matrimonii abstineant, tum quia conceptio incerta est, tum quia eiusmodi iudicia medicorum experientia teste saepe falsa sunt.

Quaestio tertia.
De obligatione actus coniugalis.

87. Obligatio ipsa. Quamvis debitum coniugale obligatio iustitiae sit et in sequentibus quaestiones solvantur, quando hoc debitum ex iustitia praestari debeat vel sine laesione iustitiae negari possit, tamen his non edicitur hanc delicatam rem postulari vel negari posse respectu *solius iustitiae*, fere eo modo qui inter creditorem et debitorem sibi invicem exosos fieri solet. Sed inter personas sibi invicem tam intime coniunctas, sicut coniuges sunt, etiam *caritas* locum habere debet. Caritas exerceri potest et debet in amicabili modo petendi et reddendi ius; quandoque praestando, etsi ius non urgeat; quandoque remittendo, quamvis iure postulari posset; sunt quandoque incommoda, praesertim matrimonio intrinseca, quae spectato solo iure ferri debent, quae tamen caritas vitabit; si secus fiat, non quidem ius, sed caritas laesa erit[1]).

Declaratio. Per se viri est petere, uxoris est reddere debitum: mulieribus enim ob insitam verecundiam ordinarie valde molesta est petitio. Quapropter uxor non tenetur reddere debitum, nisi vir petat: si enim non petit, uxor praesumere potest virum non exigere debitum. *Per accidens* autem etiam mulier petere tenetur: si enim vir in periculo est incontinentiae, ipsa ex caritate tenetur a periculo eum liberare; sed cum caritas non obliget cum gravi incommodo, non tenetur petere, si absque gravi incommodo e. g. magna verecundia non potest.

Ab expressa petitione, quae fit verbis vel aequivalentibus signis, distinguenda est *petitio interpretativa*, quae ex aliquibus indiciis colligitur. Sic si uxor exsistens in periculo incontinentiae velit uti matrimonio, sed prae verecundia non audeat expresse petere, interpretative petere dicitur, et maritus haec advertens ipse petere seu potius interpretative petenti reddere debitum tenetur

---

[1]) Enc. *Cast. con.* l. c. 547 ss.

88. Principia. 1. Nulla exsistit obligatio *petendi debitum* coniugale nisi quandoque per accidens ex caritate: nulla enim exsistit pro singulis coniugibus obligatio utendi matrimonio, sed ad illum usum ius tantum habent; nemo autem tenetur uti iure suo.

Per accidens autem potest adesse obligatio petendi praesertim in viro: *a.* si iudicet compartem versari in periculo incontinentiae et ob verecundiam non petere: quilibet enim ex caritate tenetur impedire peccatum alterius, si commode potest; *b.* si usus matrimonii necessarius est ad fovendum amorem vel ad dissidia avertenda.

Licet usus matrimonii coniugibus ordinarie suadendus sit, praesertim iis, qui prolem alere et apte educare possunt; ex mutuo tamen consensu ab usu matrimonii eis etiam abstinere licet, modo non adsit periculum incontinentiae. Et quidem si abstinent ex motivo virtutis, excluso periculo incontinentiae, id laudandum et commendandum est, si ex alio rationabili motivo fiat, et non adsit periculum peccati, saltem permittendum est.

2. Exsistit obligatio iustitiae per se gravis *reddendi debitum*, quoties alter coniux expresse vel tacite serio petit.

a. Per contractum enim matrimonialem coniuges sibi invicem transferunt ius et potestatem in corpus in ordine ad actum coniugalem; sed iuri petendi respondet in altero obligatio reddendi debitum. Idem expresse docet Apostolus: *uxori vir debitum reddat: similiter autem et uxor viro*[1]). Insuper qui debitum negat, compartem saepe exponit periculo gravium peccatorum.

Quare non licet se voluntarie *ineptum reddere* e. g. nimiis laboribus vigiliis, austeritatibus, vel operationibus chirurgicis[2]), nisi haec fieri debeat ad avertendam infirmitatem corporis; coniux enim ius habet ad actum coniugalem; qui ergo se ineptum reddit, laedit ius coniugis. — Nec licet sine necessitate vel consensu alterius partis abesse per notabile tempus: eiusmodi enim absentia negationi debiti aequivaleret.

b. Obiectum mutui contractus per se res gravis momenti est: agitur enim de generatione prolis, de vitanda incontinentia, de significando amore coniugali ad conservandam pacem; ergo reddere debitum per *se gravis obligatio* iustitiae est, quando alter *serio* petit, ita scilicet, ut rogatus cedere nolit. Nihilominus negatio debiti potest esse leve peccatum in duplici casu: α. *ex parvitate materiae*, si raro tantum fiat, e. g. saepe petenti semel in mense nege-

---

[1]) 1. Cor. 7. 3.
[2]) Cf. II. n. 328; *J. Grosam,* Die Sterilisation. Th. p. Qsch. (Linz.) 1930.

tur, vel si non omnino negatur, sed solum ad breve tempus e. g. ad noctem differtur, excluso tamen incontinentiae periculo; *β*. si alter non serio sed remisse tantum petit, ita ut debitum benevole remittere censeatur.

α. Ergo per se graviter peccat coniux, qui alteri serio petenti negat debitum etiam una vice tantum, praesertim si in altera parte est periculum incontinentiae vel gravis molestia; et quidem non solum contra iustitiam, quia negat, quod debitum est, sed etiam contra caritatem, quia compartem exponit periculo gravium peccatorum.

β. Graviter peccant etiam viri, qui sive ex avaritia, ne prolem alere debeant, sive ex malevolentia proprias uxores nunquam vel fere nunquam cognoscunt, quamvis praesumere debeant ipsas id aegerrime ferre.

γ. Mulieres, praesertim quae iam sint provectioris aetatis et numerosa prole onustae, quandoque putant se debitum negando graviter non peccare, nisi fere semper fiat vel nisi vir in periculo peccandi versetur. Quod si confessarius deprehenderit, caveat, ne frustra eis bonam fidem adimat.

δ. Ceterum mulieres serio graviterque monendae sunt, ne viris difficiles et morosas se praebeant, si copulam vel alia quae coniugibus licita sint, ab eis exigant, ne scilicet eos exponant periculo propria relicta ad alias mulieres accedendi.

3. Tenetur coniux serio petenti debitum reddere, etsi inde *leve damnum vel incommodum timeat:* a gravi enim obligatione, quae insuper est iustitiae, leve damnum vel incommodum nullatenus excusat.

Etsi leve incommodum e. g. graveolentia, quam uxor ex ore et naribus emittit, a petendo vel reddendo debito non excuset, incommodum tamen vere grave etiam ab hac obligatione, sicut ab aliis excusat, ut in sequentibus n. 91 s. dicetur.

4. Ex Cn. 1111 »utrique coniugi, *ab ipso matrimonii initio,* aequum ius et officium est, quod attinet ad actus proprios coniugalis vitae.« Si qua ratio specialis ex modo quo matrimonium celebratum est, ex infaustis vitae communis initiis, iustam causam differendi consummationem dare videretur, remedium istud praesto est, ut ex Ordinarii auctoritate, vel etiam ex propria auctoritate, si de causa constet et periculum sit in mora[1]) coniux se ab altero separet et dispensationem a matrimonio rato non consummato a S. Sede impetret[2]).

89. Quando amittatur ius exigendi debitum.

1. *Si unus coniugum commisit adulterium,* parti innocenti pro iniuria illata conceditur facultas, si vult dis-

---

1) Cn. 1131 § 1.
2) *Vermeersch* l. c. n. 254.

cedendi ab adultero, vel saltem eum repellendi ab usu iuris (manente tamen vinculo et iure in corpus). Ut amissum censeatur ius exigendi, requiritur, ut adulterium sit formale, certum, non ab utroque commissum neque explicite vel implicite condonatum: si enim ab utroque commissum est, adest compensatio, et si pars innocens debitum petit vel petenti libere reddit, censetur iniuria implicite condonata[1]).

Coniux, sive vir sive mulier qui adulterium commisit, non prohibetur *petere;* non enim peccaminosum quid petit, si rogat, ut compars redeat vel in copulam consentiat; nam manet ius in corpus. Sed pars innocens cognito adulterio potest adulterum privare iure *exigendi copulam tanquam debitam* (n. 100). Similiter pars innocens etiam post privationem iterum eum admittere potest.

Adulter autem non tenetur crimen suum comparti manifestare. Adulterium a parte hucusque innocente *post separationem* commissum non amplius compensationem efficit; nam post talem separationem obligatio redeundi non habetur[2]).

2. *Si petens caret usu rationis,* ut si amens vel ebrius est, quia petitio eius, qui caret usu rationis, non est actus humanus; insuper per matrimonium contracta non est obligatio nisi ad actum coniugalem humano modo peragendum. Parti autem rationis compoti *licet* debitum amenti vel ebrio reddere, praesertim si in periculo incontinentiae sit. Quodsi amentia non sit perfecta, per se exsistit in altera parte obligatio reddendi.

Num coniux *perfecte ebrio* vel amenti debitum reddere *teneatur* si petens sit *in periculo committendae pollutionis,* non una est auctorum sententia. Complures *affirmant,* quia coniux ex caritate tenetur impedire alterius peccatum, etsi materiale tantum[3]). Horum sententia quadantenus confirmatur illorum physiologorum placito, qui asserunt, proli ex copula tempore ebrietatis habita timendum non esse damnum: etenim si proles coniugis ebriosi nascitur infirma aut hebes, id non ex copula tempore ebrietatis habita oritur, sed ex ebriosi constitutione organica ob frequentem ebrietatem alterata[4]). Nonnulli tamen hanc obligationem *negant,* quia coniux a praecepto caritatis ob iustam causam excusatur; sed iusta causa est fundatus timor, ne proles ex eiusmodi copula exorta non solum graves defectus corporis, sed etiam pravos habitus animi contrahat[5]). Practice ergo coniux obligari nequit ad reddendum debitum perfecte ebrio, etsi petens in periculo incontinentiae versetur.

90. *Num uxor teneatur debitum reddere illicite petenti.* Si actus coniugalis illicitus est propter aliquam circum-

---

[1]) Cn. 1129. — [2]) Cn. 1130. — [3]) *S. Alphonsus* n. 984. *Sanchez* l. 9. disp. 23. n. 11. — [4]) *Olfers,* Pastoralmedizin[2] S. 70, cui tamen alii contradicunt existimantes ex copula cum ebrio oriri periculum, ne proles nascatur infirma. — [5]) Cf. *Ballerini-Palmieri* VI. n. 407 s.

stantiam, quae habetur ex parte personae petentis, uxor non solum potest, sed etiam debet reddere; quodsi actus illicitus est vel in se vel propter circumstantiam, quae refertur ad actum coniugalem, non tenetur nec potest reddere.

a. Illicite petit is, cui actus coniugalis est illicitus; atqui actus coniugalis illicitus esse potest propter circumstantiam, quae est in ipso petente ut si ex pravo fine ad solam voluptatem capiendam petat, vel si petens voto castitatis ligatus sit; insuper actus coniugalis illicitus esse potest in se, ut si petatur actus onanisticus vel sodomiticus; tandem actus coniugalis illicitus esse potest ob aliquam circumstantiam, quae est ex parte actus, ut si petatur in loco publico vel sacro.

b. Iam vero sunt, qui cum *Pontio* ad propositam quaestionem nulla distinctione facta respondeant, non licere debitum reddere illicite petenti: petit enim formalem cooperationem ad peccatum solo casu excepto, quod petens actu, si vellet, etiam licite coire posset, ut si ob solam voluptatem petat; atqui nunquam licet formaliter ad peccatum cooperari[1]).

c. Alii vero facta distinctione, quae supra exponitur, cum *Sanchez* docent uxorem posse et debere reddere debitum, si actus coniugalis illicitus est propter circumstantiam, quae est in petente: actus enim coniugalis ex parte uxoris licitus est, et quia maritus propter illam circumstantiam, quae actum reddit illicitum, non amisit ius petendi, actus etiam ex iustitia debitus est. Utique ex caritate moneat coniugem, ne peccet petendo, vel ipsa petat, ita ut alter sine peccato possit reddere. Quam quidem doctrinam Sanchez his exemplis illustrat: si quis nummos apud alterum depositos exigeret ad fornicandum, nummos hic reddere deberet; et si habens creditum apud alium voveat se creditum non esse exacturum et tamen exigat, ille debitum reddere potest et debet[2]).

91. Quando cesset obligatio reddendi. Coniux non tenetur reddere debitum, si inde grave damnum, quod matrimonio non est per se annexum, sibi vel proli conceptae iuste timere debeat: ineuntes enim matrimonium non censentur se obligare ad actum coniugalem cum tanto incommodo. Casus, in quibus ex hac ratione coniux non tenetur reddere, sunt praecipue sequentes:

1. *Si immoderata est petitio:* copula enim immoderate peracta vires extenuat et sanitatem laedit. Petitio potest esse immoderata *absolute,* si plus quam semel in una nocte petatur, aut *relative* ratione infirmitatis vel debilitatis corporis iudicio prudentum.

a. Quoties actum coniugalem absque detrimento sanitatis coniuges perficere possint, generali regula determinari nequit: pendet enim ab ipsorum coniugum physica constitutione aliisque adiunctis. Auctoribus medicis usus matrimonii, qui fiat bis in hebdomada,

---

[1]) Cf. *Pontius* l. 10. c. 3. n. 3.
[2]) *Sanchez* l. 9. disp. 6. n. 7. Cf. s. *Alphonsus* n. 944. 947.

non nocet, et si coniuges sint valentes firmaeque constitutionis, etiam ter quaterve eo uti possunt exceptis temporibus, in quibus natura ipsa suadet, ut ab actu coniugali abstineant ut tempore fluxus menstrui, praegnationis etc. Coniuges autem, qui sunt debiles et infirmae constitutionis, praesertim viri, qui laboribus mentalibus diu serioque occupantur, nonnisi semel in hebdomada absque detrimento actum coniugalem exercere possunt. Si in casu concreto de hac re oriatur dubium, iuvabit consulere medicum[1]).

b. Ergo non peccat uxor negans debitum viro, cui copula semel quavis nocte habita non sufficit, ita ut etiam interdiu vel saepius in eadem nocte petat, nisi id fiat in casu extraordinario e. g. in periculo incontinentiae.

2. *Si grave periculum vitae vel sanitatis* ex iudicio medici prudentis timendum sit.

a. Ideo nulla est obligatio reddendi debitum ei, qui laborat morbo contagioso, neque ei, qui febri valida vel alio gravi morbo laborat. Si uxor e. g. vitio cordis organico laborat, copula repentinam mortem afferre potest, ideo debitum reddere non tenetur; si maritus eodem vitio laboret, petere non potest et petenti uxor reddere non tenetur; si tamen ob periculum incontinentiae peteret, uxor debitum reddere posset, nisi de repentina morte constaret.

b. Pariter non tenetur reddere debitum mulier, quae experta est se non posse parere sine mortis periculo; a reddendo debito tamen non excusatur mulier, quae in primo partu mortis periculum subiit vel extraordinarios dolores passa est, quia experientia constat mulieres in primo partu maiores difficultates experiri, quam in sequentibus.

c. Si ex iudicio periti et prudentis medici constaret reddentem gravi morbo vel ipsi morti expositum iri, non teneretur reddere; in his adiunctis tamen *liceret* reddere, si periculum non sit omnino certum et proximum, quia semper abstinere difficillimum esset et quia quilibet ex motivo virtutis se exponere potest alicui periculo corporali.

d. Si mulier reddens debitum exponatur periculo gravis et diuturnae infirmitatis, quae solum lentam mortem sit adductura, non tenetur reddere: nam ad id non tenetur cum periculo mortis, etsi solum lentae.

3. Incommoda, quae *condicioni matrimonii interna* sunt, a reddendo debito non excusant: ineuntes enim matrimonium haec incommoda eo ipso censentur velle subire. Eiusmodi habentur: *a.* ordinaria incommoda graviditatis et nutritionis; difficultas ordinaria partus; *b.* aliqua sanitatis debilitatio; *c.* dolores graves quidem, sed non diuturni, vel diuturni, sed moderati ut dolores capitis per complures menses post partum.

92. 1. Si coniuges numerosa prole iam donati adeo pauperes sunt, ut ulteriorem prolem alere nequeant, excluso incontinentiae periculo utriusque partis a reddendo

---

[1]) Cf. *S. Ribbing,* Die sexuelle Hygiene p. 58 s.

debito probabiliter excusantur ob grave damnum, quod uxori et proli iam natae timendum est.

Etsi coniuges numerosa prole iam donati ab usu matrimonii abstinere possint, si tamen immineat periculum incidendi in graves tentationes, potius eis suadendum est, ut divinae providentiae se committentes matrimonio utantur, hac spe suffulti Deum, qui dat foecunditatem, daturum esse etiam alimentum.

2. Vir, qui nullam familiae curam habens onus alendae prolis uxori relinquit, ius petendi amittit; quare debitum sine peccato ei negari potest. Atque id quidem etiam tum fieri potest, quando maritus in periculo incontinentiae versatur: uxor enim obligari nequit, ut virum cum tanto incommodo ex hoc periculo eripiat[1]).

Num et quale damnum prolis a reddendo debito excuset. Si agitur de *prole iam concepta,* existit subiectum iuris, cui tanquam innocenti nemo impune damnum inferre potest. Si vero agitur de *prole adhuc concipienda,* non potest sermo esse de iure prolis, ut nascatur sana, quod inter modernos quidem affirmant. Nec societas humana ius habet postulandi, ut omittantur omnes copulae, ex quibus proles infirma nasci possit; nimis incertae enim sunt leges hereditariae propagationis, et incertum etiam est, an determinata copula frugifera sit. Sed utique caritas erga seipsos suadebit coniugibus omittere copulam, si sine gravi incommodo fieri potest; caritas, inquam, quia per prolem infirmam, debilem, deformatam, quae fortasse per totam vitam speciali cura parentum eget, sibi magnum onus imponunt. Cum autem incertum sit, an ex copula conceptio oriatur, et si oritur, an revera proles infirma futura sit, saltem ex proportionata causa excusantur, et copulam habere possunt. Attamen eo ipso etiam obligationem contrahunt, curam habendi ut talis proles finem saltem supernaturalem obtinere possit.

Ex medicis et biologis saltem illi, qui nullo modo respiciunt finem supernaturalem hominis, vitam temporalem prolis tanquam summum bonum considerant, et ideo vitam infirmitate infectam omnino inutilem dicunt tum proli tum societati. Ideo nullo respectu habito peccatorum, quae inde a parentibus committuntur, copulam omnino interdicunt[2]). (Ex eadem ratione quidam etiam postulant occisionem prolis infirmae vel degeneratae.) Sed qui credit etiam talem prolem per baptismum salvari, et etiam vitam infirmam

---

[1]) *Lehmkuhl,* II. n. 1088.
[2]) Enc. *Cast. con.* l. c. 564 ss.

esse viam ad salutem, hic applicabit celebre dictum S. Thomae:[1]) »melius est proli sic esse, quam omnino non esse.« Immo, etiamsi proles per abortum pereat sine baptismo, adhuc melius est ei saltem vixisse, et finem vitae sine peccato personali adipisci. Pro his Deus providebit.

In omnibus hisce casibus uxor non solum licite potest, sed ad evitandum incontinentiae periculum, quod in alterutra parte vix non semper adest vel praesumi debet, etiam reddere tenetur, si vir serio petat, praesertim quia haec damna per accidens contingunt, proindeque non certo eveniunt.

Quaestio quarta.

De licitis in coniugio.

93. Principia. Quaestio est, num et quando actus luxuriae interni (cogitationes, delectationes et desideria) et actus imperfecti (tactus, oscula, amplexus, aspectus et sermones) coniugibus liciti sint. Porro hos actus coniuges vel *soli* exercent vel *mutuo;* et si actus mutui sunt, vel ordinem ad copulam habent vel hunc ordinem non habent. Hic tamen actiones consideramus, quae actualem ordinem ad copulam non habent, cum de iis, quae ad copulam actu habendam ordinantur, supra (n. 70) dictum sit. Iam ad propositam quaestionem solvendam duo principia notanda sunt:

1. Grave peccatum in coniugibus inter sese agentes id solum est, quod est contra finem primarium matrimonii; atqui praeter voluntariam pollutionem, sive solitariam sive onanisticam, sive sodomiticam et praeter ea quae sunt quasi inchoata pollutio, nihil est contra finem primarium matrimonii, qui est generatio prolis. Aliae actiones omnes in se seu considerata earum natura coniugibus licitae sunt et peccata fiunt, si ob solam voluptatem vel cum praeviso pollutionis periculo sine iusta causa exerceantur.

Pollutio eiusque proximum periculum in coniugatis utriusque sexus non minus illicita sunt, quam in solutis; immo tum ipsa pollutio tum actiones, quae proximum eius periculum inducunt, in coniugatis gravius peccatum sunt, quam in solutis, quia per eas

---

[1]) Suppl. q. 64.

non solum castitas, sed simul ius alterius coniugis laeditur. Quam
ob rem coniugati pollutionem eiusque periculum proximum sub
gravi cavere tenentur, sicut soluti ad id tenentur.

2. Delectatio venerea intra matrimonium quaesita coniugibus in se licita est: matrimonium enim, cum ius ad
actum coniugalem concedat, efficit, ut delectatio pro illo
actu instituta, quae solutis graviter illicita est, coniugatis
licita evadat. Nec tum solum eis licita est, quando copulam intendunt, sed etiam, quando copulam aut habere non
possunt aut habere nolunt.

a. Intra matrimonium quaesita i. e. actibus natura sua ad
actum coniugalem ordinatis, ut sunt mutui tactus, aspectus, sermones etc., qui natura sua apti sunt, qui ad copulam disponant
eamque praeparent. Et cum etiam tactus et aspectus, quos coniugatus in proprio corpore exercet, ad actum coniugalem ordinari
possint, non extra, sed intra matrimonium delectationem quaerit
coniugatus, qui ipse se in verendis tangit vel aspicit.

b. Delectatio venerea coniugatis, quibus incumbit officium
conservandi et propagandi generis humani, licita est, sicut hominibus universim, quibus incumbit officium conservandi individuum
humanum, licita est delectatio cibi et potus. Et sicut excessus in
usu delectationis ciborum ob defectum finis honesti veniale peccatum est, ita excessus in fruitione delectationis venereae, excluso
proximo periculo pollutionis ob defectum finis honesti veniale peccatum est.

c. Ergo illi actus, qui natura sua libidinem excitant, ut tactus,
oscula, aspectus etc., coniugibus citra proximum pollutionis periculum in se liciti sunt, modo finem honestum habeant. Finis honestus, ob quem eiusmodi actus a coniugatis exercentur, potissimum is est, ut amor coniugalis manifestetur et foveatur[1]).

94. Corollaria. Ex his principiis iam sequentia corollaria inferuntur: *a.* de actibus imperfectis mutuis; *b.* de
actibus imperfectiis solitariis; *c.* de delectationibus morosis in coniugibus.

1. *Mutui actus imperfecti,* qui non sunt coniuncti cum
proximo periculo pollutionis, nullum peccatum sunt, si ex
rationabili causa fiant; veniale peccatum sunt, si absque
rationabili causa ex sola voluptate exerceantur.

a. Qui ergo uxorem suam absque intentione copulae ex mera
voluptate impudice aspicit vel tangit, mortaliter non peccat, modo
absit periculum pollutionis; eiusmodi enim aspectus et tactus coniugibus per se liciti sunt: quodsi fiant absque honesto fine, veniale
peccatum sunt, quia inordinatus usus rei aliunde licitae non est
nisi veniale peccatum.

b. Sunt, qui actus enormiter obscoenos inter coniuges de
peccato gravi damnent, etiam citra pollutionis periculum. Eiusmodi
actus recensent: si ore vel lingua in genitalibus se tangunt et

---

[1]) Cf. *Sanchez* l. c. disp. 44. n. 2 ss. *Sporer* l. c. n. 502 ss.
Gobat, Experient. theol. de sacram. tr. 10. n. 666 ss.

similia. **Verum duo in his actibus, sicut in reliquis, distinguenda
sunt elementa. Primum est periculum pollutionis.** Hoc eis, etsi
maiore gradu, cum omnibus actibus imperfectis commune est; ideo
quatenus hoc periculum spectatur, specialis malitia eis non convenit. Alterum elementum est obscoenitas vel foeditas, quae dicitur. Iam vero inter coniugatos nulla est nec fingi potest actio,
quae ob solam foeditatem adeo sit intrinsecus mala, ut nunquam licita fieri possit. Ideo non desunt auctores *(Sanchez, Filiucci, Sporer,
Ballerini, Berardi etc.)*, qui censent, illos actus ex communi regula
de liceitate actuum imperfectorum eximendos non esse. Si ergo
experientia constaret in determinatis personis illos actus non inducere proximum pollutionis periculum, saltem graviter peccaminosi
non essent.

2. *Mutui actus imperfecti,* qui praevidentur (non ex
natura eorum, sed ex adiunctis) coniuncti cum proximo periculo pollutionis, nullum peccatum sunt, si ex gravi causa
necessitatis, utilitatis vel decentiae exerceantur, nec adsit
periculum consensus. Sicut enim soluti ex gravi causa
exercere possunt actus licitos, etsi praeter intentionem ex
eis sequatur pollutio (n. 36 ss.), ita coniugati ex gravi causa
ponere possunt actus licitos, etsi praevideatur secutura
pollutio; sed eiusmodi actus coniugatis liciti sunt.

a. Eiusmodi causa sufficienter gravis est: ad fovendum vel
instaurandum mutuum amorem; ad avertendam suspicionem infi-
delitatis vel amoris erga aliam personam; vel periculum adulterii;
ad oboediendum comparti petenti, ut illi actus permittantur aut
reddantur; vel etiam quaedam compensatio pro actu completo,
quem habere non possunt, aut ob iustam rationem nolunt.

b. Cum ipsa pollutio in se illicita sit, fas non est in delectationem cum pollutione coniunctam consentire; plerique tamen
coniuges malitiam huius consensus ignorant, neque expedit eos de
hac re monere, ne ex peccatis materialibus fiant formalia[1]).

3. *Mutui actus imperfecti,* qui ex natura sua praevidentur coniuncti cum proximo periculo pollutionis, vel
quasi inchoata pollutio sunt, grave peccatum sunt, si propter se habentur: pollutio enim coniugibus non minus illicita est quam solutis; ergo eis illicitum est etiam, quidquid per se proximum illius periculum inducit.

Ita v. g. diuturnior tactus mutuus genitalium, vel inchoata
copula.

Tales actus mutui, qui ex natura sua quasi inchoata pollutio
sunt, solum permitti possunt, si fiunt in iis circumstantiis, ubi in-
stante proximo periculo coniuges transire possunt ad copulam
coniugalem. Cooperatio alterius partis ad talia permitti poterit
ob grave damnum, ubi pollutio non est omnino certa, sed adhuc intra fines periculi versatur; consensus utique in orituram excludi
debet.

Si autem quibusdam coniugibus constaret, tales actus sibi non

---

[1]) Cf. *Lehmkuhl,* II. n. 1067.

creare immediatum grave periculum, permitti poterunt ex gravi
causa, v. g. quia copulam perfectam habere non possunt, et excluso consensu in pollutionem forte orituram.

95. *Solitarii actus imperfecti* in coniugatis sunt peccata venialia, si absque periculo pollutionis fiant; et sunt
peccata mortalia, si natura sua proximum periculum pollutionis inducant. Ratio *primi* est, quia ex sola voluptate
fiunt; ratio *secundi* est, quia coniugati pollutionem eiusque periculum non minus vitare debent quam soluti.

Dicitur actus imperfectus e. g. tactus turpes, quos coniux in
proprio corpore exercet, citra pollutionis periculum esse peccata
levia, quia sententia docens eos esse peccata gravia non est certa.
Ratio *s. Alphonsi,* qui contrariam sententiam (n. 936) probabilio-
rem dicit, haec est: matrimonium coniugi non confert ius in proprium corpus, nisi ut ad copulam se disponat; si ergo ad hanc
se non disponit, proprio corpore non magis uti potest, quam solutus.
Ratio eorum, qui cum *Sanchez*[1]) tenent illos actus esse peccatum
veniale tantum, haec est: mortale essent propter delectationem
veneream directe volitam; atqui delectatio venerea directe volita
citra pollutionis praevisum periculum ad ea pertinet, quae in matrimonio natura sua licita sunt; ergo in coniugibus, si absque iusta
causa ex sola voluptate admittatur, veniale peccatum est (n. 93).

96. 1. *Delectationes morosae (gaudia) et desideria*
de iis, quae coniugibus licita sunt, nullum peccatum, de
iis, quae sub levi prohibentur, leve, de iis, quae sub gravi
prohibentur, grave peccatum sunt, quia delectatio moralitatem accipit ab obiecto.

a. Ergo delectatio de *copula* cogitata ut praesente, gaudium
de *copula* habita vel habenda eiusque desiderium, excluso tamen
proximo pollutionis periculo, peccatum non est, etsi ex iis delectatio venerea oriatur: etenim est gaudium et desiderium de re licita.

b. Si coniugatus spiritualiter delectatur *de copula cum aliena
persona,* grave peccatum committit, quia delectationis obiectum
graviter illicitum est; delectatur enim de adulterio.

2. *Delectatio venerea* ex cogitatione licita voluntarie
admissa extra copulam excluso periculo proximo pollutionis per se non est peccatum, quia status matrimonialis eam licitam facit; insuper consideratis adiunctis, in
quibus coniuges reperiuntur, delectationes venereae facile
et frequenter oriuntur; hinc onus intolerabile ipsis im-
poneretur, si in illis cavere deberent consensum.

Ex his patet delectationis morosas et inde ortas venereas coniugum de actibus cum altera parte habitis vel habendis non esse
peccata nisi ratione otiositatis; delectiones vero de actibus graviter inhonestis cum persona extranea gravia peccata esse, quia
de obiecto illicito delectantur. Ideo coniuges, qui de delectationi-

---

[1]) Cf. l. 9. disp. 44. n. 16.

bus morosis se accusant, interrogentur, utrum de propria coniuge
an de persona extranea delectati sint, et apte instruantur, ne ex
obiecto illicito delectationem capiant[1]).

Quaestio quinta.

De impedimentis actus coniugalis.

Impedimenta actus coniugalis sunt duplicis generis;
alia oriuntur ex ipso matrimonio, alia a personis coniugatis.

97. Ex parte matrimonii oritur impedimentum actus
coniugalis: *a.* si matrimonium certe *invalidum; b.* si matrimonium *dubium* est.

1. *Si matrimonium certe nullum* est et ambo coniuges
nullitatem cognoscunt, ab actu coniugali abstinere debent,
donec dispensatio obtineatur. Si unus tantum nullitatem
cognoscit, tenetur compartem de hac re monere; quod si
facere non possit, certe a copula sub aliquo praetextu
(e. g. copulam sibi esse noxiam, intolerabilem), abstinere
debet, donec obtenta sit dispensatio: copula enim, utpote
fornicaria, in se mala esset.

a. Duplici modo accidere potest, ut coniux certo cognoscens
nullitatem matrimonii de ea compartem edocere non possit. Scilicet
α. fieri potest, ut eius probatio a iudice ecclesiastico ut insufficiens
reiiciatur, et ideo coniux cogatur, etiam sub poena excommunicationis, cum putativo coniuge cohabitare eique debitum reddere;
β. fieri potest, ut sine periculo vitae vel famae impedimentum re-
velare non possit.

b. Dixi supra coniugem scientem impedimentum a copula
abstinere debere. Si tamen impedimentum, quod nullitatem inducit, sit iuris ecclesiastici et periculum incontinentiae in mora,
facultas per Cn. 1045 data remedium quandoque afferre poterit.
Primo ordinarius pro dispensatione adeundus esset, qui in tali
casu urgenti eam concedere potest; si vero periculum incontinentiae vel periculum violandi secretum neque recursum ad ordinarium permitteret, ad parochum dirigendi essent, ut hic dispenset,
dummodo sine gravi praeviso incommodo parochum adire possint;
si neque hoc possibile esset, ad confessarium devolvitur facultas
dispensandi, saltem pro foro interno sacramentali; immo secundum
sententiam mitiorem etiam pro foro interno non sacramentali[2])

98. 2. *Si matrimonium dubium* est, sive dubium iam

---

[1]) Cf. *s. Alphonsus* l. 5. n. 25. *Ballerini-Palmieri* l. n. 555 ss.
[2]) Cf. *De Sacramentis* n. 607.

ante matrimonium exsistit, sive contracto demum matrimonio supervenit:

a. Si dubium *leve* est, spernendum est; si dubium grave est, veritas inquirenda vel dispensatio petenda est.

b. Durante inquisitione, *si ambo coniuges dubitant,* a copula abstinere debent ad vitandum periculum fornicationis; si tantum *una pars dubitat,* haec non potest petere, ne se exponat periculo fornicationis, sed potest et debet reddere, si alius ius petendi non amisit, ne se exponat periculo laedendi iustitiam.

c. Si inquisitione facta dubium perseverat, matrimonium tamquam validum considerandum est tum in foro externo tum in foro interno, quia in dubito standum est pro valore actus.

99. Ex parte coniugum impedimentum actus coniugalis ex duplici capite oriri possunt: *a.* ex adulterio; *b.* ex voto castitatis.

De casu impotentiae supervenientis vide n. 66.

100. Ex adulterio. *a.* Qui adulterium commisit, potest debitum petere, quia non ius *petendi,* sed ius *exigendi* debitum amisit; attamen hoc ius non amittit, antequam pars innocens eum privat.

Utrum coniux adulter ius exigendi debitum ipso adulterio amittat, an demum per quasi-sententiam partis innocentis, quando nempe haec crimen cognovit et non condonavit, sed partem ream iure privare decrevit, controversum erat. Attamen sententia, quae tenet adulterum retinere etiam ius exigendi debitum, quamdiu pars innocens crimen ignorat, post CIC certa videtur (cf. supra n. 89, 1). Quare adulter debitum non solum petere, sed etiam exigere potest, donec pars innocens cognito crimine debitum negans eum hoc iure privet[1]).

Non sufficit aliqualis suspicio nec probabilitas de adulterio a comparte commisso, sed requiruntur talia indicia, quae moralem certitudinem gignant, ut pars innocens alteri parti reae usum matrimonii negare possit.

b. Condonatione ius amissum iterum acquiritur; porro adulterium etiam tacite condonari potest reddendo debitum.

101. Ex voto castitatis. *a.* Si unus coniugum voto castitatis ligatus est, hic petere quidem non potest, quia vovendo promisit abstinentiam ab omni actu venereo, quam quidem promissionem implere debet, quantum potest; atqui implere eam potest non petendo. Attamen reddere potest

---

[1]) Cf. *Sanchez* l. 1. disp. 68. n. 2 ss. *Lehmkuhl* II. n. 1079. Cn. 1129.

et debet, quia votum emissum non potest alterum privare
iure suo.

α. Votum castitatis, quod coniux inscio altero coniuge emittit,
duplex esse potest, aut non utendi matrimonio ideoque non reddendi
debitum, etsi petatur, aut votum non petendi. Primum, matrimonio
iam contracto, invalidum est, utpote de re illicita; alterum validum
quidem est, sed ab altero coniuge indirecte irritari potest. Iuxta
alios autem hoc votum solum in uxore, non autem in marito validum est: in marito enim esset de re illicita, quia uxori grave
esset, si ipsa semper debitum petere cogeretur[1]).

β. Si coniux voto castitatis adstrictus advertat alterum gravissime tentari atque in periculo pollutionis versari, licite debitum
petit ad alterum a periculo peccati liberandum, quia in hoc casu
non tam petere quam interpretative petenti reddere dicendus est;
reddere autem licite potest.

b. Si ambo coniuges communi consensu voverunt certo
tempore ab opere coniugii abstinere, neuter petere vel reddere potest. Sed si unus contra suum votum petat, alter
reddere tenetur, quia ille *iuri* petendi per votum non renun-
tiavit. Ex praecepto tamen caritatis monere petentem tenetur, ubi sine gravi incommodo potest, ut ab illicita petitione
desistat[2]).

Si propter votum emissum versentur in gravi periculo incontinentiae, consulendus est recursus ad dispensationem; sed probabiliter potest etiam maritus votum uxoris et uxor votum mariti
indirecte irritare: nam eo quod mutuo consensu voverint, non
videntur renuntiasse iuri votum compartis irritandi.

---

[1]) *De praeceptis* n. 228.
[2]) Cf. *s. Alphonsus* n. 944.

Appendix.

Notae pro confessariis. *Se typed notes p. 112.*

102. In genere. 1. In poenitentibus circa peccata turpia examinandis confessarius valde cautus esse debet. In hac re *melius est deficere quam abundare,* ne poenitens ex interrogationibus confessarii discat peccata, quae antea ignorabat et sic ea committendi occasionem capiat, neve confessio reddatur odiosa, eo quod interrogatio confessarii poenitenti sit causa tentationis vel occasio scandali. Quam ob rem non solum interrogandum non est de circumstantiis peccatorum quantumvis notabiliter aggravantibus vel de modo, quo patratum sit peccatum, sed etiam in iis, quae per se ad integram confessionem necessaria essent, praestat omittere interrogationes, ex quibus iure merito grave incommodum secuturum timetur. In hoc igitur casu cognita certa specie (quamvis non infima) et numero peccati ab ulteriore investigatione abstinendum est, etsi confessionis integritas deficiat. *COMPLETE = NUMBER + SPECIES*

2. Si adultus in genere tantum se accusat de peccatis contra castitatem commissis, et confessarius iure merito complura huius generis peccata supponere potest, examen aptius instituitur non a pravis cogitationibus incipiendo, sed a peccatis gravioribus secundum modum, qui volumine *De sacramentis* n. 427 indicatur.

Cum interrogationes de peccatis turpibus, quippe quae tum in poenitente tum in confessario verecundiam laedant, tantae sint difficultatis et molestiae, probe tenendae sunt sententiae, quae differentias specificas peccatorum auferunt, dummodo adhuc vere probabiles sint, adeo ut in praxi sequi possimus.

3. Qui se accusant *voluntaria pollutione,* quandoque peccando personam diversi sexus ideoque fornicationem desiderant. Iuniores tamen de hac re explicite interrogari non debent, ne discant peccata, quae hucusque forte ignorant, sed primo interrogandi sunt: *num interim pravas co-*

gitationes habuerint. Si hoc negent, praeter numerum peccati aliud non est, de quo interrogentur; quodsi affirment, interrogandi sunt: *num aliquid turpe et quid desideraverint.*

4. Si quis se accusat *de concubitu* cum persona alterius sexus, praeter fornicationem adesse potest peccatum onanismi vel aliud peccatum ad impediendam generationem patratum. Ut hoc discernatur, interrogari potest (sive vir sive mulier): *num gravida fieri potuisset;* si affirmat, nihil horum accidit; si neget, ulterius interrogetur, *cur non?* ex responsione habetur id, quod scitu necessarium est.

5. Ex *pueris vel puellis* quaerendum non est, num acciderit seminis (humoris) effusio, ne forte discant, quod adhuc ignorant et ex curiositate ad experiendum incitentur. Ex eadem ratione explicite interrogandi non sunt de tactibus cum aliis sive eiusdem sive diversi sexus commissis, sed solum de tactibus in proprio corpore peractis et de voluptate inde percepta.

6. Quamvis certissimum sit omnem delectationem veneream libere admissam grave peccatum esse, aeque tamen certum est quam plurimos esse fideles, praesertim ex iis, qui parum christiane vivunt, bona fide existimantes exiguam delectionem veneream e. g. ex levi tactu turpi vel ex osculo captam non esse grave peccatum. Dispiciat ergo confessarius, utrum praestet eiusmodi poenitentes de gravitate cuiusvis delectationis carnalis monere, an potius hanc monitionem omittere. Sed ne ea, quae in salutem animae dissimulantur, in laxam vertantur praxim, eiusmodi poenitentes gravibus verbis monendi atque hortandi sunt, ut etiam ab exiguis delectationibus abstineant, ne ab exiguis ad graviora procedant.

103. In specie. 1. Qui se accusant *de cogitationibus impuris,* pro qualitate personarum diversimode examinandi sunt.

a. Ii, quos contra castitatem peccasse confessarius recte supponit, interrogari possunt: *num aliquid turpe fecerint — facere desideraverint.* Frequenter enim poenitentes peccata luxuriae nomine cogitationum turpium accusant, quia aliud exprimere aut nolunt aut non possunt, atque exspectant, ut a confessario de hac re examinentur.

b. Qui contra castitatem graviter peccare non solent interrogari possunt: *num etiam desideria prava habuerint:*

num sensationes pravas (Gefühle) *habuerint atque in eas consenserint.*

c. Si iure supponi potest eos graviter non peccasse, ut frequenter accidit in impuberibus, non sunt ulterius interrogandi, sed addita monitione, si opus fuerit, strenue ac diligenter repellendi eiusmodi tentationes, dimittendi sunt.

2. Qui confitentur *tactus impuros* in proprio corpore, interrogari possunt: *num tactus fuerint necessarii;* si negent: num fuerint *diuturni seu morosi:* si negent, nihil ulterius interrogandum est; si affirment, aut simpliciter supponi potest pollutio, aut interrogari potest, num se polluerint, nisi sint impuberes.

3. Si actus imperfecti (aspectus, tactus, sermones, lectiones etc.) acciderunt sine actu venereo completo (pollutione, copula), quin secutae sint commotiones vel delectationes venereae, vel si exortis non est adhibitus consensus, singuli actus sunt peccata gravia vel levia, prout grave vel leve est periculum, quod causant. In confessione ergo ipsi actus distincte accusandi sunt, vel dicendum est: *me exposui periculo levi vel gravi peccandi contra castitatem.* — Item si quis illis actibus aut intendit commotionem vel delectationem, aut sine intentione ortam admisit, vel ipsi actus sunt distincte accusandi, vel dicendum est: *voluntarie habui motus carnales vel delectationes venereas,* addito eorum numero.

Cum tamen confessarius quandoque scire debeat, quomodo ortae sint commotiones vel delectationes — ubi nempe ortae sunt ex obiecto occasionem peccati voluntariam praebente e. g. ex lectione obscoena, ex conversatione, ex frequentatione theatri etc. — opus est, ut confessarius interroget de occasione, ut ea removeatur, nisi poenitens ipse eam declaret.

104. De coniugatis. 1. Coniugati, qui de abusu matrimonii non se accusant nec ullam huius abusus suspicionem praebent, de hac re interrogandi non sunt; quodsi confessarius prudenter timet, ne matrimonio abutantur, caute eos interroget, num aliquid sit, quod in hac re eorum conscientiam remordeat. Prudentia, decentia et loci sanctitas exigunt, ne in specie quidquam de hac materia loquatur, nisi interrogatus fuerit.

2. Si coniuges se accusant, *quod praepostere vel a tergo coierint,* his vel significant peccatum sodomiae vel indebitum situm. Ad rem discernendam sufficit interrogare,

num generatio possibilis fuerit; quodsi negent, peccatum
sodomiae supponitur. Fieri quidem potest, ut etiam in
casu situs indebiti generatio propter effusionem integri
seminis extra vas impossibilis fuerit; quae si praevisa fuisset, situs indebitus grave peccatum foret; at in hac re lu-
brica necesse non est, ut de omnibus interrogetur.

    3. De modo agendi cum *coniugibus onanistis* Cf. n. 76.

Index rerum.

Numerus arabicus numerum marginalem indicat.

A.

Actus coniugalis: licitus est 65; etsi generatio obtineri non possit 66; quomodo perficiendus sit 67; duplex condicio, ut licitus 68 s.; in casu supervenientis impotentiae non illicitus 68; num licitus sit ubi timetur damnum prolis 92; num liceat abrumpere ante completam voluptatem 68.

Actus coniugalis *finis* multiplex 78; ad vitandam incontinentiam licitus, ob solam voluptatem illicitus est 78.

— *situs* naturalis, innaturalis 79; quale peccatum sit situs innaturalis 79.

— *locus* 80.

— *obligatio* 87 ss.

— *tempus:* num licitus sit tempore sacro 81; tempore fluxus menstrui 82; tempore praegnationis 83; tempore purgationis 84; tempore lactationis 85; tempore morbi 86.

— *frequentia* 91.

— *impedimenta:* ex parte matrimonii 97; quid in casu gravissimi incommodi 97; ex parte coniugum 99; impotentia 66; adulterium 100; votum castitatis 101.

Actus *luxuriae* v. **Luxuria.**

Actus luxuriae *imperfecti:* in usu matrimonii liciti sunt 70; mutui num coniugibus liciti sint 94; solitarii num coniugibus liciti sint 95.

Adulterium: quid sit; simplex duplex, mentale 19, 78; duo peccata includit 20; copula cum alterius sponsa non est adulterium 20; num ius petendi ipso adulterio amittatur 89, 100.

Aspectus turpes: a tactibus impudicis specie non differunt 53; pro diversitate *obiecti* visi specie differunt, pro diversitate *circumstantiarum* obiecti specie non differunt 53; malitia diversorum aspectuum 57; nudi exemplaris num liciti sint pictoribus 60.

B.

Bestialitas: quid sit 44; eius malitia 45; pro diversitate bestiae non est specifice diversa 45; tactus turpes in bestia ordinarie non sunt peccatum bestialitatis 45; quae intelligenda sit reservata 44.

Balnea: 57.

C.

Cantiones *turpes:* earum malitia 58.

Castitas: quid sit, eius obiectum materiale et formale 1; quotuplex sit 2.

H.

Hypersexualitas: quid sit, eius causa, signa, imputabilitas 46.

I.

Impudicitia: quid sit 9; actus impudicitiae 51; specie differunt ab actibus consummatis 51.
Impuritas: quid sit 9.
Incestus: quid sit; quotuplex sit 21; duo peccata includit 22; incestus inter consanguineos et affines specie non differunt 22; incestus inter diversos cognatos specie differunt 22.

L.

Lectiones *turpes:* malitia diversarum lectionum turpium 59.
Libri *turpes* v. **Lectiones.**
Luxuria: quid sit 9; directe, indirecte volita 10; directe volita non admittit parvitatem materiae, indirecte volita eam admittit 11; indirecte volita quando grave peccatum 12, 13; actiones graviter et leviter in eam influentes 13 v. **Delectatio venerea.**
Luxuriae actus: perfecti, imperfecti; consummati, non consummati; interni, externi 10; externorum malitia 52; specifica differentia 53.
Luxuriae peccata: specialem foeditatem habent 11; consummata *iuxta* naturam 15 ss.; *contra* naturam 29 ss.; non consummata 48 ss.; num in iis detur ignorantia invincibilis 13; externa 51 ss.; interna 61.

M.

Malthusianismus: quid sit 72 v. **Onanismus.**
Masochismus: quid sit 47.
Matrimonium: matrimonii usus v. **Actus coniugalis.**
Menstruatio: quid sit 5; quomodo tractandae, quae m. patiuntur 5; usus matrimonii tempore menstruationis 82.
Meretricium: quid sit 16; num meretrices permitti possint 17 v. **Fornicatio.**
»Modell« 60.
Motus carnales: quid sint, graves, leves 48; eorum malitia 49; quae resistentia eis opponenda 50.

O.

Onanismus: quid sit; duplex modus 72; grave peccatum est 73; cooperatio ad primum modum ex gravi, ad alterum modum solum ex gravissima causa licita est 74; media cavendi onanismi 75; num coniuges de eo interrogandi a confessario 76.
Onanista: num de peccato monendus, si in bona fide sit 76; num uxor onanistae debitum reddere possit, num debeat, num ab eo petere possit 74.
Oppressa: quando immunis sit a peccato 24; an possit semen expettere 69.
Oscula *inhonesta:* malitia diversorum osculorum 56; num liceat admittere oscula libidinosa 60.

SUMMA
THEOLOGIAE MORALIS

IUXTA CODICEM IURIS CANONICI

SCHOLARUM USUI

ACCOMMODAVIT

H. NOLDIN S. J.

ab editione XX

A. SCHONEGGER S. J.

COMPLEMENTUM SECUNDUM

DE CENSURIS

1951

EDITORIAL HERDER - BARCELONA

SUMPTIBUS FELICIANI RAUCH - OENIPONTE

EDITIO XXVII

DE CENSURIS

SCHOLARUM USUI

ACCOMMODAVERAT

H. NOLDIN S. J.

RECOGNOVIT ET EMENDAVIT

A. SCHONEGGER S. J.

EDITIO XXXV

1951

EDITORIAL HERDER - BARCELONA

SUMPTIBUS FELICIANI RAUCH - OENIPONTE

EDITIO XXVII

Nihil obstat. El Censor: Dr. Gabriel Solá Brunet, Pbro.

Barcelona, 9 de octubre de 1944.

Imprímase:

† GREGORIO, Obispo de Barcelona.

Por mandato de su Excia. Rvma.

Dr. Luis Urpí, Maestrescuela,

Canciller - Secretario.

Introductio[1]).

Tractatum de poenis ecclesiasticis, quae ad obiectum proprium iuris canonici pertinent, Noldin theologiae morali addendum duxit, quia in nonnullis scholis professor theologiae moralis etiam de poenis ecclesiasticis agit. In accommodanda hac nova editione ad normas Codicis iuris canonici, quamquam mens erat intactum relinquere quantum fieri posset clarissimi auctoris tractatum de poenis ecclesiasticis, tamen nonnulla tamquam obsoleta erant omittenda, alia cum novissimo iure non iam concordantia immutanda, non pauca ex Codice iuris canonici addenda.

[1]) *Thesaurus-Giraldi*, De poenis ecclesiasticis. *J. Hollweck*, Die kirchlichen Strafgesetze (Mainz. Kirchheim. 1899). *Ballerini-Palmieri*, Opus theol. morale[3] (Prati. Giachetti. 1901) VII. De poenis ecclesiasticis. *Lega*, De delictis et poenis (Romae, 1910). *Lehmkuhl*, Theologia moralis[12] (Friburgi. Herder. 1914). *Pennacchi*, Commentaria in constitutionem Apostolicae Sedis (Romae. 1906). II. *Wernz*, Ius decretalium T. IV.: Ius poenale Eccles. catholicae (Prati. Giachetti. 1913). Ex libris de CIC scriptis: *A. Ayrinhac-I. Lydon*, Penal legislation (New York. Benziger Brothers. 1936). *Felix Cappello S. J.*, Tractatus canonico-moralis de censuris[3] (Romae. Marietti. 1933). *P. Cerato*, Censurae vigentes[2] (Patavii. Typis Seminarii. 1921). *I. Chelodi-V. Delpiaz*, Ius poenale[4] (Tridenti. 1935). *Albertus Cipollini*, De censuris latae sententiae (Taurini. Marietti. 1925). *Cocchi*, Commentarium, Lib. V (Augustae Taurinorum. 1925). *Mathaeus Conte a Coronata*, De delictis et poenis (Taurini. 1935). *Eduard Eichmann*, Das Strafgesetz des C. I. C. (Paderborn. Schöningh. 1920). *Michiels*, De delictis et poenis (Lublin. 1934). *Ios. Noval O. P.*, Commentarium I. C. Lib. V. (Romae. Marietti. 1920). *Pighi Ioan. B.*, Censurae sent. lat.[7] (Veronae. 1922). *M. Pistocchi*, I. canoni penali del Codice ecclesiastico esperti e commentati (Torino-Roma. Marietti. 1925). *Roberti*, De delictis et poenis Vol. I. (Romae. 1928). *Angel Amor Ruibal*, Censuras y Penas Canonicas (Madrid-Barcelona. 1925). *I. Sole*, De delictis et poenis (Romae. Pustet. 1920). *Vermersch-Creusen*, Epitome I. C.[4] Vol. III. (Romae. 1931). *Wernz-Vidal*, Ius canonicum. Vol. VII. (Romae. 1937).

1. *a.* Potestas, quam Christus Ecclesiae suae contulit,
ut fideles per eam ad finem supernaturalem vitae aeternae
dirigerentur, duplex est: *potestas ordinis,* quae est aptitudo
ordine sacramentali acquisita peragendi quasdam actiones
sacras, praesertim vero oblationem sacrificii eucharistici et
administrationem sacramentorum et sacramentalium, et *potestas iurisdictionis,* quae est potestas regendi fideles in
ordine ad salutem aeternam.

Potestas iurisdictionis iterum duplex est, *potestas ma-
gisterii* seu potestas regendi fideles quoad intellectum per
praecepta fidei, et *potestas regiminis,* quae est potestas regendi fideles quoad voluntatem per praecepta morum.

b. Christum Ecclesiam suam instituisse veram, visi-
bilem perfectamque societatem, cui omnem potestatem contulit, quae ad dirigendos fideles in finem salutis aeternae
necessaria est, ostendunt tum dogmatici in theologia fun-
damentali tum canonistae in iure publico. In specie vero
iidem ostendunt potestatem iurisdictionis, qua Christus in-
structam voluit Ecclesiam, potestatem esse non solum leges
ferendi, sed etiam vim coactivam exercendi et legum tum
divinarum tum ecclesiasticarum transgressores poenis coër-
cendi. Iam vero postquam de legibus actum est, etiam *de
legum sanctione seu de poenis ecclesiasticis* agendum est.

c. Scilicet lex *sanctione* indiget, qua observantibus
eam praemium, violantibus vero poena decernitur. Duplex
est legis christianae sanctio, altera vitae futurae, altera
vitae praesentis. Huius vitae sanctio potissimum in *poenis
ecclesiasticis* consistit, quibus Ecclesia fideles a legum saltem graviorum violatione absterrere atque ad officia implen-
da adigere conatur.

Quaestio praevia.

De poenis ecclesiasticis in genere.

2. Definitio. *Poena ecclesiastica* est privatio alicuius boni ad delinquentis correctionem et delicti punitionem a legitima auctoritate inflicta (can. 2215).

a. Bonum, quo poena ecclesiastica delinquentem privat, tale sit oportet, cuius aut possessio aut usus ab Ecclesia dependet, quo proinde ipsa delinquentem privare potest. Eiusmodi bona sunt sola bona externa; at non sunt sola bona spiritualia, sed etiam bona temporalia ut bona fortunae, fama, libertas etc.

b. Quamvis Ecclesia etiam poenas temporales infligere possit, ordinarie tamen, praesertim quoad laicos, ad obtinendos fines suos non adhibet nisi poenas spirituales, quae consistunt in privatione boni spiritualis vel iam accepti vel postea accipiendi, quare poenae *ecclesiasticae* solent dici poenae *spirituales.*

c. Poena natura sua supponit culpam, quia propter culpam commissam infligitur; quare *non est poena, ubi non est culpa.*

3. Finis poenarum ecclesiasticarum. Distingui debet *comminatio* poenae et poenae *inflictio* atque *exsecutio.*

a. Comminationis finis est, ut subditi a violatione legis absterreantur et metu poenae ad eius observationem adigantur.

b. Inflictionis et exsecutionis finis quadruplex est: α. ut ordo laesus restituatur et confirmetur; β. ut emendetur reus; γ. ut tum ipse delinquens tum alii a crimine absterreantur et coërceantur; δ. ut exemplo poenae scandalum crimine datum reparetur.

In omnibus quidem poenis quadruplex iste finis plus minusve intenditur, in diversis tamen poenarum generibus unus prae aliis potissimum respicitur. Primarius et essentialis est restitutio ordinis laesi. Laesio enim ordinis, quae eo facta est, quod delinquens spreto ordinis bono suis concupiscentiis indulgebat, quandam veluti expiationem et satisfactionem exigit, eo quod idem delinquens de bonis suis aliquid cedere et malum subire cogatur[1]).

4. Causa poenae ecclesiasticae est *delictum*.

Nomine *delicti,* iure ecclesiastico, intelligitur externa et moraliter imputabilis legis violatio cui addita sit sanctio canonica saltem indeterminata (can. 2195, § 1).

In iure veteri delicta vocabantur actiones quae levioribus poenis, crimina quae gravioribus plectebantur. CIC non adhibet nisi nomen delicti.

5. Divisio poenarum.   Poenae ecclesiasticae multipliciter *dividuntur.*

a. Ratione *subiecti* in *personalem,* quae personam tantum afficit ut suspensio ab audiendis confessionibus; *realem,* quae personam in bonis suis punit ut privatio beneficii, et *mixtam,* quae utrumque complectitur ut excommunicatio, suspensio a celebratione.

b. Ratione *quantitatis* in *ordinariam,* quae non excedit mensuram communiter in hac re servari solitam; et *extraordinariam,* quae ob speciales circumstantias ultra mensuram imponitur, ideoque ne in confuso quidem praevideri potest.

c. Ratione *modi,* quo reus privatur bono, in *negativam,* qua arcetur a bono acquirendo, ut est inhabilitas ad dignitates, officia, beneficia; in *privativam,* qua privatur bono (iure, exercitio iuris) acquisito, ut est privatio vocis activae et passivae, suspensio ab ordine; in *positivam,* qua malum infertur, ut est mulcta pecuniaria.   Huius exsecutio positivam aliquam actionem exigit.

d. Ratione *obiecti* in *spiritualem,* quae delinquentem privat bono spirituali; et *temporalem,* quae delinquentem privat bono temporali.

---

[1]) Cf. *s. Thomas* I. II. q. 87. a. 1.

Dubitari nequit quin Ecclesia etiam poenas temporales infligere possit; cum enim potestatem habeat adhibendi omnia media, quae ad finem necessaria sunt, poenae autem temporales quandoque prorsus necessariae sint, ut ordo externus servari possit, exploratum est Ecclesiam poenas temporales adhibere posse. Ipse CIC declarat: Nativum et proprium Ecclesiae ius est, independens a qualibet humana auctoritate, coercendi delinquentes sibi subditos poenis tum spiritualibus tum etiam temporalibus (can. 2214, § 1). Attamen quoad poenam capitis et mutilationis fere omnes docent Ecclesiam ipsam eam infligere non posse, immo ex complurium sententia Ecclesia neque exigere potest, ut a brachio saeculari infligatur: etenim sollemne est axioma: *Ecclesia non sitit sanguinem.*

e. Ratione *formae:*

1. in poenam *determinatam* et *indeterminatam.* Dicitur determinata, si in ipsa lege vel praecepto taxative statuta sit; indeterminata, si prudenti arbitrio iudicis vel Superioris relicta sit sive praeceptivis sive facultativis verbis (can. 2217, § 1, 1⁰).

2. in poenam *latae sententiae,* si poena determinata ita sit addita legi vel praecepto ut incurratur ipso facto commissi delicti; *ferendae sententiae,* si a iudice vel Superiore infligi debeat (can. 2217, § 1, 2⁰).

α. Sola Ecclesia infligit poenas *latae sententiae*; codex poenalis civilis nullas continet poenas latae sed solum ferendae sententiae.

β. Poena *ferendae sententiae* infligitur per sententiam condemnatoriam quae cadit super ipsam poenam. Poena *latae sententiae* potest declarari per sententiam; haec sententia declaratoria cadit super culpam, in quam poena lata est a lege.

Poenam *latae sententiae* declarare generatim committitur prudentiae Superioris; sed sive ad instantiam partis cuius interest, sive bono communi ita exigente, sententia declaratoria dari debet (can. 2223, § 4).

γ. Poena *latae sententiae,* sive medicinalis sive vindicativa, delinquentem, qui delicti sibi sit conscius, ipso facto in utroque foro tenet; ante sententiam tamen declaratoriam a poena observanda delinquens excusatur quoties eam servare sine infamia nequit, et in foro externo ab eo eiusdem poenae observantiam exigere nemo potest, nisi delictum sit notorium (can. 2232, § 1).

δ. Sententia declaratoria poenam ad momentum commissi delicti retrotrahit (can. 2232, § 2).

ε. Poena intelligitur semper ferendae sententiae nisi expresse dicatur eam esse latae sententiae vel ipso facto seu ipso iure contrahi, vel nisi alia similia verba adhibeantur (can. 2217, § 2).

f. Ratione *causae efficientis* in poenam *a iure* et *ab homine.* Dicitur: *a iure,* si poena determinata in ipsa lege statuatur, sive latae sententiae sit sive ferendae; *ab homine,* si feratur per modum praecepti peculiaris vel per sententiam iudicialem condemnatoriam, etsi in iure statuta; quare poena ferendae sententiae legi addita, ante sententiam condemnatoriam est a iure tantum, postea a iure simul et ab homine sed consideratur tanquam ab homine (can. 2217, § 1, 3⁰).

g. Ratione *finis interni,* qui praecipue intenditur, in poenam *medicinalem,* quae principaliter tendit in emendationem delinquentis; et *vindicativam* seu *punitivam,* quae principaliter tendit in punitionem delicti.

Notanda sunt inter utramque discrimina: α. poena vindicativa reus puniri potest pro delicto praeterito, etiam postquam resipuit, poena medicinali autem reus puniri non potest, si iam resipuit; β. poena medicinalis aufertur per absolutionem, quae rite disposito poenam remittit, poena autem vindicativa non indiget absolutione, sed vel per se cessat eius expiatione vel aufertur per dispensationem, quae eximit a lege poenali (cf. can. 2248, 2289).

6. Quae sint poenae ecclesiasticae. Omnes poenae, quas infligit Ecclesia, ad tria genera revocari possunt: **A.** ad poenas medicinales seu censuras; **B.** ad poenas vindicativas; **C.** ad remedia poenalia et poenitentias (cf. can. 2216).

A. *Poenae medicinales seu censurae,* quae principaliter tendunt in restaurationem ordinis externi et in emendationem delinquentis, in tres species dividuntur, quae sunt
    a. Excommunicatio;
    b. Interdictum;
    c. Suspensio (can. 2255, § 1).

B. *Poenae vindicativae,* quae principaliter tendunt in restaurationem ordinis externi et in punitionem delicti, aliae omnibus fidelibus infliguntur, aliae solis clericis.

a. Poenae vindicativae, quae *omnes fideles* pro delictorum gravitate afficere possunt, in Ecclesia praesertim sunt:
    1. Interdictum locale et interdictum in communitatem

seu collegium in perpetuum vel ad tempus praefinitum vel ad beneplacitum Superioris;

2. Interdictum ab ingressu ecclesiae in perpetuum vel ad tempus praefinitum vel ad beneplacitum Superioris;

3. Poenalis translatio vel suppressio sedis episcopalis vel paroecialis;

4. Infamia iuris;

5. Privatio sepulturae ecclesiasticae, ad normam can. 1240, § 1;

6. Privatio sacramentalium;

7. Privatio vel suspensio ad tempus pensionis quae ab Ecclesia vel ex bonis Ecclesiae solvitur, vel alius iuris seu privilegii ecclesiastici;

8. Remotio ab actibus legitimis ecclesiasticis exercendis;

9. Inhabilitas ad gratias ecclesiasticas aut munia in Ecclesia quae statum clericalem non requirant, vel ad gradus academicos auctoritate ecclesiastica consequendos;

10. Privatio vel suspensio ad tempus muneris, facultatis vel gratiae iam obtentae;

11. Privatio iuris praecedentiae vel vocis activae et passivae vel iuris ferendi titulos honoris, vestem, insignia, quae Ecclesia concesserit;

12. Mulcta pecuniaria (can. 2291).

b. Poenae vindicativae quae *clericis tantum* applicantur, sunt:

1. Prohibitio exercendi sacrum ministerium praeterquam in certa ecclesia;

2. Suspensio in perpetuum vel ad tempus praefinitum, vel ad beneplacitum Superioris;

3. Translatio poenalis ab officio vel beneficio obtento ad inferius;

4. Privatio alicuius iuris cum beneficio vel officio coniuncti;

5. Inhabilitas ad omnes vel ad aliquot dignitates; officia, beneficia aliave munera propria clericorum;

6. Privatio poenalis beneficii vel officii cum vel sine pensione ;

7. Prohibitio commorandi in certo loco vel territorio;

8. Praescriptio commorandi in certo loco vel territorio;

9. Privatio ad tempus habitus ecclesiastici;

10. Depositio;

11. Privatio perpetua habitus ecclesiastici;

12. Degradatio (can. 2298).

C. *Remedia poenalia* sunt:

1. Monitio;

2. Correptio;

3. Praeceptum;

4. Vigilantia (can. 2306).

Praecipuae *poenitentiae* sunt praecepta:

1. Recitandi determinatas preces;

2. Peragendi piam aliquam peregrinationem vel alia pietatis opera;

3. Servandi peculiare ieiunium;

4. Erogandi eleemosynas in pios usus;

5. Peragendi exercitia spiritualia in pia aut religiosa domo per aliquot dies (can. 2313, § 1).

Nota. De solis *censuris* et quidem *latae sententiae* hìc agemus quippe quas potissimum nosse oporteat confessarium, illasque tan tum censuras accuratius interpretabimur, quae in foro interno poe nitentiae frequentius occurrunt.

7. De foro Ecclesiae. 1. Nomine *fori* significatur. *a.* tum locus, in quo res venales exponuntur, tum locus, in quo controversiae et lites aguntur; *b.* territorium, in quo iudex suam iurisdictionem exercere potest.

2. Forum potissimum *dividitur:* in *externum*, in quo causae publicae ad gubernationem Ecclesiae pertinentes tractantur, et *internum* seu conscientiae, in quo res ad spiritualem salutem singulorum spectantes peraguntur et quod subdividitur in forum *sacramentale* et *non sacramentale.*

Facultas (absolvendi, dispensandi) concessa *pro utroque foro* significat: *a.* facultatem, qua quis uti potest aut debet pro foro externo, valere etiam pro foro interno; *b.* facultatem adhiberi posse 'im pro foro externo tum pro foro interno, prout subiecta materia id exigit i. e. prout res publica est aut occulta.

Liber primus.

De censuris in genere.

Quaestio unica.

De censuris in genere.[1]

Articulus primus.

De natura censurae.

8. Notio censurae. *Censura* est poena qua homo baptizatus, delinquens et contumax, quibusdam bonis spiritualibus vel spiritualibus adnexis privatur, donec, a contumacia recedens, absolvatur (can. 2241, § 1). Duobus ergo ad incurrendam censuram opus est: *delicto et contumacia* delinquentis.

a. Nomen *censurae* apud veteres Romanos significabat tum dignitatem et officium censoris, tum eiusdem sententiam, qua aut notam inurebat aut poenam infligebat civibus. Usu ecclesiastico censura significat tum iudicium, quo notatur, utrum aliquid laude an vituperio dignum sit, tum poenam pro crimine inflictam.

---

[1] *Suarez,* De censuris. *Covarruvias,* Operum t. I. p. 315. *Dicastillo,* De censuris. *Tamburini,* De censuris et irregularitate. *S. Alphonsus* I. VII. De censuris eccles. *Bucceroni,* De censuris etc.[4] (Romae. Typographia S. C. de prop. fide. 1896). *Hilarius a Sexten,* Tractatus de censuris ecclesiasticis (Moguntiae. Kirchheim. 1898). *Hollweck* l. c. Die Zensuren S. 86 ff. *Heiner,* Die kirchlichen Zensuren (Paderborn. Bonifatius-Druckerei. 1884). *I. Köck,* Die kirchlichen Zensuren latae sententiae (Graz. Styria. 1902). *Paschalis de Siena,* Commentarius in Const. Ap. sedis[2] (Pustet. Romae. 1902). *Wernz,* l. c. De censuris ecclesiasticis universim spectatis p. 149 sqq *Eichmann,* l. c. Die Zensuren im allgemeinen S. 74 ff.

b. Contumax: censura ad frangendam contumaciam (contemptum virtualem auctoritatis et censurae, inoboedientiam) infligitur, cuius natura inferius describitur. Ideo contumacia ut condicio ad incurrendam censuram semper requiritur; et cum primum contumacia per emendationem vel satisfactionem delinquentis cessat, auferenda est censura, sicut sanitate recuperata cessat usus medicinae.

c. Bonis spiritualibus vel *spiritualibus adnexis:* iis scilicet, quae subsunt potestati Ecclesiae. Siquidem praeter bona, quae unicuique habitualiter inhaerent, triplicis generis bona in Ecclesia exsistunt: bona, quae procedunt *a capite* seu a Christo; bona, quae procedunt *a membris* privatim sumptis; bona quae procedunt *a corpore* seu ab Ecclesia. Iam vero censuratus non potest privari bonis habitualiter sibi inhaerentibus ut charactere sacramentali, potestate ordinis, fide, spe et caritate etc., nec bonis, quae a Christo, capite Ecclesiae, procedunt, ut sunt gratiae multiplices, quia haec bona non dependent ab Ecclesia; nec privari potest bonis, quae a membris Ecclesiae singillatim sumptis procedunt, ut sunt orationes et opera bona fidelium, quia Ecclesia communionem sanctorum impedire non potest; sed solum bonis, quae ab Ecclesia administrantur et conferuntur, ut sunt usus sacramentorum, sacrificium, indulgentiae, suffragia communia, iurisdictio, beneficia ecclesiastica. Et si quando bonis temporalibus aliquem privat Ecclesia ut civili commercio cum fidelibus, id fit secundario et indirecte, in quantum conducit ad bonum spirituale tum illius, qui censura innodatus est, tum aliorum.

d. Censura est poena *medicinalis:* Ecclesia enim infligendo censuram principaliter cohibitionem criminis et emendationem delinquentis intendit, quare posita emendatione censura suapte natura exigit, ut auferatur; et si quando in eos fertur, quorum desperata est emendatio, id fit ad terrorem aliis incutiendum. Ex eadem ratione censura simpliciter infligenda est, non in perpetuum nec ad certum diem, ut cum reus se emendaverit, absolvi possit.

9. Divisio censurarum. *a.* Ratione *essentiae* dividuntur in tres species, in *excommunicationem, interdictum, suspensionem:* quaelibet enim ex his poenis habet communem rationem censurae et reum privat aliis iisque diversis bonis spiritualibus vel spiritualibus adnexis; aliae autem poenae ecclesiasticae quocunque nomine vocantur, non sunt censurae (cf. can. 2255).

b. Ratione *causae efficientis* in censuram, quae est *a iure* et quae est ab *homine* (cf. supra 5 f.).

c. Ratione *modi, quo incurruntur,* in censuras *latae sententiae* et *ferendae sententiae* (cf. supra 5 e 2).

d. Ratione *potestatis absolvendi* in censuras *reservatas* et *non reservatas* (cf. can. 2245, § 1).

A censuris non reservatis, quae verae quidem censurae sunt, quatenus effectus aliarum producunt, censuratus, modo de peccato vere doleat, a quovis confessario absolvi potest.

Censura ab homine est reservata ei qui censuram inflixit aut sententiam tulit, eiusve Superiori competenti, vel successori aut delegato; ex censuris vero a iure reservatis aliae sunt reservatae Ordinario, aliae Apostolicae Sedi (can. 2245, § 2).

Censura latae sententiae non est reservata, nisi in lege vel praecepto id expresse dicatur; et in dubio sive iuris sive facti reservatio non urget (can. 2245, § 4).

e. Ratione *modi, quo reservantur:*

α. in censuras Apostolicae Sedi simpliciter reservatas;

β. in censuras Apostolicae Sedi speciali modo reservatas;

γ. in censuras Apostolicae Sedi specialissimo modo reservatas (can. 2245, § 3).

Complures censurae speciali modo vel etiam specialissimo modo reservatae dicuntur:
a) Quia pro eis generalis facultas absolvendi a censuris Sedi Apostolicae reservatis non sufficit sed omnino specialis respective specialissima facultas requiritur (cf. can. 2253, 3°); b) quia non continentur in facultate Episcopis a iure concessa, absolvendi nempe ab omnibus censuris occultis etiam Papae reservatis (cf. can. 2237, § 2); c) quia sine debita facultate ab his absolvere praesumentes specialem excommunicationem Sedi Apostolicae simpliciter reservatam incurrunt (can. 2338, § 1); d) quia a censura specialissimo modo Sedi Apostolicae reservata in periculo mortis absoluti a non habente specialem potestatem, si convaluerint, speciali obligatione tenentur recurrendi ad Superiorem et parendi eius mandatis (cf. can. 2252).

f. Ratione *publicitatis* in censuras *publicas, notorias, occultas.*

10. Cum censurae sensu specifico, prout nempe ad forum externum pertinent, dicantur publicae seu notoriae, indicare iuvat, quid requiratur, ut censura sit publica vel notoria. Censura autem est publica vel notoria, si delictum sub censura prohibitum est publicum vel notorium.

Delictum est publicum, si iam divulgatum est aut talibus contigit seu versatur in adiunctis ut prudenter iudicari possit et debeat facile divulgatum iri (can. 2197, 1⁰).

Delictum est occultum, quod non est publicum; occultum materialiter, si lateat delictum ipsum; occultum formaliter, si eiusdem imputabilitas latet (can. 2197, 4⁰). Notorium esse potest delictum aut *iure* aut *facto.*

a. Delictum est notorium *notorietate iuris,* post sententiam iudicis competentis quae in rem iudicatam transierit aut post confessionem delinquentis in iudicio factam (can. 2197, 2⁰).

b. Delictum est notorium *notorietate facti,* si publice notum sit et in talibus adiunctis commissum, ut nulla tergiversatione celari nulloque iuris suffragio excusari possit (can. 2197, 3⁰).

Articulus secundus.

De auctore censurae.

11. Quis censuras ferre possit. Censuras ferre potest, qui aut ordinariam aut delegatam potestatem ad id habet.

1. *Potestatem ordinariam* habent omnes et soli Superiores ecclesiastici qui pollent potestate leges ferendi vel praecepta imponendi, nam hi possunt quoque legi vel praecepto poenas adnectere (cf. can. 2220, § 1).

Legislativam habentes potestatem, possunt intra limites suae iurisdictionis, non solum legem a se vel a decessoribus latam, sed etiam ob peculiaria rerum adiuncta, legem tam divinam, quam ecclesiasticam a superiore potestate latam, in territorio vigentem, congrua poena munire aut poenam lege statutam aggravare (can. 2221).

Possunt ergo censuras ferre:

a. Summus Pontifex in omnes fideles tum collective sumptos (dioecesis, provincia) tum singillatim acceptos, qui quidem potestatem hanc immediate accipit a Christo; omnes alii eam participant a S. Pontifice.

b. Episcopi, Archiepiscopi, Patriarchae in suos subditos; Archiepiscopi autem et Patriarchae subditos suffraganeorum suorum censuris ligare non possunt nisi tempore visitationis canonicae, tunc enim in dioecesibus suffraganeis Metropolita potest notoria crimina, manifestas et notorias offensas sibi tum suis forte illatas, iustis poenis, censuris non exclusis, punire (cf. can. 274, 5⁰); sede vacante

Vicarius Capitularis, qui Episcopo in iurisdictione succedit, et a for-tiori ipsum *Capitulum* Vicario nondum electo; *Vicarius Generalis*, etsi cum Episcopo unum tribunal constituit, tamen non habet pote-statem infligendi poenas sine mandato speciali (cf. can. 2220, § 2).

c. *Ordinarius loci* in religiosos etiam exemptos in omnibus in quibus religiosi subsunt Ordinario loci (cf. can. 619).

d. *Concilium generale* in totam Ecclesiam et *provinciale* in suam provinciam.

e. *Abbates* et *Praelati nullius* habentes iurisdictionem quasi-episcopalem.

f. *Administratores, Vicarii* et *Praefecti Apostolici* in suos sub-ditos.

g. *Superiores* in religionibus clericalibus exemptis in subditos suos attamen secundum statuta sui ordinis.

Parochi potestatem ferendi censuras non habent, quia eis non competit iurisdictio in foro externo.

2. *Potestatem delegatam* habent omnes et soli *clerici*, quibus id commissum est ab habentibus potestatem ordi-nariam.

Clerici: quia omnes et soli clerici capaces sunt iurisdictionis ec-clesiasticae, quae ad ferendas censuras requiritur. Quare a potestate ferendi censuras tum ordinaria tum delegata excluduntur laici et mu-lieres omnes, etiam *Abbatissae.*

Qui iudiciali tantum pollent potestate, possunt solummodo poenas legitime statutas, ad normam iuris applicare (cf. can. 2220).

12. Condiciones requisitae ex parte auctoris. Ut Superior ecclesiasticus valide possit censuras ferre, re-quiritur:

a. *Ut sit rationis compos et habeat voluntatem ligandi* eum, contra quem fert censuram: etenim censuram ferre est actus iurisdictionis, qui totam vim suam habet ab actu voluntatis. Quare censura ab ebrio lata esset irrita.

b. *Ut libere agat, non coacte.*

Censura lata *ex metu gravi* per se dicenda est valida, quia ac-tus ex metu gravi factus per se validus est, nisi speciali iure positivo irritetur; atqui censura ex metu lata iure positivo non irritatur. Ex-cipiendus tamen est casus, quo ferens censuram exterius tantum sine intentione interna eam protulisset.

c. Ut potestatem exerceat *intra fines suae iurisdictionis* iurisdictio enim contentiosa extra territorium proprium exer-ceri nequit.

Ergo Episcopus extra suam dioecesim exsistens nequit censuram ferre, ne in suum quidem subditum, nisi obtinuerit consensum Episcopi loci, in quo reperitur.

Excipiendi tamen sunt complures casus, in quibus Episcopus etiam extra dioecesim exsistens censuram ferre possit:

α. Si censura fertur non per modum *sententiae* particularis, sed per modum *statuti* ad futura crimina praecavenda.

β. Si censura fertur quidem per modum sententiae, quae tamen non indiget cognitione causae, sive quia contumacia manifesta est, sive quia causa iam cognita est in proprio territorio.

γ. Si Episcopus iniuste expulsus est e proprio territorio[1]) (cf. can. 1637).

d. Ut delinquentem *de infligenda censura moneat:* censura enim fertur in contumacem; sed ut constet de contumacia, requiritur praevia correptio.

Pro diversitate censurarum diversa requiritur monitio.

α. In censuris *latae sententiae* pro delictis futuris, item in censuris, quae alicui delicto adnexae sunt ut *ferendae sententiae,* sufficit monitio *legalis,* quae in lege promulgata cum adiecta censura consistit: lex enim cognita, quae comminatur censuram, subditos continuo monere censetur de sua obligatione et de poena a transgressoribus incurrenda.

β. In censura, quam nulla lex comminatur, quae igitur *ab homine* pro delicto praeterito vel praesenti *infligitur,* monitio *canonica* seu expressa requiritur. Reus reprehendatur ac moneatur ut a contumacia recedat, dato, si prudenti eiusdem iudicis vel Superioris arbitrio casus id ferat, congruo ad resipiscentiam tempore; contumacia persistente, censura infligi potest (cf. can. 2233, § 2).

Sed si scandalum forte datum aut specialis transgressionis gravitas id ferat, potest legitimus Superior transgressionem legis, etsi nullam sanctionem appositam habeat, etiam sine praevia poenae comminatione, aliqua iusta poena punire (cf. can. 2222, § 1).

Nota. Censura *iniuste* inflicta in conscientia non obligat, sive iniusta est ob defectum culpae sive ob defectum probationis. Quare iniuste censuratus non tenetur in occulto observare censuram, publice vero, si aliter sine scandalo fieri non potest tenetur ita se gerere, ac si censura ligatus esset.

---

[1]) *Superiores regulares* suos subditos per modum sententiae particularis ubique censura ligare possunt, ubi ipsi morantur, quia eorum iurisdictio potissimum personalis est.

Articulus tertius.

De subiecto censurae.

Subiectum censurae capax est solus homo baptizatus, viator, rationis capax et subditus eius, qui censuram fert.

13. Homo baptizatus, tum quia Ecclesia in eos, qui baptizati non sunt, nullam iurisdictionem habet, tum quia soli baptizati gaudent bonis spiritualibus, quibus per censuras privantur.

Ideo Ecclesia neque in infideles et iudaeos neque in catechumenos, bene vero in haereticos et schismaticos, qui ratione baptismi eius iurisdictioni subsunt, censuras ferre potest.

14. Viator: in mortuos enim Ecclesia non habet iurisdictionem.

Quodsi quandoque *mortui* excommunicantur, hi non proprie sententia iudiciali condemnantur, sed Ecclesia ad terrorem fidelibus incutiendum solum declarat, eos in vita propter sua delicta censuram incurrisse et ut censuratos tractandos esse, i. e. eos Ecclesiae suffragiis et sepultura ecclesiastica privandos esse. Pari modo si mortui a censura absolvuntur, Ecclesia solum aufert prohibitionem, qua non poterant participare communia suffragia fidelium nec donari sepultura ecclesiastica[1]).

15. Rationis capax: cum enim censura supponat delictum, immo et contumaciam, in eos ferri nequit, qui necdum delictum patrare possunt. Sunt autem delicti incapaces, qui actu carent usu rationis (cf. can. 2201, § 1).

Impuberes qui usum rationis habent per se capaces sunt censurae, ex iuris communis tamen statuto haec tenenda sunt:
Impuberes excusantur a poenis latae sententiae, et potius punitionibus educativis, quam censuris aliisve poenis gravioribus vindicativis corrigantur (can. 2230).

---

[1]) Ritus absolvendi excommunicatum mortuum habetur in *Rituali Romano* tit. III. c. 4.

16. Subditus: nulla enim est iurisdictio in eum, qui non est subditus. Ideo

a. Solus *S. Pontifex* censura ligari non potest, quia superiorem in terris non habet, ipse autem seipsum ligare nequit. Omnes vero fideles a S. Pontifice et omnes dioecesani, nisi a iure eximuntur, ab Episcopo censuris ligari possunt.

α. Quamvis censuras pontificias omnes fideles incurrere possint, tamen S. R. E Cardinales nisi expresse nominentur sub lege poenali non comprehenduntur, nec Episcopi sub poenis latae sententiae suspensionis et interdicti (cf. can. 2227, § 2).

β. Ex privilegio iuris poena nonnisi a Romano Pontifice infligi aut declarari potest:

1. in eos qui supremum tenent populorum principatum horumque filios ac filias eosve quibus ius est proxime succedendi in principatum;

2. in Patres Cardinales;

3. in Legatos Sedis Apostolicae et Episcopos, etiam titulares (cf. can. 2227, § 1 coll. can. 1557, § 1).

b. Peregrini et *vagi* incurrunt censuras ipso facto incurrendas adnexas iis legibus aut praeceptis quibus etiam peregrini et vagi tenentur (cf. can. 2226, § 1).

Peregrini tenentur legibus generalibus, etiamsi hae suo in territorio non vigeant, minime vero si in loco in quo versantur non obligent;

Non adstringuntur legibus particularibus sui territorii quamdiu ab eo absunt, nisi aut earum transgressio in proprio territorio noceat, aut leges sint personales;

Neque legibus territorii in quo versantur, iis exceptis quae ordini publico consulunt, vel actuum sollemnia determinant (cf. can. 14, § 1).

Vagi obligantur legibus tam generalibus quam particularibus quae vigent in loco in quo versantur (can. 14, § 2).

Ergo delinquens extra dioecesim incurrit censuram annexam legi cuius transgressio in proprio territorio noceat; incurrit etiam censuram legi personali aut praecepto speciali annexam, ut si Episcopus clerico sub poena suspensionis latae sententiae ingressum in tabernam prohibeat hic autem extra dioecesim tabernam ingrediatur.

Complures quidem auctores negabant clericum in hoc casu incurrere censuram, quorum sententiam *s. Alphonsus* (n. 23) probabilem dicit; verum, ut post *Laymann* monet *Ballerini*, praeceptum particulare, utpote haerens ossibus, obligat etiam extra dioecesim; quae sententia negans vera probabilitate carere videbatur[1]), nunc certo falsa est.

Peregrini ab Episcopo censuris puniri possunt per particulare praeceptum latis, si in eius territorio delictum commiserint: ratione enim delicti fiunt eius subditi.

Cum peregrinus ex statuto iuris sortiatur forum delicti (cf. can. 1566, § 1), tum quia ibi, ubi delictum patratum est, facilius cognoscitur de auctore et quantitate criminis, tum quia laesi ordinis melius ibi obtinetur restauratio, ubi violatio facta est, — ratione delicti peregrinus fit subditus Episcopi loci, in quo deliquit.

c. Delinquens intra, sed exsistens extra dioecesim ab Episcopo censura ligari potest; sic Episcopus suspendere potest parochum commisso delicto aufugientem.

Citatio fieri potest etiam in aliena dioecesi et denuntietur per schedam, quae si fieri poterit, per Curiae cursorem tradenda est ipsi convento ubicumque is invenitur (cf. can. 1717, § 1 et § 2). Si difficulter per cursorem tradi possit reo convento scheda citatoria poterit iussu iudicis transmitti per tabellarios publicos modo tutissimo (cf. can. 1719). Quoties, diligenti inquisitione peracta, adhuc ignoratur ubi commoretur reus, locus est citationi per edictum (can. 1720, § 1).

Reus citatus comparere debet; quodsi non compareat poena plecti potest.

Qui censura semel ligatus est, ea ligatus manet, etsi in alias regiones proficiscatur: etenim poena reum ubique terrarum tenet, etiam resoluto iure Superioris, nisi aliud expresse caveatur (can. 2226, § 4).

d. Religiosi exempti non incurrunt censuras episcopales, neque ab Episcopis censura ligari possunt nisi in iis, in quibus Episcopis a iure concessa est iurisdictio in religiosos (cf. can. 619).

Regulares extra domum illegitime degentes, etiam sub praetextu accedendi ad Superiores, exemptionis privilegio non gaudent.

Si extra domum delictum commiserint nec a proprio Superiore praemonito puniantur, a loci Ordinario puniri

---

[1]) *Ballerini-Palmieri*, VII. n. 71.

possunt, etsi a domo legitime exierint et domum reversi
fuerint (can. 616).

17. *Num subiectum censurae possit esse* **integra communitas** e. g. *universitas, monasterium, capitulum, civitas.*

a. Excommunicatio afficere potest tantum personas
physicas, et ideo si quando feratur in corpus morale, intelligitur singulos afficere qui in delictum concurrerint
(can. 2255, § 2), non autem innocentes: cum enim in
communitate complures soleant esse innocentes, nimis
durum esset, si etiam hi poena afficerentur[1]).

b. Suspensio ferri potest in totam communitatem ut
personam moralem (cf. can. 2255, § 2), licet in ea complures sint innocentes, quia suspensio innocentes non afficit
nisi quoad actus, qui toti communitati qua tali competunt
ut electio Superiorum.

c. Interdictum ferri potest in totam communitatem ut
personam moralem (cf. can. 2255, § 2), licet in ea complures sint innocentes; nam per interdictum proprie non
puniuntur innocentes, sed Ecclesia iustas ob causas sua
beneficia tam nocentibus quam innocentibus subtrahit.

18. Nihil impedit, quominus aliquis **pluribus simul
censuris** non solum diversae sed etiam eiusdem speciei
ligetur (cf. can. 2244, § 1) et pariter si pluribus censuris
detineatur ab una solvatur, ceteris minime absolutis (cf.
can. 2249, § 1).

a. Nemo dubitat, quin aliquis pluribus censuris *diversae* speciei
e. g. excommunicatione et suspensione ligari possit, sed dubitarunt,
num aliquis pluribus censuris *eiusdem* speciei innodari possit. Cum
enim censura consistat in privatione bonorum spiritualium, si quis vi
unius censurae bonis iam privatus est, non potest altera censura iisdem bonis denuo vel magis privari. Verum censura formaliter non
tam privatio est, quam causa inducens privationem; atqui nihil impedit, quominus eadem privatio ex pluribus titulis et causis exsistat,
sicut plura peccata mortalia privant eadem gratia sanctificante[2]).

---

[1]) Romana ecclesia 5. *De sententia excommun.* (V. 11) in 6°
[2]) Cf. *Ballerini-Palmieri* VII. n. 78.

b. Est axioma in iure: ordinarie tot poenae quot delicta (cf. can. 2224, § 1)[1]). Si ergo possunt multiplicari *delicta* in eodem subiecto possunt etiam *poenae.*

Censura *latae sententiae* multiplicatur:

1. Si diversa delicta, quorum singula censuram secunferunt, eadem vel distincta actione committantur (can. 2244, § 2, 1⁰).

Qui ergo committit duo delicta specie distincta, quorum cuilibet distincta annexa est excommunicatio, qui e. g. haeresim committit et librum sub censura prohibitum legit, duplicem excommunicationem incurrit. — Qui committit delictum, quo duae simul leges poenales specie diversae violantur, duplicem incurrit censuram, qui e. g. occidit sacerdotem in ecclesia, incurrit censuram latam in sacrilegium personale et in sacrilegium locale. — Qui plura eaque diversa committit delicta eadem lege poenali prohibita, pluries censuram incurrit, sic qui edit, legit, retinet (nisi retineat praecise ut legat statim librum et donec ipsam lectionem perfecerit) et defendit librum sub excommunicatione prohibitum, ex quadruplici capite excommunicatur, quia omnes quatuor actiones eadem lege poenali prohibentur.

2. Si idem delictum, censura punitum, pluries repetatur ita ut plura sint delicta distincta (can. 2244, § 2, 2⁰). Qui ergo e. g. bis duellum committit, bis excommunicationem incurrit.

3. Si delictum, diversis censuris a distinctis Superioribus punitum, semel aut pluries committatur (can. 2244, § 2, 3⁰).

Censura *ab homine* multiplicatur, si plura praecepta vel plures sententiae vel plures distinctae partes eiusdem praecepti aut sententiae suam quaeque censuram infligant (can. 2244, § 3).

Articulus quartus.

De condicionibus ad incurrendam censuram requisitis.

Causa censurae est delictum: delinquenti enim censura infertur; delictum autem, propter quod censura infligitur, debet esse **externum, grave, consummatum, cum contumacia coniunctum,** ut incurratur censura. Potest autem censura ferri etiam in delinquentes ignotos (cf. can. 2242, § 1).

19. Externum. Peccatum enim mere internum censura ferendae sententiae puniri nequit, quia in iudicio probari non potest; censura ipso facto incurrenda puniri

---

¹) C. Ea, quae 1. *De poenis* (V. 37).

quidem posset, at usus in Ecclesia non viget censuris latae sententiae puniendi peccata interna: *cogitationis poenam nemo patitur*[1]).

Aliud est peccatum internum, aliud peccatum *occultum,* cuius solus delinquens notitiam habet. Peccata occulta Ecclesia punire potest et reipsa punit, cum e. g. haeresim occultam excommunicatione ferit; at qui haeresim mere internam committit, in excommunicationem non incidit.

20. Grave quoad actum internum et externum.

a. Poena enim supponit culpam, et poena gravis culpam gravem; censurae autem sunt poenae graves.

α. Ideo invalida esset censura, qua restitutio rei levis sub excommunicatione praeciperetur. Si tamen res in se levis evadat gravis ratione scandali, periculi aut finis, sub gravi et sub censura praecipi aut prohiberi potest. Sic excommunicationem incurrit, qui clausuram parumper tantum violat.

β. Quidquid ergo delinquentem a gravi peccato excusat ut parvitas materiae, imperfectio actus, cooperatio materialis ex gravi causa exhibita, eum ab incurrenda quoque censura excusat, saltem coram Deo et in conscientia et, si pro foro externo excusatio evincatur, etiam in foro externo (cf. can. 2218, § 2).

b. Censurae enim immediate propter peccatum externum infliguntur; quare excommunicatio non incurritur ob levem clerici percussionem, etsi ex animo graviter laedendi percutiatur.

Qui actionem sub excommunicatione prohibitam ita committit, ut solum propter intentionem graviter malam vel ex conscientia erronea grave peccatum sit, non incurrit censuram, ut qui librum legit, quem falso putat sub excommunicatione prohibitum.

21. Consummatum i. e. non sufficit actus attentatus (der Versuch), sed actus sub poena prohibitus vere positus et in suo genere per *effectum secutum* completus esse debet: leges enim poenales sunt strictae interpretationis (cf. can. 19), quare ad actus consummatos restringuntur, nisi lex ipsa aliud decernat.

a. Hinc ubi sub excommunicatione prohibetur *violenta manuum iniectio* in clericum, non incurrit censuram, qui in clericum explodit, quin illum attingat, quia non ponitur actio sub censura prohibita. —

---

[1]) C. *Cogitationis* 14. d. 1. De poenit.

Ubi sub censura prohiberetur *incestus*, poena non incurritur nisi ob copulam perfectam cum consanguinea vel affine, quia nomine incestus significatur copula carnalis cum consanguinea vel affine. — Ubi sub poena prohiberetur *homicidium*, censuram non incurrit, qui vulnus letale infligit, nisi mors sequatur, quaecunque sit causa, quae mortem impediat, sive remedium naturale sive miraculum, quia homicidium proprie ille tantum committit, qui ipsam mortem infert.

b. Sic lex ipsa non solum duellum, sed etiam actus duelli praeparatorios, nempe provocationem et acceptationem sub censura prohibet. Hi actus tamen in suo genere completi esse debent, ut inducant censuram; ideo non incurritur censura, si provocatio e. g. ex qualicunque causa ad offensorem non pervenit.

c. Qui posita actione culpabili de ea poenitet, antequam effectus sequatur, incurrit censuram, quia poenitentia non impedit, quominus effectus postea secutus sit voluntarius. Nec dicatur cum *s. Alphonso* (n. 40) non puniri nisi contumacem, sed contumacem non esse, qui malam voluntatem per poenitentiam retractavit; delictum enim, quod ab Ecclesia punitur, vere cum contumacia commissum est, etsi postea retractatum fuerit. Siquidem contumax ille dicitur, qui cognoscens legem poenalem Ecclesiae, voluntarie eam transgreditur; censuram tamen reipsa non incurrit, antequam secutus sit effectus. Ideo fieri potest, ut quis per contritionem aut confessionem iam sit immunis a peccato, propter quod ab Ecclesia punitur, quando ipsam poenam seu censuram de facto incurrit[1]).

d. Num completus esse debeat effectus, qui sub censura prohiberi intenditur, si censura fertur *in mandantes vel consulentes*, colligi debet ex ipsis verbis legis: etenim si verba legis principaliter prohibent effectum et accessorie tantum mandatum vel consilium, mandantes vel consulentes censuram non incurrunt effectu non secuto; quodsi verba legis principaliter prohibent etiam ipsum mandatum et consilium, censuram incurrunt etiam effectu non secuto, quia ipso mandato vel consilio iam ponitur actio sub poena prohibita

Notandum tamen, quod non solum mandans qui est principalis delicti auctor, sed etiam qui ad delicti consummationem inducunt vel in hanc quoquo modo concurrunt, si delictum sine eorum opera commissum non fuisset, omnes tenentur nisi lex aliud expresse caverit, eadem poena, licet unus tantum in lege nominetur (can. 2231 coll. can. 2209, § 3).

e. Si conatus delicti (der Versuch) peculiari poena in lege mulctetur, verum constituit delictum (can. 2212, § 4) et sufficit ad incurrendam poenam ut conatus sub poena prohibitus revera positus sit.

---

[1]) Cf. *Lugo,* qui cum *Suaresio* hanc sententiam (De poenit. disp. 16 n. 445) tenetur; item *Ballerini-Palmieri* III. n. 350. VII n. 95.

Nota. Qui *dubitat,* an contraxerit censuram, ab ea se habere potest immunem, et confessarius eum absolvere potest. Si quis e. g. remedium procurandi abortus efficax dederit et postea nesciat, utrum effectus secutus sit necne, censura oneratus vel ab ea immunis est, prout effectus reipsa secutus est vel non est. Eiusmodi poenitentem tamen confessarius absolvere potest a peccato et a censura, si reipsa adesset, quin iniungat obligationem denuo hoc peccatum declarandi, si compererit effectum secutum esse, quia in dubio positivo et probabili, etiam facti, de exsistentia censurae Ecclesia potestatem supplet (cf. can. 209).

22. Cum contumacia commissum: ad frangendam enim contumaciam contra potestatem Ecclesiae comminantis poenam censurae institutae sunt.   Censetur autem contumax (cf. can. 2242, § 2):

1. Si agatur de censuris *ferendae sententiae,* ille qui, non obstantibus monitionibus ut a contumacia recedat (cf. can. 2233, § 2) a delicto non desistit vel patrati delicti poenitentiam cum debita damnorum et scandali reparatione agere detrectat.

2. Si agatur de incurrenda censura *latae sententiae,* ille qui transgressus est legem vel praeceptum cui sit adnexa latae sententiae poena, nisi reus legitima causa ab hac excusetur.

Duplex distinguitur *contumacia* contra Ecclesiam seu contemptus Ecclesiae: *specialis,* qui per proprium et formalem actum contemptus contra potestatem Ecclesiae committitur et speciale peccatum constituit, et *generalis,* qui implicite continetur in transgressione legis ecclesiasticae ab eo commissa, qui scivit rem esse ab Ecclesia sub poena praeceptam vel prohibitam. Contumacia generalis ad incurrendam censuram sufficit.

Contumaciam desiisse dicendum est, cum reum vere delicti commissi poenituerit et simul ipse congruam satisfactionem pro damnis et scandalo dederit aut saltem serio promiserit; iudicare autem utrum poenitentia vera sit, satisfactio congrua aut eiusdem promissio seria, necne, illius est, a quo censurae absolutio petitur (can. 2242, § 3).

Nota. Hae condiciones requiruntur, ut censura in *foro interno* adsit; delinquens autem, qui delicti sibi sit conscius ipso facto in *utroque foro* tenetur censura latae sententiae (uti generatim poena

latae sententiae, sive medicinali sive vindicativa) (cf. can. 2232).
Quoties tamen delinquens poenam sine infamia servare nequit, excusatur a poena observanda ante sententiam declaratoriam et in
foro externo ab eo eiusdem poenae observantiam exigere nemo
potest nisi delictum sit notorium (ibid.) sive notorietate iuris sive
saltem notorietate facti. Quoniam vero condiciones, quae ad incurrendam censuram necessariae sunt, partim, ut scientia et consensus
ad grave peccatum requisita natura sua internae sunt, raro adesset
notorietas facti, nisi condiciones praesumerentur. Sed posita externa
legis violatione, dolus, id est deliberata voluntas violandi legem, in
foro externo praesumitur, donec contrarium probetur (cf. can. 2200).

Hinc fieri potest, ut censura incurratur in foro externo, sed non
adsit in foro interno. Sic catholici, qui censurae inscii coram ministro haeretico matrimonium inierunt, pro foro externo absolutione
indigent, quia cognitio censurae in hoc foro praesumitur, donec
coram iudice ignorantia probetur, in foro interno autem a censura
propter ignorantiam eius, nisi fuerit crassa vel supina, immunes sunt.

Articulus quintus.

De causis a censuris excusantibus.

23. Ad incurrendam censuram requiritur delictum grave
cum contumacia coniunctum; quidquid ergo aufert gravitatem delicti vel contumaciam, ab incurrenda censura excusat. Porro causae, quae ob hanc rationem ab incurrenda
censura excusare possunt potissimum numerantur: **ignorantia, ebrietas, omissio debitae diligentiae, mentis
debilitas, impetus passionis, metus gravis.**

*Attendendum est utrum lex, cui poena adnexa est,
habeat verba: praesumpserit, ausus fuerit, scienter, studiose,
temerarie, consulto egerit aliave similia quae plenam cognitionem ac deliberationem exigunt.*

A. *Si lex illa verba habeat,* quaelibet imputabilitatis
imminutio sive ex parte intellectus sive ex parte voluntatis eximit a poenis latae sententiae (cf. can. 2229, § 2).
Quare omnes causae quae minuunt delinquentis dolum id
est deliberatam voluntatem violandi legem (cf. can. 2200)
vel eiusdem culpam in ignorantia legis violatae aut in

omissione debitae diligentiae, quia minuunt delicti imputabilitatem (cf. can. 2199), excusant ab incurrenda censura.

Ignorantia vero *affectata* sive legis sive solius poenae a nullis latae sententiae poenis excusat, licet lex verba illa contineat (cf. can. 2229, § 1). Talis enim ignorantia non minuit culpam neque dolum delinquentis.

B. *Si lex verba illa non habeat,* quoad causas excusantes haec dicenda sunt:

24. Ignorantia. *a. Ignorantia, quae non sit crassa,* semper ab incurrenda censura excusat non autem a vindicativis latae sententiae poenis (cf. can. 2229, § 3, 1º), non solum quando ignoratur actum prohibitum esse, sed etiam quando solum ignoratur prohibitum esse sub censura. Ratio *primi* est, quia censura supponit culpam, sed haec ignorantia (sive antecedens sive concomitans) excusat a culpa, ergo etiam ab incurrenda censura. Ratio *secundi* est, quia ignorans actui peccaminoso annexam esse censuram non est contumax contra potestatem coërcitivam Ecclesiae; censura autem infligitur ad frangendam contumaciam delinquentis[1]).

α. Complures auctores *(Sanchez, Pirhing, Reuter, Mazzotta, Ballerini)* non omnem ignorantiam graviter culpabilem *crassam* appellant, sed admittunt ignorantiam graviter culpabilem, quae non sit crassa: ignorantia enim crassa, ita ipsi, non simpliciter ex negligentia graviter culpabili, sed *ex negligentia cum gravi excessu* oritur. Etiam Codex supponit dari posse ignorantiam graviter culpabilem, quae non sit crassa et supina (cf. can. 2229, § 3, 1º simul cum can. 2218, § 2)[2]). In praxi valde difficile erit distinguere inter ignorantiam crassam et ignorantiam non crassam, graviter tamen culpabilem; *practice* statui potest solum ignorantiam, quae non sit graviter culpabilis, *semper* excusare ab incurrenda censura.

β. Ergo ignorantia tum *iuris* tum *facti* ab incurrenda censura excusat, atque etiam tum excusat, cum delinquens scit quidem actionem prohibitam esse lege divina sive naturali sive positiva vel lege ecclesiastica, ignorat autem eandem prohibitam esse sub censura ecclesiastica.

---

[1]) Ignorantia vel error circa legem aut poenam generatim non praesumitur (cf. can. 16, § 2); ut ergo ignorantia ab incurrenda censura in foro externo excuset, probari debet.

[2]) Cappello l. c. n. 51.

γ. Ignorantia in eo graviter culpabilis est, qui ignorat, quod *ex officio* scire debet; ideo laici ab incurrendis censuris, quas ignorant, quia ignorantia non computatur graviter culpabilis, semper excusantur; non item clerici, qui eas ex officio cognoscere debent, nisi affirmari possit eorum negligentiam in addiscendis censuris non fuisse gravem aut saltem non fuisse gravem cum excessu.

b. Ignorantia legis aut etiam solius poenae, si fuerit *crassa vel supina,* a nulla poena latae sententiae eximit (can. 2229, § 3, 1⁰).

Nota. *a.* Quodsi quis legem et poenam impositam cognoscat, nesciat autem poenam esse *reservatam,* sunt pauci quidam doctores, qui opinentur ob hanc ignorantiam cessare *reservationem* censurae: reservatio enim ad modum poenae superadditur censurae; sed ignorantia ab incurrenda poena atque ideo ab incurrenda reservatione excusat. Verum communiter auctores docent hanc ignorantiam non efficere, ut censura non sit reservata. Nam ignorantia ideo excusaret, quia Ecclesia ignorantes non vult subiicere poenae *extraordinariae*; at reservatio, quando semel contracta est censura, non est aliquid extraordinarium, quod censurae adiiciatur, sed potius id, quod eam naturaliter consequitur, nisi legislator ex benignitate absolutionem reddiderit faciliorem[1]).

b. Ignorantiae aequiparatur *oblivio* et *inadvertentia* censurae, quia contumax contra legem dici nequit, qui ad illam nullo modo advertit.

c. Censurae, praesertim a rudioribus, propter ignorantiam raro incurruntur, donec de re moniti fuerint.

d. Num ignorantia excuset ab incurrenda poena vindicativa. Si lex verba: praesumpserit, ausus fuerit, scienter, studiose, temerarie, consulto egerit aliave similia quae plenam cognitionem ac deliberationem exigunt, non habeat, nulla ignorantia excusat a vindicativis latae sententiae poenis (cf. can. 2229, § 3, 1⁰); si lex verba illa habeat, ignorantia nisi fuerit affectata eximit a poenis vindicativis latae sententiae (cf. can. 2229, § 1 et § 2).

25. Ebrietas, omissio debitae diligentiae, mentis debilitas, impetus passionis: si, non obstante imputabilitatis deminutione actio sit adhuc graviter culpabilis, a poenis latae sententiae non excusant (can. 2229, § 3, 2⁰).

Si imputabilitas omnino tollitur vel ita minuitur ut actio iam non sit graviter culpabilis sermo non potest esse de censura.

---

[1]) *Lehmkuhl* l. c. II. n. 1109.

Ebrietas apposite ad delictum patrandum vel excusandum quaesita non minuit imputabilitatem sed potius
auget (cf. can. 2201, § 3).

Si quis legem violaverit ex *omissione debitae diligentiae*
ita tamen ut rem praeviderit, et nihilominus cautiones ad
eam evitandam omiserit, quas diligens quivis adhibuisset,
culpa est proxima dolo (cf. can. 2203, § 1).

Debilitas mentis delicti imputabilitatem minuit, sed non
tollit omnino (can. 2201, § 4).

Passio, si fuerit voluntarie et deliberate excitata vel
nutrita, imputabilitatem potius auget; secus eam minuit
plus minusve pro diverso passionis aestu (can. 2206).

26. Metus. *a.* Metus *levis* non eximit a poenis latae
sententiae.

b. Metus *gravis,* si delictum vergat in contemptum
fidei aut ecclesiasticae auctoritatis vel in publicum animarum damnum, a poenis latae sententiae nullatenus eximit (can. 2229, § 3, 3⁰). In his enim casibus metus gravis
neque ab observanda lege ecclesiastica excusat[1]).

c. Metus gravis a censura excusat, quoties ab observanda lege ecclesiastica excusat, actus enim, qui ex metu
gravi procedit, non committitur ex contumacia, sed magis
ex naturae infirmitate. Insuper metus gravis damni ab
ipso praecepto Ecclesiae per se excusat; sed ubi non committitur peccatum contra praeceptum Ecclesiae, non incurritur censura, quae per se et primario contra laesionem
praecepti ecclesiastici statuitur.

α. Scilicet actus sub censura prohibitus vel sola lege ecclesiastica vel simul lege divina (naturali vel positiva) prohibitus est. Si
primum, actus ex metu positus non est peccatum; si alterum, actus
ex metu positus potest esse peccatum contra legem divinam, at peccatum non est contra legem Ecclesiae, quae cum gravi incommodo
non obligat.

β. Quemadmodum metus gravis excusat ab incurrenda censura,
ita excusat etiam *ab ea observanda:* leges enim ecclesiasticae non

---

¹) Cf. *De principiis*¹⁸ n. 177, ubi exponitur, quando metus gravis seu incommodum grave ab obligatione legis affirmativae excuset.

obligant cum gravi incommodo. Quando ergo observatio censurae e. g. excommunicationis occultae coniuncta est cum metu gravis damni vel cum gravi incommodo, excommunicatus se gerere potest ut immunis a censura.

Articulus sextus.

De absolutione a censuris.

27. De ipsa absolutione. 1. Quaelibet censura, semel contracta, tollitur tantum legitima absolutione (can. 2248, § 1).

a. Censura non aufertur per emendationem rei, nec per mortem vel amotionem ferentis censuram, nec per mortem censurati, qui etsi contritus decesserit, suffragiis Ecclesiae et sepultura ecclesiastica privatur, nisi absolutus fuerit: censura enim semel inflicta manet, donec per absolutionem auferatur.

b. Hinc excommunicatus, qui elicit actum contritionis, in statu gratiae est, manet tamen excommunicatus et privatus communione Ecclesiae. Licet ergo ad incurrendam censuram requiratur culpa, poena tamen manere potest remissa culpa.

2. *Absolutio* censurae est remissio poenae ab eo facta, qui legitimam habet remittendi potestatem.

Differt a *dispensatione,* quia absolutio est *actus iustitiae,* qui ei debetur, qui contumaciam deposuit et satisfactionem, si qua opus erat, praestitit; dispensatio vero, qua quis a communi lege eximitur, est *actus gratiae,* qui etiam disposito negari potest. Insuper, ad absolutionem valide et licite concedendam praeter dispositionem rei nulla alia *causa* requiritur; ad dispensationem valide aut saltem licite concedendam iusta causa requiritur. Poenae medicinales absolutione, poenae vindicativae dispensatione auferuntur (cf. can. 2236).

28. Absolutio a censuris multiplici modo concedi potest: *a.* in foro externo vel interno tantum (cf. can. 2239, § 1):

In foro interno, quae effectus censurae per se pro solo foro interno aufert.

In foro externo, quae effectus censurae etiam pro foro interno aufert.

b. Absolutio dari potest *absolute* vel sub *condicione* (cf. can. 2239, § 1) et quidem sub condicione *de praeterito, de praesenti, de futuro.* Condicionem de praeterito vel de praesenti adhibere generatim non licet; condicio autem de futuro (e. g. absolvo te, si intra mensem restitueris) ex gravi causa licita est.

c. Absolutio dari potest praesenti vel absenti (cf. can. 2239, § 1).

Attamen praesentia censurati tum ad reverentiam censurarum tum ad humiliationem ipsius censurati magis conducit.

d. Absolutio dari potest oretenus vel scripto. Si tamen poena scripto inflicta fuerit, expedit ut etiam eius remissio scriptis concedatur (cf. can. 2239, § 2).

e. Absolutio *ad reincidentiam* seu sub poena reincidentiae est absolutio sub determinata condicione concessa, ita ut hac non impleta ipso facto eadem censura iterum incurratur.

Censura, per absolutionem sublata, non reviviscit, nisi in casu quo onus impositum sub poena reincidentiae impletum non fuerit (can. 2248, § 3).

Censura, in quam absolutus reincidit, est eiusdem speciei, sed numero nova et distincta; quare poenam reincidentiae absolutioni addere non potest, nisi habens potestatem ferendi censuras. Ad reincidentiam requiritur nova culpa et contumacia atque ad eius ablationem nova absolutio.

f. *Absolutio ad cautelam* datur, quando ignoratur aut dubitatur, num quis censura reipsa ligatus sit. Huiusmodi est absolutio, quae in sacramento poenitentiae datur ante absolutionem a peccatis.

g. Absolutio *ad effectum* quae eo tendit, ut censura non impediat effectum obtinendi gratiam concessam, manente tamen quoad alios effectus censura[1]) in rescriptis pontificiis nunc videtur superflua (cf. can. 36, § 2), nisi agatur de excommunicato vitando vel alio censura inno-

---

[1]) Forma huius absolutionis, quae rescriptis pontificiis apponi solet, haec est: „Nos igitur eundem N. N. a quibusvis excommunicationibus ... si quibus quomodolibet innodatus exsistat, ad effectum dumtaxat praesentium consequendum absolventes et absolutum fore censentes."

dato post sententiam declaratoriam vel condemnatoriam (cf. can. 2265, § 2; 2275, n. 3; 2283 et infra n. 45).

Si cui concessa est facultas dispensandi in ea includitur etiam potestas absolvendi a poenis ecclesiasticis, si quae forte obstent, sed *ad effectum* dumtaxat dispensationis consequendae (cf. can. 66, § 3).

29. Quis absolvere possit. 1. *Extra mortis periculum* possunt absolvere:

a. A censura *non reservata,* in foro sacramentali quilibet confessarius, extra forum sacramentale quicunque iurisdictionem in foro externo habeat in reum (can. 2253, 1⁰).

Ut tamen notorie censuratus absolutione in foro interno accepta publice uti possit, ad praecavendum scandalum requiritur, ut de absolutione concessa publice constet.

b. A censura *ab homine,* ille, cui censura reservata est ad normam can. 2245, § 2; ipse autem potest absolutionem concedere, etiamsi reus alio domicilium vel quasidomicilium transtulerit (can. 2253, 2⁰).

Potest ergo absolvere qui censuram inflixit aut sententiam tulit, eiusve Superior competens, vel successor aut delegatus (cf. can. 2245, § 2).

c. A censura *a iure reservata,* ille qui censuram constituit vel cui reservata est, eorumque successores aut competentes Superiores aut delegati. Quare a censura reservata *Episcopo* vel *Ordinario,* quilibet Ordinarius absolvere potest suos subditos, loci vero Ordinarius etiam peregrinos; a reservata *Sedi Apostolicae,* haec aliive qui absolvendi potestatem ab ea impetraverint sive generalem, si censura *simpliciter reservata* sit, sive specialem, si *reservata speciali modo,* sive denique specialissimam, si *reservata specialissimo modo,* salvo praecepto can. 2254 (can. 2253, 3⁰; quoad can. 2254 vide paulo inferius n. 3).

2. *In periculo mortis* omnes sacerdotes, licet ad confessiones non approbati, valide et licite absolvunt quoslibet poenitentes a quibusvis peccatis aut censuris, quantumvis

reservatis et notoriis, etiamsi praesens sit sacerdos approbatus (can. 882)[1]).

Qui in periculo mortis a censuris Romano Pontifici reservatis
absolvitur a sacerdote, specialis facultatis experte, non tenetur se
sistere Superiori, ubi convalescat, si absolutus fuerit a censuris *simpliciter reservatis* vel *speciali modo reservatis*. Qui absolutus fuerit
a censuris *specialissimo modo reservatis*, tenetur postquam convaluerit obligatione recurrendi, 'sub poena reincidentiae, intra mensem saltem per epistolam et per confessarium si id fieri possit sine
gravi incommodo, reticito nomine, ad S. Poenitentiariam vel ad Episcopum, qui facultatem habet, aliumve facultate praeditum, eorumque mandatis parendi (cf. can. 2252 et can. 2254, § 1). Si receperit
absolutionem ab aliqua censura ab homine recurrere debet ad illum
qui censuram tulit (cf. can. 2252).

3. In *casibus urgentioribus* quilibet confessarius in foro
sacramentali a censuris latae sententiae, quoque modo reservatis, absolvere potest, iniuncto onere recurrendi, sub
poena reincidentiae, intra mensem saltem per epistolam et
per confessarium, si id fieri possit sine gravi incommodo,
reticito nomine, ad S. Poenitentiariam vel ad Episcopum
aliumve Superiorem praeditum facultate et standi eius
mandatis (cf. can. 2254, § 1)[2]).

a. Habetur casus urgentior, si censurae latae sententiae exterius servari nequeant sine periculo gravis scandali vel infamiae,
aut si durum sit poenitenti in statu gravis peccati permanere per
tempus necessarium ut Superior competens provideat (cf. can.
2254, § 1).

b. Poenitens potest etiam post acceptam absolutionem et facto
recursu ad Superiorem, adire alium confessarium facultate praeditum, ab eoque, repetita confessione saltem delicti cum censura,
consequi absolutionem; qua obtenta, mandata ab eodem accipiat,
quin teneatur postea stare aliis mandatis ex parte Superioris super-
venientibus (cf. can. 2254, § 2).

c. Quod si in casu aliquo extraordinario hic recursus sit moraliter impossibilis, tunc ipsemet confessarius, excepto casu quo agatur
de absolutione censurae contractae propter absolutionem complicis,
potest absolutionem concedere sine onere recurrendi, iniunctis tamen
de iure iniungendis, et imposita congrua poenitentia et satisfactione
pro censura, ita ut poenitens, nisi intra congruum tempus a confessario praefiniendum poenitentiam egerit ac satisfactionem dederit,
recidat in censuram (cf. can. 2254, § 3 et can. 2367).

---

[1]) Cf. De Sacramentis[17] n. 346 et 367.
[2]) Cf. De Sacramentis[17] n. 367.

30. De absolutione in casibus occultis. In casibus occultis potest Ordinarius poenas latae sententiae iure communi statutas per se vel per alium remittere, exceptis censuris specialissimo vel speciali modo Sedi Apostolicae reservatis (cf. can. 2237, § 2). In casibus publicis Ordinarius a censuris Sedi Apostolicae reservatis absolvere non potest (cf. can. 2237, § 1, 2⁰). Excipitur excommunicatio quam incurrunt a christiana fide apostatae, haeretici, schismatici, a qua, si delictum apostasiae, haeresis vel schismatis ad forum externum Ordinarii loci quovis modo deductum fuerit, idem Ordinarius in foro exteriore absolvere potest (cf. can. 2314, § 2 et infra n. 59 Nota 2).

a. Termini *occultum* et *publicum* in diversis materiis diversum sensum habent. Ubi agitur de impedimentis matrimonialibus strictius[1]), ubi agitur de delictis paulo latius intelliguntur[2]).

b. Crimen dupliciter potest esse occultum (cf. can. 2197, 4⁰); *materialiter,* cum nempe ignoratur factum ipsum e. g. ingressus in clausuram, aut *formaliter,* si factum notum est, sed latet eius imputabilitas e. g. quia putatur ingressum ex licentia factum esse. Iam vero Ordinarius absolvere potest non solum si delictum materialiter sed etiam si tantum formaliter occultum sit.

c. Nomine Ordinarii in iure intelliguntur pro suo quisque territorio Episcopus residentialis, Abbas vel Praelatus nullius eorumque Vicarius Generalis, Administrator, Vicarius et Praefectus Apostolicus, itemque si qui praedictis deficientibus interim ex iuris praescripto aut ex probatis constitutionibus succedunt in regimine, pro suis vero subditis Superiores maiores in religionibus clericalibus exemptis (cf. can. 198, § 1).

31. De condicionibus ad absolvendum requisitis.

1. A censura absolvi potest etiam *invitus:* convenit tamen, ut absolutio detur solum petenti.

2. Absolutio, vi aut metu gravi extorta, ipso iure irrita est (cf. can. 2238).

3. Petens absolutionem, si pluribus censuris detineatur, debet casus omnes indicare, secus absolutio, si fuerit particularis, valet tantum pro casu expresso; quod si absolutio, quamvis particularis petitio facta sit, fuerit generalis, valet

---

[1]) Cf. *De Sacramentis*[17] n. 552.
[2]) Cf. supra n. 10 et *De praeceptis*[16] n. 649.

quoque pro reticitis bona fide, excepta censura specialissimo modo Sedi Apostolicae reservata, non autem pro reticitis mala fide (cf. can. 2249, § 2).

4. Condiciones a censurato implendae sunt:

a. Ut vere delicti commissi poenituerit.

b. Ut pro damnis congruam satisfactionem (revocatione, restitutione, veniae petitione) *dederit* vel si satisfacere nequeat, ut saltem serio promittat se satisfacturum, cum primum poterit, nisi pars laesa iniuriam remiserit vel reus ad satisfaciendum impotens sit.

c. Ut scandalum reparet, si quod datum fuerit, id quod iure divino necessarium est. Reparari autem scandalum debet meliore, quo fieri potest, modo, iuxta prudens iudicium illius, qui eum absolvit.

Haec omnia requiruntur ut contumacia desiisse dici possit (cf. can. 2242, § 3). Cum primum autem delinquens a contumacia recesserit, absolutio denegari nequit; a censura autem absolvens potest, si res ferat, pro patrato delicto infligere poenitentiam, praeter sacramentalem, vel congruam vindicativam poenam (cf. can. 2248, § 2).

5. Ad *valide* absolvendum a censura non requiritur determinata verborum *formula,* sed sufficit Superioris voluntas signo sensibili manifestata, sive id verbis sive scripto sive alio signo fit.

Absolutio *in foro non sacramentali* quolibet modo dari potest, sed ad excommunicationis absolutionem regulariter formam adhiberi convenit in libris ritualibus traditam (cf. can. 2250, § 3).

Absolutio censurae *in foro sacramentali* continetur in consueta forma absolutionis peccatorum in libris ritualibus praescripta (can. 2250, § 3)[1]); non est ergo necesse ut adhibeatur specialis formula.

---

[1]) *Rituale Rom.* tit. III. c. 3. n. 8. „Ego auctoritate ipsius te absolvo ab omni vinculo excommunicationis, suspensionis et interdicti in quantum possum et tu indiges".

Nota. 1. Utrum quis possit absolvi a peccatis firma censura.

a. Si agatur de censura *quae non impedit Sacramentorum receptionem,* censuratus, rite dispositus et a contumacia recedens, potest absolvi a peccatis, firma censura (can. 2250, § 1).

b. Si vero agatur de censura *quae impedit Sacramentorum receptionem,* censuratus nequit absolvi a peccatis, nisi prius a censura absolutus fuerit (can. 2250, § 2).

2. De censura reservata. *a.* Reservatio censurae impedientis receptionem Sacramentorum importat reservationem peccati cui censura adnexa est; verum si quis a censura excusatur vel ab eadem fuit absolutus, reservatio peccati penitus cessat (can. 2246, § 3).

b. Reservatio censurae in particulari territorio vim suam extra illius territorii fines non exserit, etiamsi censuratus ad absolutionem obtinendam e territorio egrediatur; censura vero ab homine est ubique locorum reservata ita ut censuratus nullibi absolvi sine debitis facultatibus possit (can. 2247, § 2).

c. Si confessarius ignorans reservationem poenitentem a censura ac peccato absolvat, absolutio censurae valet, dummodo ne sit censura ab homine aut censura specialissimo modo Sedi Apostolicae reservata (can. 2247, § 3).

32. De absolutione censurae danda in foro interno aut externo. In praxi non raro oritur difficultas, utrum absolutio concedi debeat pro foro externo an sufficiat pro foro interno. Censura ab homine lata per sententiam condemnatoriam certo indiget absolutione pro foro externo, de censura latae sententiae haec notanda sunt:

1. Censura latae sententiae tenet quidem delinquentem, qui delicti sibi sit conscius, ipso facto in utroque foro (cf. can. 2232, § 1).

Si vero delictum *occultum* est, de censura in solo foro interno agitur.

3

Etsi *notoria* sit censura, sufficit absolutio pro foro interno, dummodo de absolutione concessa publice constet.

Concessio absolutionis praesumitur, si publice notum sit censuratum confessum esse et debitam satisfactionem, si quae necessaria erat, praestitisse.

2. Si absolutio censurae detur in foro *externo,* utrumque forum afficit; si in *interno,* absolutus, remoto scandalo, potest uti talem se habere etiam in actibus fori externi; sed nisi concessio absolutionis probetur aut saltem legitime praesumatur in foro externo, censura potest a Superioribus fori externi, quibus reus parere debet, urgeri, donec absolutio in eodem foro habita fuerit (can. 2251).

Articulus septimus.

De censuris hodie vigentibus.

33. Censurae hodie vigentes. Per Codicem iuris canonici statuitur ius novissimum quoad censuras ecclesiasticas. Et quidem exclusivum, scilicet eae tantum censurae vigent, quae in Codice continentur. Nam statuit can. 6, 5⁰: Quod ad poenas attinet, quarum in Codice nulla fit mentio, spirituales sint vel temporales, *medicinales* vel, ut vocant, vindicativae, latae vel ferendae sententiae, eae tanquam abrogatae habeantur.

Notae historicae. Quovis tempore Ecclesia usa est potestate infligendi censuras ob graviora quaedam crimina, praesertim vero ob crimen haeresis[1]). Modus, quo censuras imposuit, diversis temporibus diversus erat, frequentius tamen usa est excommunicationibus, quarum prima iure communi et Romano Pontifici reservata a concilio lateranensi II. (1139) statuta est, cui decursu temporis complures aliae accesserunt. Hae omnes in forma bullae collectae ex voluntate Romanorum Pontificum quotannis Romae in ecclesiis certis diebus, praesertim in Coena Domini, promulgabantur. Earum collectio proinde *Bulla Coenae* vocatur, quae lapsu temporis cura Romanorum Pontificum usque ad viginti censuras aucta est. Praeter censuras,

---

¹) Cf. 1. Cor. 5, 1—5. *Kober,* Der Kirchenbann S. 15 ff. *Hausmann.* Geschichte der päpstlichen Reservatfälle (Regensburg. Pustet. 1868) S. 21 ff.

quae in *Bulla Coenae* continebantur, complures aliae vigebant, tum
per constitutiones pontificias tum a concilio tridentino latae. Cum
numerus censurarum nimis excresceret earumque nonnullae mutatis
moribus atque temporibus minus utiles viderentur, a *Pio IX.* per
constitutionem *Apostolicae Sedis* 12. octobris 1869, abrogatis quam-
plurimis censuris latae sententiae, statutum est ius novum quoad
censuras ecclesiasticas. Quapropter post constitutionem *Apostolicae
Sedis* iure communi illae tantum censurae latae sententiae vigebant,
quae in hac constitutione directe vel indirecte continentur et quae
illis post eius promulgationem accesserunt.

Censurae ergo post hanc constitutionem usque ad Codicem
iuris canonici vigentes erant:

a. Censurae in ipsa bulla expressis verbis inflictae.

b. Censurae e concilio tridentino inflictae et ab hac constitutione confirmatae.

Est communis interpretum sententia ex hac constitutione illas
tantum censuras tridentinas vim habere, quas concilium tridentinum
tum primum inflixit, non autem eas, quas tridentinum ex vetere iure
solum renovavit confirmavitque. Verba enim, quibus in hac constitutione utitur S. Pontifex, illas censuras solas designant.

c. Censurae antea vigentes et hac constitutione non mutatae ex
constitutionibus: α. pro Romani Pontificis electione; β. pro interno
regimine quorumcunque ordinum et institutorum regularium.

d. Censurae, quae *post* constitutionem *Apostolicae Sedis* latae
sunt.

———

Liber secundus.

De censuris in specie.

Quaestio prima.

De excommunicatione.

Articulus primus.

De excommunicatione in genere.

34. Notio. *Excommunicatio* est censura, qua quis
excluditur a communione fidelium cum effectibus qui in
canonibus 2259—2267 enumerantur, quique separari nequeunt (cf. can. 2257, § 1).

a. Triplex est fidelium communicatio: α. *mere interna* consistens in fide et caritate, qua fideles inter se et cum Christo mystice uniuntur; β. *mere externa* (in civilibus), quae consistit in actionibus externis profanis, scilicet in fidelium convictu, colloquio, commerciis etc.; γ. *mixta* (in divinis) consistens in actionibus religiosis externis, quae ex sua institutione fructum spiritualem internum producunt ut administratio et susceptio sacramentorum, suffragia Ecclesiae, quae in sacrificio missae et in aliis publicis officiis pro omnibus fidelibus funduntur, indulgentiae. Iam vero communione bonorum mere interna Ecclesia neminem privat nec privare potest; communione autem externa et mixta hominem inoboedientem et contumacem privare potest et per excommunicationem reipsa privat.

b. Excommunicatio est omnium poenarum ecclesiasticarum *gravissima,* qua nulla est in Ecclesia maior: cum enim omnibus Ecclesiae bonis privet, alias censuras, quae eisdem bonis solum partialiter privant, virtute in se continet. Ideo monet concilium tridentinum, ne iudices ecclesiastici hac poena utantur, nisi quando iam nullum aliud remedium supersit[1]).

c. Nomine *anathematis* designatur ipsa excommunicatio, praesertim si cum sollemnitatibus infligatur quae in Pontificali Romano describuntur (cf. can. 2257, § 2).

35. Divisio excommunicationis.

Excommunicatio antea *ex effectu* in *maiorem* et *minorem* dividebatur; illa omnibus bonis communibus privabat, haec parte tantum, scilicet susceptione sacramentorum et electione passiva ad dignitates et beneficia. Excommunicatio minor iam per constitutionem *Apostolicae Sedis* sublata est[2]) neque in novo Codice habetur.

Excommunicatio minor olim ab iis incurrebatur, qui contra prohibitionem Ecclesiae cum excommunicato vitando communicabant. Nunc ipso facto incurrunt in excommunicationem Sedi Apostolicae simpliciter reservatam impendentes quodvis auxilium vel favorem excommunicato vitando in delicto propter quod excommunicatus fuit; itemque clerici scienter et sponte in divinis cum eodem communicantes et ipsum in divinis officiis recipientes (cf. can. 2338, § 2).

36. Discrimen inter excommunicatos.

Excommunicati alii sunt vitandi, alii tolerati (can. 2258, § 1). Hoc

---

[1]) Sess. 25. n. 3. De reform.
[2]) *S. Officium* 10. dec. 1883. Cf. Acta S. Sedis XVII. p. 555.

discrimen ex praecipuo effectu excommunicationis maioris desumptum hodie adhuc attendendum est.

a. Antiquitus omnes excommunicati maiore excommunicatione erant vitandi. In concilio constantiensi edita est constitutio *Ad evitanda* confirmata a Martino V. et postea a Leone X., quae *α.* aufert prohibitionem communicandi cum excommunicatis triplici casu excepto, quin tamen *β.* intendat ipsos excommunicatos in aliquo sublevare vel quomodolibet eis suffragari, sed ad vitanda scandala multaque pericula et ad subveniendum conscientiis fidelium.

b. Quibuslibet excommunicatis non omne commercium cum reliquis fidelibus licitum est. In quantum prohibitum sit commercium cum excommunicatis *vitandis* et in quantum etiam cum *toleratis* ex mox dicendis de effectibus excommunicationis patebit.

37. Qui vitandi.

Nemo est vitandus, nisi fuerit nominatim a Sede Apostolica excommunicatus, excommunicatio fuerit publice denuntiata et in decreto vel sententia expresse dicatur ipsum vitari debere; insuper ille vitandus est et quidem ipso facto, qui violentas manus in personam Romani Pontificis iniecerit (cf. can. 2258, § 2 coll. can. 2343, § 1, 1º).

a. Nominatim i. e. expresso nomine vel alio titulo, qui certo personam designat, ideoque nomini aequivalet e. g. excommunicamus huius loci decanum.

b. Publice i. e. eo modo, quo fit legis promulgatio, ergo generatim per editionem in Actis Apostolicae Sedis.

c. Expresse dicatur ipsum vitari debere. Aliter non est vitandus etsi nominatim et publice fuerit excommunicatus.

Ergo e. g. non sunt vitandi haeretici et schismatici qui ob ipsorum haeresim excommunicati et qua tales publice denuntiati sunt, quia *nominatim* non sunt excommunicati et denuntiati.

Antea ex iure per concilium constantiense inducto excommunicati vitandi erant:

1. Nominatim et publice excommunicati sive a Romano Pontifice sive ab Episcopo.

2. Qui nominatim et publice tamquam excommunicati a Papa vel ab Episcopo denuntiati sunt, ubi nempe de censura latae sententiae agitur.

3. *Notorii clericorum percussores,* etsi non fuerint denuntiati tamquam excommunicati.

Mitiorem ergo novus Codex normam statuit

Articulus secundus.

De effectibus excommunicationis.

38. Effectus excommunicationis alii sunt *immediati,* alii *mediati;* attamen solos vitandos omnes hi effectus afficiunt. Effectus immediati, quibus excommunicati omnibus fere iuribus, quae membris Ecclesiae conveniunt, privantur, recensentur sequentes (can. 2259—2267):

Excommunicatio privat usu divinoram officiorum, usu passivo sacramentorum et sepultura ecclesiastica, usu activo sacramentorum, publicis Ecclesiae suffragiis etc., communicatione forensi, iurisdictione ecclesiastica, capacitate acquirendi beneficii etc., fructibus beneficii etc. vel ipso beneficio etc., communicatione civili.

39. 1. Privat usu divinorum officiorum, i. e. excommunicatus quilibet caret iure assistendi divinis officiis (cf. can. 2259, § 1).

Prohibetur ergo excommunicatus sub gravi divinis officiis in notabili parte interesse, nisi excuset necessitas vitandi scandali vel alterius gravis incommodi.

Habet tamen ius assistendi praedicationi verbi Dei (cf. can. 2259, § 1). Hac enim sperandum est fore ut delinquens ad relinquendam contumaciam inducatur.

a. Nomine divinorum officiorum intelliguntur functiones potestatis ordinis, quae de instituto Christi vel Ecclesiae ad divinum cultum ordinantur et a solis clericis fieri queunt (can. 2256, 1º), ut sacrificium missae, publica oratio, processio, cantus horarum, benedictiones, quae publice et sollemniter fiunt in ecclesia ut benedictio olei, candelarum, palmarum, exsequiae defunctorum etc., non autem eae functiones, quae privata devotione peraguntur ut orare, venerari imagines vel reliquias etc.

Potest ergo excommunicatus tempore, quo non celebrantur officia divina, ecclesiam ingredi ibique privatim orare, sive seorsim in distincto loco sive etiam in eodem loco cum aliis: privatim enim

orando cum aliis non communicat. Sacerdos excommunicatus officium divinum privatim recitare potest et proinde ad illud recitan-
dum etiam tenetur.

b. Si *passive* assistat *toleratus,* non est necesse ut expellatur; si *vitandus,* expellendus est, aut, si expelli nequeat, ab officio cessandum, dummodo id fieri possit sine
gravi incommodo (can. 2259, § 2).

α. Si excommunicatus vitandus missae assistit et expelli nequit,
sacerdos, nondum incepto canone, Missam abrumpere debet; si canonem iam inchoavit, aut Missam abrumpere aut ceteris abeunti-
bus eam prosequi potest. Si iam consecravit, solo ministro rema-
nente, sacrificium usque ad communionem prosequi et reliqua vel
in sacristia vel in alio loco decenti perficere debet.

β. Non solum excommunicatus, qui officiis divinis interest,
peccat, sed etiam alii fideles, qui cum excommunicato vitando eidem
officio divino e. g. eidem Missae assistendo communicant, peccatum
committunt, et grave quidem in materia gravi.

c. Ab assistentia *activa,* quae aliquam secumferat participationem in celebrandis divinis officiis, repellatur non
solum vitandus, sed etiam quilibet post sententiam declaratoriam vel condemnatoriam aut alioquin notorie excommunicatus (cf. can. 2259, § 2).

Ergo repelli deberet non tantum notorie excommunicatus *cleri-*
cus si e. g. Missam celebrare vel diaconum agere sed etiam *laicus*
qui tamquam minister ad altare servire vel organum ad functionem
liturgicam pulsare vellet.

**40. 2. Privat susceptione (usu passivo) Sacramen-
torum** et sepultura ecclesiastica.

1. Nec potest excommunicatus Sacramenta recipere;
imo post sententiam declaratoriam aut condemnatoriam
nec Sacramentalia (can. 2260, § 1).

a. Excommunicatus sive toleratus sive vitandus Sacramenta *valide* recipit, etiam *poenitentiam:* Ecclesia enim excommunicatum nequit reddere inhabilem ad Sacramenta
valida suscipienda.

α. Si excommunicatus ad Sacramentum poenitentiae *mala fide*
accedit, absolutio non propter censuram sed propter defectum dispositionis invalida est; quodsi *bona fide* accedit, Sacramentum poenitentiae validum est: confessarius enim non privatur iurisdictione,
etsi sciens excommunicatum absolvat, et poenitens non est incapax

absolutionis, etsi excommunicatio sit reservata; remissis tamen peccatis manet excommunicatio, si haec reservata sit[1]).

β. Usus *Sacramentalium* excommunicatis non prohibetur nisi post sententiam declaratoriam aut condemnatoriam, sed preces Ecclesiae excommunicatis eis utentibus non assistunt: carent ergo fructu, qui provenit ex precibus Ecclesiae.

b. Licite autem Sacramenta neque excommunicatus toleratus neque vitandus recipit; quare ea recipiens graviter peccat, nisi ignorantia vel metus gravis damni sive spiritualis sive temporalis excuset.

α. Excommunicatus ergo absque causa excusante nullum Sacramentum (ne quidem poenitentiam), exsistente vero causa excusante omnia Sacramenta (etiam eucharistiam) licite suscipere potest.

β. Ex his patet non solum excommunicatis *vitandis* administrari non posse Sacramenta, priusquam ab excommunicatione absoluti fuerint, sed neque *haereticis vel schismaticis,* qui post usum rationis publice in secta haeretica vel schismatica vixerunt, antequam abiurata haeresi veram fidem professi sint.

2. Ecclesiastica sepultura privantur, nisi ante mortem aliqua dederint poenitentiae signa, excommunicati post sententiam condemnatoriam vel declaratoriam (cf. can. 2260, § 2 coll. can. 1240, § 1, 2⁰).

Cadaver excommunicati vitandi qui, contra canonum statuta, sepulturum in loco sacro obtinuit, si fieri sine gravi incommodo queat, exhumandum est, obtenta licentia Ordinarii, et in loco profano de quo in can. 1212 reponendum (cf. can. 1242 coll. 1214, § 1).

a. Sepultura excommunicati post sententiam declaratoriam vel condemnatoriam violatur ecclesia vel coemeterium (cf. can. 1172, § 1, 4⁰ et can. 1207).

Ergo si ante mortem dederit signa poenitentiae excommunicatus *post sententiam* declaratoriam vel condemnatoriam in loco sacro sepeliri nequit, nisi prius absolvatur; excommunicatus vero *ante sententiam* in loco sacro sepeliri potest, etsi ab excommunicatione non absolvatur, decet autem, ut prius absolvatur.

b. Excluso ab ecclesiastica sepultura deneganda quoque sunt tum quaelibet Missa exsequialis, etiam anniversaria, tum alia publica officia funebria (can. 1241).

---

[1]) *Ballerini-Palmieri* VII. n. 384 s.

Ad quaestionem, quomodo se gerere debeat parochus, si quis censura innodatus obierit, ut propterea carere deberet sepultura ecclesiastica, si vero minis gravibus pertinaciter exigantur exsequiae et ipsa sepultura ecclesiastica, respondit S. *Poenitentiaria* 15. dec 1860): „Curandum, ut cuncta ad normam sacrorum canonum fiant; quatenus vero absque turbarum et scandali periculo id obtineri nequeat, parochus neque per se neque per alios sacerdotes ad exsequias et ad sepulturam ullo modo concurrat[1]).

41. **3. Privat administratione (usu activo) Sacramentorum,** i. e. prohibetur excommunicatus licite Sacramenta et Sacramentalia conficere et ministrare salvis exceptionibus quae sequuntur (can. 2261, § 1).

1. Ab excommunicato tolerato ante sententiam condemnatoriam aut declaratoriam fideles possunt ex qualibet iusta causa Sacramenta et Sacramentalia petere, maxime si alii ministri desint, et tunc excommunicatus requisitus potest eadem ministrare neque ulla tenetur obligatione causam a requirente percontandi (cf. can. 2261, § 2).

Ergo excommunicatus *toleratus* illicite administrat Sacramenta, si ipse non rogatus ultro administrationi se ingerit; quodsi a fidelibus rogatur, ratione excommunicationis licite Sacramenta administrat, illicite autem id facit, si est in statu peccati.

Ergo rogatus, quin et recte praesumens fideles rogaturos esse (ut si die festo non adesset alius sacerdos, qui Missam celebraret), potest Missam celebrare. Nec fideles speciali ratione indigent, ut Sacramenta ab eo petant, sed sufficit quaelibet iusta causa.

2. Ab excommunicatis vitandis necnon ab aliis excommunicatis, postquam intercessit sententia condemnatoria aut declaratoria, fideles in solo mortis periculo possunt petere tum absolutionem sacramentalem etiamsi praesens sit sacerdos approbatus (cf. can. 882), tum etiam, si alii desint ministri cetera Sacramenta et Sacramentalia (cf. can. 2261, § 3).

Ergo in hoc casu (si desint alii) excommunicatus post sententiam condemnatoriam aut declaratoriam non solum poenitentiam sed etiam eucharistiam et extremam unctionem licite administrat ne moribundus tanto praesidio privetur. Extra hunc casum *illicite* administrat Sacramenta nisi ipse grave incommodum pateretur, quia

---

[1] Cf. Acta S. Sedis I. p. 563 n. 21.

Ecclesia non obligat cum tanto incommodo (periculo mortis, infamiae, gravis iacturae bonorum), poenitentiam vero ne *valide* quidem administrat, quia iurisdictione caret (cf. can. 873, § 3).

Parochus (et loci Ordinarius) per sententiam excommunicatus non tantum illicite sed etiam invalide assistit matrimonio neque potest alii sacerdoti licentiam dare ut valide assistat (cf. can. 1095).

42. 4. Privat publicis Ecclesiae suffragiis etc. Excommunicatus non fit particeps indulgentiarum, suffragiorum publicarum Ecclesiae precum (can. 2262, § 1).

Non prohibentur tamen:

1. Fideles privatim pro eo orare;

2. Sacerdotes Missam privatim ac remoto scandalo pro eo applicare; sed si sit vitandus, pro eius conversione tantum (can. 2262, § 2).

a. Distinguuntur suffragia publica et privata. *Publica* seu communia ea dicuntur, quae fiunt nomine Ecclesiae ab eius ministris; *privata* dicuntur, quae fiunt proprio fidelium nomine. Privantur ergo excommunicati, etsi in statu gratiae sint, fructibus, qui fidelibus proveniunt ex Missae sacrificio, ex recitatione officii, ex publicis Ecclesiae precibus et ex indulgentiis. Privatae autem orationes etiam pro excommunicatis fieri et bona opera eis donari possunt.

b. Utrum his suffragiis priventur solum *vitandi* an etiam *tolerati,* valde controvertebatur. Quaestio, quae potissimum ad Missae sacrificium eiusque applicationem refertur, in hunc modum nunc soluta est: privatim ac remoto scandalo sacerdotes licite Missam applicant pro excommunicato tolerato, pro vitando ne privatim quidem, nisi pro eius conversione[1]). Aliis suffragiis publicis aeque privantur tolerati ac vitandi.

43. 5. **Privat communicatione forensi.** Removetur excommunicatus ab actibus legitimis ecclesiasticis intra fines suis in locis iure definitos; nequit in causis ecclesiasticis agere nisi ad normam can. 1654; prohibetur ecclesiasticis officiis seu muneribus fungi, concessisque antea ab Ecclesia privilegiis frui (can. 2263). Normam can. 1654 vide paulo inferius sub n. 2.

---

[1]) *De Sacramentis*[17] n. 178.

1. *Nomine actuum legitimorum ecclesiasticorum* significantur: munus administratoris gerere bonorum ecclesiasticorum; partes agere iudicis, auditoris et relatoris, de-
fensoris vinculi, promotoris iustitiae et fidei, notarii et
cancellarii, cursoris et apparitoris, advocati et procuratoris
in causis ecclesiasticis; munus patrini agere in sacramentis
baptismi et confirmationis; suffragium ferre in electionibus
ecclesiasticis; ius patronatus exercere (cf. can. 2256, 2⁰).

a. Excommunicatus (nisi sit vitandus) privatur communicatione
forensi tantum in foro ecclesiastico non autem in foro civili.

b. Sententia iudicis excommunicati post sententiam condemnatoriam vel declaratoriam non tantum illicita sed etiam invalida
est, quia caret iurisdictione (cf. can. 2264).

c. Ad munus patrini in sacramento baptismi licite admitti nequit excommunicatus propter notorium delictum quin tamen sententia intercesserit (cf. can. 766, 2⁰); excommunicatus autem sententia
condemnatoria vel declaratoria non potest valide esse patrinus in
sacramentis baptismi et confirmationis (cf. can. 765, 2⁰ et can
795, 2⁰).

d. In electionibus ecclesiasticis suffragium excommunicati post
sententiam declaratoriam vel condemnatoriam nullum est; si talis
excommunicatus scienter ad electionem admissus fuerit ipsa electio
est invalida (cf. can. 167, § 1, 3⁰ et § 2).

e. Ius patronatus exercere nequit excommunicatus tantum post
sententiam condemnatoriam vel declaratoriam neque tunc uti potest
privilegiis iuris patronatus (cf. can. 1470, § 4); iure praesentandi
autem prohibetur quilibet excommunicatus, actus tamen praesen-
tationis nullus non est, nisi positus fuerit ab excommunicato *post*
sententiam vel ab excommunicato vitando (cf. can. 2265).

2. Excommunicatis vitandis aut toleratis post sententiam declaratoriam vel condemnatoriam permittitur ut per
se ipsi agant tantummodo ad impugnandam iustitiam aut
legitimitatem ipsius excommunicationis; per procuratorem,
ad aliud quodvis animae suae praeiudicium avertendum;
in reliquis ab agendo repelluntur (can. 1654, § 1).

Alii excommunicati generatim stare in iudicio queunt
(can. 1654, § 2).

3. Excommunicatus post sententiam declaratoriam vel
condemnatoriam non solum prohibetur frui privilegiis antea
ab Ecclesia concessis sed nequit praeterea privilegium ullum

Sedis Apostolicae valide consequi, nisi in pontificio rescripto
mentio de excommunicatione fiat (cf. can. 2265, § 2)[1]).

44. 6. Privat iurisdictione ecclesiastica, cuius quidem
exercitium est praecipua cum fidelibus communicatio.

Actus iurisdictionis tam fori externi quam fori interni
positus ab excommunicato est illicitus; et, si lata fuerit
sententia condemnatoria vel declaratoria, etiam invalidus,
salvo praescripto can. 2261, § 3; secus est validus, imo
etiam licitus, si a fidelibus petitus sit ad normam mem.
can. 2261, § 2 (can. 2264)[2]).

a. Per sententiam excommunicatus invalide matrimonio assi-
steret vel concederet licentiam assistendi alii sacerdoti non quidem
quia caret iurisdictione ecclesiastica, cum haec assistentia vel concessio licentiae assistendi non sit actus iurisdictionis, sed quia expresse stabilitum est can. 1095 (cf. supra n. 41).

b. Praelatus excommunicatus valide recipit *professionem religiosam,* quia admissio professionis non est proprie actus iurisdictionis, sed est usus superioritatis, quae praelato ratione officii sui
competit; alias nec laicus nec femina posset admittere professionem[3]).

c. In quolibet iudicii statu et gradu, dummodo ante sententiam
definitivam exceptio excommunicationis opponi potest; imo si agatur
de excommunicatis vitandis, aut toleratis contra quos sententia condemnatoria vel declaratoria lata fuerit, ii ex officio semper excludi
debent (cf. can. 1628, § 3).

45. 7. Privat capacitate acquirendi beneficii etc.
Quilibet excommunicatus:

1. Prohibetur iure eligendi, praesentandi, nominandi;

2. Nequit consequi dignitates, officia, beneficia, pensiones ecclesiasticas aliudve munus in Ecclesia;

3. Promoveri nequit ad ordines.

Actus tamen positus contra praescriptum nn. 1, 2, non
est nullus, nisi positus fuerit ab excommunicato vitando vel
ab alio excommunicato post sententiam declaratoriam vel
condemnatoriam; quod si haec sententia lata fuerit, ex-

---

[1]) Cf. infra n. 45.
[2]) Cf. supra n. 41 sub 2 et 1.
[3]) Cf. *Schmalzgrueber* n. 167 ss.

communicatus nequit praeterea gratiam ullam pontificiam valide consequi, nisi in pontificio rescripto mentio de excommunicatione fiat (cf. can. 2265).

α. Si ergo pro excommunicato vitando vel post sententiam petitur dispensatio ab impedimento matrimonii, rescriptum dispensationis S. Sedis (non item rescriptum dispensationis Episcopi), sive conceditur in forma gratiosa sive in forma commissoria, ipso iure nullum esset nisi contineret mentionem de excommunicatione. Iam vero ad praecavendam hanc nullitatem in rescriptis apostolicis, apponi solet absolutio ab excommunicatione *ad effectum* (n. 28. g.)[1]).

β. Si haec absolutio in forma comissoria ipsi delegato committitur, orator prius absolvi et postea dispensari debet, ut valida sit dispensatio. Haec absolutio non aufert censuram, sed unum solum effectum censurae manente ipsa censura cum aliis effectibus.

γ. Ante Codicem excommunicatus quilibet ipso iure inhabilis erat ad obtinenda quaevis rescripta Sanctae Sedis sive gratiae sive iustitiae quae proinde non obtenta prius absolutione ab excommunicatione ad effectum nulla erant[2]). Nunc gratiae et dispensationes omne genus a Sede Apostolica concessae etiam censura irretitis validae sunt, nisi lata est sententia declaratoria vel condemnatoria (cf. can. 36, § 2).

46. 8. **Privat fructibus beneficii etc.** vel ipso beneficio etc.

Post sententiam condemnatoriam vel declaratoriam excommunicatus manet privatus fructibus dignitatis, officii, beneficii, pensionis, muneris, si quod habeat in Ecclesia; et vitandus ipsamet dignitate, officio, beneficio, pensione, munere (can. 2266).

47. 9. **Privat communicatione civili.** Communionem in profanis cum excommunicato vitando fideles vitare debent, nisi agatur de coniuge, parentibus, liberis, famulis, subditis, et generatim nisi rationabilis causa excuset (can. 2267).

Ergo per se fideles cum vitando nec contrahere, nec commercia habere, nec cohabitare, nec familiariter conversari possunt. Cum tamen quaelibet rationalibus causa excuset, in praxi hic excommuni-

---

[1]) Cf. De Sacramentis[17] n. 617.
[2]) C. Dilectus 26. *De rescriptis* (I. 3). C. Ipso iure 1. *De rescriptis* (I. 3). 6⁰.

cationis effectus vix unquam obtinebit. A iure autem haec poena, etsi forte, uti opinabantur recentes auctores (Lehmkuhl, Ballerini) etiam quoad vitandos in desuetudinem abierit, nunc denuo statuitur.

48. Causae excusantes, ob quas cum vitando in civilibus communicare licet, ab antiquis auctoribus admittebantur quae hoc versiculo continentur:

Utile, lex, humile, res ignorata, necesse;
Haec quinque solvunt anathema, ne possit obesse.

a. Utile significat utilitatem spiritualem vel temporalem communicantis, excommunicati vel tertii, quae aliter procurari commode non potest.

b. Lex significat matrimonium, vi cuius coniuges, quorum alteruter vitandus sit, mutuo communicare possunt, non solum quoad debitum coniugale, sed etiam quoad cohabitationem, mensam et domesticam conversationem.

c. Humile significat subiectionem; ideo communicare possunt filii cum parentibus, famuli cum dominis, subditi cum superioribus vitandis.

d. Res ignorata significat ignorantiam sive iuris sive facti, modo non sit affectata. Ut quis prohibeatur communicare cum vitando, non solum scire debet ipsum esse excommunicatum, sed etiam ipsum esse vitandum.

e. Necesse significat quamcunque notabilem necessitatem sive spiritualem sive corporalem communicantis, vitandi vel tertii. Haec causa excusans in prima iam continetur, praeterquam quod ex mente quorundam auctorum sola *utilitas temporalis* vitandi non excuset, sed requiratur *necessitas,* atque ideo addita est haec quinta causa necessitatis temporalis.

49. Effectus mediati excommunicationis illi dicuntur, qui non ex ipsa excommunicatione, sed ex culpa ab excommunicato propter excommunicationem commissa oriuntur. Eiusmodi effectus potissimum numerantur:

a. Irregularitas, quae oritur ex violatione censurae: excommunicatus enim, qui culpabiliter actum ordinis clericis in ordine sacro constitutis reservatum ponit, irregularis fit ex delicto (cf. can. 985, 7⁰).

b. Suspicio haeresis; qui obdurato animo, per annum insorduerit seu contumaciter perstiterit in censura excommunicationis, est de haeresi suspectus (cf. can. 2340, § 1), quia de potestate Ecclesiae et de Sacramentis, quorum susceptionem omittit, male sentire praesumitur[1]).

Ante CIC qui per annum contumaciter in excommunicatione perseveraverat, privandus erat beneficiis ecclesiasticis, si crimen, propter quod excommunicatus erat, huiusmodi privationem merebatur. Nunc privatio beneficiorum tamquam effectus *mediatus* excommunicationis non iam habetur, pro excommunicato vitando est effectus *immediatus* (cf. n. 46).

50. Quale peccatum sit communicare cum excommunicato. *a.* Cum excommunicato communicare *in divinis* mortale est, nisi parvitas materiae excuset.

Clerici scientes et sponte in divinis cum excommunicato vitando communicantes et ipsum in divinis officiis recipientes, ipso facto incurrunt in excommunicationem Sedi Apostolicae simpliciter reservatam (cf. can. 2338, § 2).

b. Cum excommunicato communicare *in civilibus,* etiam sine iusta causa, per se veniale peccatum non excedit.

c. Communicare cum excommunicato *in crimine criminoso* mortale peccatum est. In crimine criminoso cum excommunicato communicare dicitur, qui cum eo communicat in illo ipso crimine, propter quod excommunicatus est, ei auxilium vel favorem praestando.

Sic si quis excommunicato propter retentionem boni ecclesiastici auxilium vel favorem praestaret, ne bonum Ecclesiae restituat, cum eo in crimine criminoso communicaret.

Impendentes quodvis auxilium vel favorem excommunicato vitando in delicto propter quod excommunicatus fuit ipso facto incurrunt in excommunicationem Sedi Apostolicae simpliciter reservatam (cf. can. 2338, § 2).

Nota. Excommunicationes ante CIC vigentes ipsa constitutio *Apostolicae Sedis* in quator *series* dividit, quarum *prima* continet ex-

---

[1]) *Concilium trid* sess. 25. c. 3 De reform

communicationes Romano Pontifici speciali modo reservatas, *secunda* excommunicationes Romano Pontifici ordinario modo reservatas, *tertia* excommunicationes Episcopis reservatas, *quarta* excommunicationes nemini reservatus. CIC alio omnino ordine procedens non enumerat censuras ratione modi quo reservantur sed ordinans delicta ratione obiecti contra quod committuntur in singula delicta statuit poenas. Hic vero ob rationes practicas sequemur ordinem in constitutione *Apostolicae Sedis* servatum quatuor tamen memoratis seriebus aliam anteponendo, quae continet excommunicationes Romano Pontifici specialissimo modo reservatas. Hoc ordine singulae declarabuntur excommunicationes ita tamen, ut breviter explicentur eae, quae rarius, fusiore calamo eae, quae facilius contrahi solent a fidelibus.

Articulus tertius.

De excommunicationibus specialissimo modo Apostolicae Sedi reservatis.

Ad primam seriem quattuor excommunicationes pertinent. Incurrit hanc severissimam poenam ipso facto:

51. I. *Qui species consecratas abiecerit vel ad malum finem abduxerit aut retinuerit* (cf. can. 2320).

Species consecratas i. e. unam vel plures hostias consecratas vel etiam tantum particulas consecratas.

Actiones prohibitae sunt: abiicere, ad malum finem abducere, ad malum finem retinere.

Ergo si fur volens auferre pyxidem deauratam e tabernaculo, ponat hostias consecratas in pyxide contentas super pallam in tabernaculo, non incurrit censuram. Pia muliercula, quae ponit hostiam quam in sacra synaxi accepit, in libro devotionis ut eam secum domum portet eo fine, ut Christum Dominum sub sacris speciebus domi adorare possit, non incurrit excommunicationem.

Ergo non solum qui hostiam consecratam abduxit sed etiam qui eam quam forte ab alio accepit tantummodo retinet ad malum finem e. g. inserviat ad iocum sacrilegum hac censura plectitur.

Nota. *Aliae poenae* in hoc delictum:

Delinquens est suspectus de haeresi, est ipso facto infamis, si clericus praeterea est deponendus (cf. can. 2320).

52. II. *Qui violentas manus in personam Romani Pontificis iniecerit* (cf. can. 2343, § 1).

Quantum ad actiones prohibitas v. infra n. 89.

Nota. 1. Praeterea delinquens est ipso facto vitandus, est ipso iure infamis, si clericus, est degradandus (cf. can. 2343, § 1).

2. Haec censura ab aliis differt quod percussorem efficiat vitandum, dummodo certe constet percussorem in excommunicationem incidisse, etsi condiciones alias requisitae ut excommunicatus sit vitandus, desint (cf. can. 2258, § 2).

53. III. *Absolvens vel fingens absolvere complicem in peccato turpi; idque etiam in mortis articulo, si alius sacerdos, licet non approbatus ad confessiones, sine gravi aliqua exoritura infamia et scandalo, possit excipere morientis confessionem, excepto casu quo moribundus recuset alii confiteri* (cf. can. 2367, § 1).

Eandem excommunicationem non effugit absolvens vel fingens absolvere complicem qui peccatum quidem complicitatis, a quo nondum est absolutus, non confitetur, sed ideo ita se gerit, quia ad id a complice confessario sive directe sive indirecte inductus est (can 2367, § 2).

a. Sedulo distingui debet ablatio iurisdictionis in proprium complicem et poena excommunicationis in absolventem proprium complicem lata; fieri enim potest, ut invalida sit absolutio, quin incurratur excommunicatio, et incurratur excommunicatio, ubi valida est absolutio[1]).

b. Ad declarandam hanc censuram tria exponenda sunt: *α. notio complicis*; *β. notio peccati turpis*, a quo sacerdos complex impune absolvere nequit; *γ. actio absolvendi*, ob quam incurritur excommunicatio.

54. Complex in peccato turpi. 1. *Complex* dicitur, qui cum alio idem peccatum (turpe) committit, quicunque ille sit.

a. Hinc non habetur proprie *complicitas*, si sacerdos peccet cum dormiente, ebria, amente invita: lex enim loquitur de complicitate *formali*, ad quam utriusque partis in idem peccatum consensus requiritur.

b. Ad incurrendum casum complicitatis requiritur complicitas *immediata* in ipsa actione turpi, non sufficit cooperatio, quantumvis proxima, ad peccatum turpe alterius.

---

[1]) Cf. De Sacramentis[18] n. 370 sq.

c. Ergo nomine complicis intelligitur non solum femina, sed etiam vir vel puer, etsi nondum puber, quin etiam persona, quacum sacerdos ante susceptum sacerdotium peccavit[1]).

2. *Peccatum turpe* intelligitur quodvis peccatum contra sextum praeceptum, quamvis non sit copula consummatum, dummodo sit ex utraque parte *certum, grave* et *externum.*

a. Ergo complicitatis peccatum constituit etiam solus *tactus* turpis vel *aspectus* vel *colloquium* inhonestum, dummodo sit ex utraque parte mortale peccatum[2]).

b. Non requiritur, ut uterque operetur ut in mutuis tactibus et colloquiis, sed sufficit, ut unus tantum operetur e. g. unus alterum turpiter tangat et hic consentiat consensumque exterius manifestet. Consensum autem exterius iam manifestare censetur, qui externe non resistit.

c. Ergo non habetur complicitatis peccatum in sequentibus casibus:

α. Si commissa sint solum *peccata venialia* sive ex parvitate materiae sive ex imperfectione actus. Verum ne a venialibus quidem in materia turpi commissis confessarius suum complicem unquam absolvat, etsi non careat ad hoc iurisdictione.

β. Si peccata commissa quoad *actum externum* sint tantum *venialia* e. g. contrectatio manus, etsi interno affectu gravia sint.

γ. Si peccata commissa sint *mere interna* exterius non manifestata.

δ. Si peccata sint *dubia* sive dubio facti sive dubio iuris, ut si dubitet, an graviter peccaverit, an turpiloquia canone 2367 comprehendantur.

ε. Si non constat, num ipse poenitens quoque graviter peccaverit.

55. Absolventes complicem excommunicationem incurrunt:

1. Si *absolvunt* aut saltem absolvere simulant seu *fingunt.*

a. Post tot declarationes S. Sedis certum erat etiam eos excommunicationem incurrere, qui solum *fingunt* se absolvere[3]); CIC ne speciem quidem dubii relinquit. Quare contraria s. *Alphonsi* sententia (n. 556) nequit amplius tuto doceri. Cum ad simulationem seu potius dissimulationem requiratur, ut poenitens, qui se absolvi exi-

---

[1]) *S. Poenitent.* 22. ian. 1879.
[2]) *S. Officium* 28. maii 1873.
[3]) *S. Poenitent.* 1. mart. 1878. *S. Officium* 10. dec. 1883.

stimat, in errorem inducatur, excommunicationem non incurrit sacerdos, qui poenitentem, hac de re monitum, cum sola benedictione dimittit.

b. Qui ergo complicem in confessione solum audit, sed non absolvit neque absolvere fingit, grave quidem peccatum committit, quia ipsa etiam exceptio confessionis sacerdoti complici prohibita est, at censuram non incurrit.

2. Si absolvunt *ab ipso peccato complicitatis* nondum directe remisso et clavibus subiecto; insuper si confessarii ipsi poenitentem ad peccatum complicitatis non declarandum sive directe sive indirecte induxerint et sic indirecte absolverint[1]).

a. Qui ergo absolvit complicem, qui complicitatis peccatum non declarat, etsi poenitens culpabiliter illud taceat et confessarius id sciat, censuram non incurrit[2]), modo complicem ad id faciendum non induxerit; item si poenitens peccatum iam remissum iterum confiteatur.

b. Directe confessarius inducit poenitentem, quando positive et explicite eum praemonet de celando peccato complicitatis; *indirecte* eum inducit, quando suadere conatur poenitenti actionem cum ipso commissam non esse peccatum aut non esse grave peccatum, ita ut poenitens sibi persuadeat peccatum non esse declarandum illudque reipsa non declaret[3]).

c. Ideo probabiliter excommunicationem non incurrit, qui complicem, urgente praecepto confessionis, si alteri sine periculo gravis infamiae vel scandali confiteri non possit, indirecte tantum a peccato complicitatis absolvit eumque simul monet de obligatione alteri confessario illud postea confitendi[4]).

3. Si absolvendo *graviter peccant.*

a. Cum de gravi peccato certo constare debeat, declarari nequit censura irretitus sacerdos, qui in quadam mentis *perplexitate,* item sacerdos, qui sine *advertentia* ad complicitatem complicem absolvit.

b. Quamvis *ignorantia* censurae simpliciter vincibilis ab incurrenda censura excuset, ignorantia tamen *crassa* a censura non excusat (cf. can. 2229, § 3, 1⁰). Antiquiores quidem illum quoque a censura excusabant, qui complicem cum *ignorantia crassa* absolvit, quia constitutio benedictina censuram in eum fert, qui *ausus fuerit* absolvere; cum tamen CIC (sicuti iam constitutio *Apost. Sedis)* excommunicatione simpliciter eum feriat, qui *absolvit,* mitior interpretatio amplius non est admittenda.

---

[1]) *S. Poenitent.* 19. febr. 1896.
[2]) *S. Poenitent.* 16. maii 1877.
[3]) *S. Poenitent.* 19. febr. 1896.
[4]) *Marc* n. 1782 putat absolutionem in hoc casu probabilius esse invalidam.

c. Qui absolvit poenitentem, de quo dubitat, an sit proprius complex, censuram non incurrit, quia non tenetur in rem inquirere cum periculo famae propriae et totius status sacerdotalis.

d. Pariter censuram non incurrit, qui absolvit complicem, a quo neque in actu peccati nec postea tamquam sacerdos cognitus fuerat, quia non tenetur manifestare delictum suum cum diffamatione propria et status sacerdotalis. Si tamen post patratum peccatum tamquam complex et sacerdos cognoscitur, complicem absolvens censuram contrahit.

e. Pariter censuram incurrit absolvens complicem, qui sacerdotem absolventem hic et nunc, quando absolvit, ut complicem non cognoscit.

4. Si extra *articulum mortis* et extra casum *urgentissimae necessitatis* absolvunt. De articulo mortis inferius dicetur, quoad casum urgentissimum non videtur improbabilis sententia eorum, qui docent non incurrere censuram sacerdotem, qui usus epikia in casu vere urgentissimo complicem absolvit: rationabiliter enim praesumi potest noluisse legislatorem etiam hos casus sua lege comprehendere.

Eiusmodi causae sunt:

a. Si persona complex annuam confessionem et communionem omittere vel alias diu a sacramentis abstinere non possit absque gravis infamiae et scandali periculo, et simul non adsit alius sacerdos, cui confiteri possit.

b. Si persona complex versetur in loco, ubi solus sit confessarius complex, ipsa vero alio divertere ad quaerendum confessarium non possit, nec spes affulgeat illuc adventurum esse alium sacerdotem, adeo ut etiam in paschate a Sacramentis abstinere debeat.

5. *In mortis articulo* (periculo) complicem absolvens excommunicationem incurrit, si alius sacerdos, licet non approbatus, sine gravi aliqua exoritura infamia et scandalo possit excipere confessionem, excepto casu quo moribundus recuset alii confiteri.

Quamvis confessarius complex suum complicem *per se* ne in mortis quidem articulo impune absolvere possit, licite tamen eum absolvit:

a. Si nullus alius adest vel vocari potest sacerdos, ne quidem simplex.

b. Si alius sacerdos vocari non potest sine gravi scandalo vel infamia sacerdotis complicis. Tenetur tamen in hoc casu sacerdos complex periculum scandali vel infamiae antevertere, si possit, e. g.

sub aliquo praetextu abscedendo. Quod si facere omittat, cum possit, vel si periculum confingit, ubi non est, absolvens censuram incurrit.

c. Si moribundus alteri confiteri recusat, adeo ut timenda sit confessio sacrilega.

56. IV. *Confessarius, qui sigillum sacramentale directe violare praesumpserit* (cf. can. 2369).

Sigillum sacramentale est obligatio sub secreto servandi ea omnia quae ex confessione sacramentali cognita sunt, quorum revelatio sacramentum redderet odiosum.

Quamvis ad sigillum obligantur omnes ad quos notitia sacramentalis confessionis quomodocumque pervenerit, non tantum confessarius qui per se et primario tenetur obligatione servandi sigillum, tamen excommunicatio manet solum confessarium violantem sigillum.

Confessarius autem poenae obnoxius est sive sit verus sive fictus seu per errorem existimatus, ergo etiam laicus qui se confessarium simulat vel pro confessario habetur et cui poenitens bona fide confitetur[1]).

Ad incurrendam poenam gravissimam requiritur *directa* violatio quae habetur si immediate et per se manifestatur peccatum in confessione accusatum et persona poenitentis. Ut sigillum directe violetur non est necesse ut persona poenitentis expresse nominetur sed sufficit ut ex adiunctis ita perfecte designetur ut certo cognosci possit, neque requiritur ut audientes sciant confessarium loqui de rebus in confessione auditis dummodo id de facto faciat[2]).

Cum poena habeat illud *praesumpserit* quaelibet imputabilitatis imminutio ab ea eximit (cf. can. 2229, § 2 et supra n. 23).

Articulus quartus.

De excommunicationibus speciali modo Apostolicae Sedi reservatis

Ad secundam seriem pertinent tredecim excommunicationes. Incurrunt ipso facto excommunicationem:

---

[1]) Contra Cappello, l. c. n. 189; Cocchi, l. c. n. 241.
[2]) Cf. De Sacramentis[18] n. 416 sqq.

57. I. *Omnes a christiana fide aposiatae et omnes et singuli haeretici aut schismatici* (cf. can. 2314, § 1).

1. *Apostata* est, qui post receptum baptismum a fide christiana totaliter recedit (cf. can. 1325, § 2)[1]). Ad excommunicationem incurrendam requiritur, ut interna defectio a fide exterius se manifestet, sed nihil refert, utrum apostata ad aliam sectam religiosam transeat, ad iudaismum, paganismum, mohamedanismum, an vero nullum cultum religiosum profiteatur ut athei, deistae, indifferentistae, materialistae, naturalistae, pantheistae, liberi cogitatores.

Qui aut exsistentiam aut possibilitatem *christianae revelationis* negant, a fide christiana apostatae sunt et hanc excommunicationem incurrunt. Apostatae non sunt, qui *practicum indifferentismum* sectantes officia religionis christianae penitus negligunt, quia exterius a religione christiana non deficiunt, sed adhuc inter catholicos computari volunt.

58. 2. *Haereticus* est, qui post receptum baptismum, nomen retinens christianum pertinaciter aliquam ex veritatibus fide divina et catholica credendis denegat aut de ea dubitat (cf. can. 1325, § 2). Ad excommunicationem incurrendam requiritur, ut haeresis interius concepta exterius aliquo signo, sive verbo sive facto sive scripto, etsi nemine praesente vel audiente, manifestetur. At non requiritur, ut haereticus alicui sectae haereticorum se adiungat, ut sunt protestantes, schismatici in fide errantes, iansenistae, antiinfallibilistae seu veteres catholici.

a. Hanc excommunicationem incurrit etiam ille, qui *exercet superstitionem haereticalem,* ut qui arcana cordium vel futuras hominum liberas actiones soli Deo cognitas divinare conatur per tabulas rotantes, spiritismum et eiusmodi artes magicas, modo ad haeresim in hoc facto implicitam advertat[2]).

b. Nunc extra dubium est eum excommunicationem incurrere, *qui positive dubitat circa veritatem fidei,* quia talis habendus est haereticus iuxta definitionem CIC (cf. can. 1325, § 2).

c. Eadem poena plectuntur qui implicite tantum haeresim profitentur, erroribus haereticorum per signum aliquod externum assentiendo, etsi neque eorum sectae se adiungant neque eorum doctrinam in particulari perspectam habeant, ut si quis de aliquo, quem

---

[1]) Cf. De praeceptis[18] n. 28.
[2]) *D' Annibale,* Commentar. in const. Ap. Sedis n. 31.

scit esse haereticum, dicat se credere, quidquid iste credit, licet eius
errores nesciat, vel si quis cum animo assentiendi eius erroribus alicuius haeretici lectionem vel concionem audiat.

d. Quia hanc censuram ii solum incurrunt, qui formalem haeresim commiserunt, patet fieri posse, ut complures, qui in haeresi edu-
cati sunt, ob bonam ipsorum fidem ab excommunicatione sint immunes. Quodsi ad fidem catholicam redeant, in foro externo ab excommunicatione absolvuntur, quia censurae iure notoriae obnoxii
sunt; in foro autem interno absolutione ii non indigent, quos in
bona fide fuisse constiterit.

e. Qui quoquo modo haeresis propagationem sponte et scienter
iuvat, aut qui communicat in divinis cum haereticis contra praescriptum can. 1258, suspectus de haeresi est (can. 2316).

Ergo *fautores* haereticorum, qui eis sive negative sive positive
auxilium praestant, ut errores suos facilius diffundere possint, — negative, omittendo scilicet ea, quae non ex mera caritate sed ex officio
fieri debent ad eorum progressus impediendos, positive i. e. eos verbis (ut haereticos landantes, commendantes) aut factis (pecunias
praebentes) in spargendis erroribus adiuvando — *defensores* haereticorum, qui eorum personas vel doctrinas, quatenus haereticae sunt,
tuentur: sunt suspecti de haeresi dummodo his actionibus sponte et
scienter iuvent haeresis propagationem.

Item suspecti de haeresi sunt fideles quovis modo active assistentes seu partem habentes in sacris haereticorum (cf. can. 2316
coll. 1258. § 1). Immo etiam assistentes praesentia passiva seu mere
materiali nisi id fiat civilis officii vel honoris causa, ob gravem rationem ab Episcopo in casu dubii probandam, in acatholicorum funeri-
bus, nuptiis similibusque sollemniis (cf. can. 2316 coll. 1258, § 2).

Quoad communicantes cum excommunicato vitando v. infra
n. 78.

Normas statutas circa suspectos de haeresi v. infra n. 60.

59. 3. *Schismaticus* est, qui post receptum baptismum
subesse renuit Summo Pontifici aut cum membris Ecclesiae
ei subiectis communicare recusat (cf. can. 1325, § 2).

Hanc censuram incurrunt: *a.* qui sive ex malitia sive ex errore
subiectionem Romano Pontifici denegant et ab unitate Ecclesiae se
separantes novam Ecclesiam constituunt vel iam constitutae adhae-
ent.

b. Qui Romano Pontifici in rebus spiritualibus *oboedientiam
denegat,* eius spiritualem auctoritatem reiiciens, quamvis nulli alteri
capiti seu Ecclesiae adhaereat et etiamsi cum membris Ecclesiae
Romano Pontifici subiectis vellet manere unitus.

Qui non renuens quidem subesse capiti Ecclesiae Romano
Pontifici aliquid legitime praecipienti vel prohibenti pertinaciter non

obtemperat, schismaticus non est neque huic poenae obnoxius, sed
pro gravitate culpae puniendus congruis poenis, censuris non exclusis (cf. can. 2331, § 1).

c. Qui communicare cum membris Ecclesiae recusat, schismaticus est, quia se separat ab unione Ecclesiae.

Nota. 1. *Aliae poenae* in apostatas, haereticos, schismaticos
(cf. can. 2314, § 1):

a. Nisi moniti resipuerint, priventur beneficio, dignitate, pensione, officio aliove munere, si quod in Ecclesia habeant, infames
declarentur, et clerici, iterata monitione, deponantur.

b. Si sectae acatholicae nomen dederint vel publice adhaeserint, ipso facto infames sunt et clerici ipso facto et sine ulla declaratione amittunt quaelibet officia ecclesiastica et, monitione incas-
sum praemissa, degradentur.

2. Si delictum apostasiae, haeresis vel schismatis ad forum externum Ordinarii loci quovis modo deductum fuerit, etiam per voluntariam confessionem, idem Ordinarius, non vero Vicarius Generalis
sine mandato speciali, resipiscentem, praevia abiuratione iuridice
peracta aliisque servatis de iure servandis, sua auctoritate ordinaria
in foro exteriore absolvere potest; ita vero absolutus, potest deinde
a peccato absolvi a quolibet confessario in foro conscientiae (cf.
can. 2314, § 2).

60. II. *Suspectus de haeresi, si monitus causam suspi-
cionis non removeat et propterea punitus intra sex menses
a contracta poena completos sese non emendaverit. Hic enim
tamquam haereticus habeatur, haereticorum poenis obnoxius*
(cf. can. 2315).

Suspecti de haeresi habendi sunt:

1. Qui quoquo modo haeresis propagationem sponte
et scienter iuvat (cf. can. 2316 et supra n. 58 c);

2. Qui communicat in divinis cum haereticis contra
praescriptum can. 1258 (cf. can. 2316 et supra n. 58 c);

3. Qui matrimonio uniuntur cum pacto explicito vel
implicito ut omnis vel aliqua proles educetur extra catholicam Ecclesiam (cf. can. 2319 et infra n. 87);

4. Qui scienter liberos suos acatholicis ministris baptizandos offerre praesumunt (cf. can. 2319 et infra n. 87);

5. Parentes vel parentum locum tenentes qui liberos
in religione acatholica educandos vel instituendos scienter
tradunt (cf. can. 2319 et infra n. 87);

6. Qui species consecratas abiecerit vel ad malum finem abduxerit aut retinuerit (cf. can. 2320 et supra n. 50);

7. Omnes et singuli cuiuscunque status, gradus seu condicionis etiam regalis, episcopalis vel cardinalitiae fuerint, a legibus, decretis, mandatis Romani Pontificis pro tempore existentis ad Universale Concilium appellantes (cf. can. 2332 et infra n. 64);

8. Qui, obdurato animo, per annum insorduerit in censura excommunicationis (cf. can. 2340, § 1 et supra n. 49);

9. Omnes, etiam episcopali dignitate aucti, qui per simoniam ad ordines scienter promoverint vel promoti fuerint aut alia Sacramenta ministraverint vel receperint (cf. can. 2371).

61. III. *Opere publici iuris facto, editores librorum apostatarum, haereticorum et schismaticorum, qui apostasiam, haeresim, schisma propugnant, itemque eosdem libros aliosve per apostolicas litteras nominatim prohibitos defendentes aut scienter sine debita licentia legentes vel retinentes* (cf. can. 2318, § 1).

Libri sub censura prohibiti sunt duplicis generis: 1. *Libri apostatarum, haereticorum et schismaticorum, apostasiam, haeresim, schisma propugnantes.* Triplex igitur condicio ratione obiecti requiritur ad incurrendam censuram: *a.* ut sit *liber*, non solum manuscriptum vel minoris voluminis libellus; *b.* ut sit ab *auctore apostata* vel haeretico, vel schismatico conscriptus; *c.* ut apostasiam, haeresim, schisma *propugnet*.

a. Ergo excommunicationem *non incurrunt:* α. qui legit *ephemerides*[1]) *vel libellos haeresim* propugnantes; β. qui legit librum haeresim propugnantem ab ethnico, iudaeo vel ab alio conscriptum, qui proprie neque haereticus neque apostata sit; γ. qui legit librum haeresim continentem vel eam solum obiter et paucis defendentem.

b. Ex declaratione *s. Officii* excommunicationem incurrunt, „qui scienter legunt publicationes periodicas in fasciculos ligatas habentes auctorem haereticum et haeresim propugnantes"[2]).

[1]) *S. Officium* 21. apr. 1880.
[2]) *S. Officium* 13. ian. 1892.

c. Ad hanc censuram incurrendam requiritur, ut legenti *certo* *constet* (non solum probabiliter: dicitur enim *scienter* legentes) auctorem libri esse haereticum eumque haeresim propugnare. Auctorem esse haereticum constare potest aut ex nomine auctoris, si sit notus haereticus, aut ex indole libri: etenim si in libro manifesta haeresis pertinaciter propugnatur, satis constat auctorem esse haereticum vel apostatam; ergo aut ex secta, cui adhaeret, aut ex manifesta doctrina, quam propugnat.

d. Non requiritur, ut liber ex professo de religione tractet; qui ergo legit librum profanum e. g. historicum, physicum, philosophicum in quo auctor haereticus haeresim propugnat, excommunicationem incurrit.

2. *Libri cuiusvis auctoris per apostolicas litteras nominatim prohibiti.* Tres condiciones etiam in hoc genere ex parte libri requiruntur: *a.* ut *per litteras apostolicas,* cuiuscunque sint formae: bullae, brevis, encyclicae, prohibitus sit; *b.* ut *nominatim* i. e. expresso proprio eius titulo; *c.* ut *sub excommunicatione Romano Pontifici reservata* prohibitus sit (haec auctorum interpretatio constitutionis *Apost. Sedis* etiam nunc valet)[1]). At nihil refert, cuius sit auctoris et quid contineat.

Ergo huc non pertinent: *a.* libri per decreta C. S. Officii prohibiti, quia eiusmodi decreta non sunt litterae Apostolicae; *b.* libri alicuius auctoris in globo damnati, quia non prohibentur *nominatim*; *c.* libri damnati quidem per apostolicas litteras, at non sub *excommunicatione reservata.*

Nota. Cum impossibile sit, ut confessarius omnia opera haeresim propugnantia cognoscat, occurrente casu interroget poenitentem de argumento libri pravi, quem legit, atque exinde diiudicet, utrum liber haeresim propugnet ideoque sub excommunicatione prohibitus sit, necne.

62. Actiones prohibitae hae sunt:

1. quoad libros apostatarum, haereticorum et schismaticorum, qui apostasiam, haeresim, schisma propugnant: *edere;*

2. quoad eosdem libros, aliosve per apostolicas litteras nominatim prohibitos: *defendere, legere, retinere,* quae quidem duae ultimae actiones scienter et sine debita licentia exerceri debent, ut per eas incurratur censura. Ignorantia tamen affectata non excusat ab incurrenda censura (cf. can. 2229, § 1 et supra n. 23). De licentia legendi vel

---

1) Cappello, 1. c. n. 229 immerito putat opinionem, quae negat necessitatem prohibitionis *sub excommunicatione S. Sedi reservata,* quoad *futurum* probabilem dici posse.

retinendi libros prohibitos alibi dicitur[1]); item quid terminis *legere* et *retinere* intelligatur[2]); restat ut termini *editores* et *defendentes* explicentur.

a. Editores stricte intelligendi sunt (Herausgeber, Verleger); solummodo ipse editor censuram incurrit non vero auctor neque typographus multoque minus qui ad ipsam impressionem operam praestant ut typos collocantes et prelum versantes.

b. Defendentes dicuntur, qui physice vel moraliter impediunt, ne liber destruatur vel denuntietur, qui suadere conantur librum bonum esse, doctrinam in eo contentam vel eius eruditionem et scientiam ita laudant, ut pravae doctrinae approbatio appareat.

a. Ad incurrendam censuram in legentes vel retinentes latam requiritur triplex cognitio: α. librum esse apostatae vel haeretici aut schismatici, aut illum esse per litteras apostolicas prohibitum; β. eiusdem lectionem, vel retentionem esse sub excommunicatione prohibitam; γ. si non sit per litteras apostolicas prohibitus, ipsum propugnare haeresim. Sufficit autem, ut haec sciantur aut fama publica aut a viro fide digno.

b. Legere et *retinere* sunt actiones distinctae quarum utraque ex se sufficit ut per eam censura incurratur. Ergo etiam qui librum tantum retinet quin eum legat poenae obnoxius est. Neque tamen videtur dicendum illum qui librum tantum retinet ut eum legat et quamdiu legat duplicem censuram incurrere. Aliter si etiam post lectionem retineat librum (cf. can. 2244, § 2, 1⁰ et supra n. 18).

c. Si *societates litterariae* (Leihbibliotheken) libros sub censura prohibitos asservant, excommunicationem incurrunt praeter praesidem et bibliothecarium omnes, qui librorum condominium habent. *Bibliothecas* autem *publicas* haec censura afficere non videtur.

63. IV. *Ad ordinem sacerdotalem non promotus, si Missae celebrationem simulaverit aut sacramentalem confessionem exceperit* (cf. can. 2322).

Non solum laicus simulans Missae celebrationem incurrit censuram sed etiam clericus non sacerdos.

Aliae poenae: laicus privetur pensione aut munere, si quod habeat in Ecclesia, aliisque poenis pro gravitate culpae puniatur; clericus vero deponatur (cf. can. 2322).

---

[1]) Cf. De praeceptis[18] n. 711 sqq.
[2]) Cf. De praeceptis[18] n. 706.

64. V. *Omnes et singuli cuiuscunque status, gradus seu condicionis etiam regalis, episcopalis vel cardinalitiae fuerint, a legibus, decretis, mandatis Romani Pontificis pro tempore existentis ad Universale Concilium appellantes* (cf. can. 2332).

Personae *physicae* quaecumque: personae autem *morales* (Universitates, Collegia, Capitula aliaeve) incurrunt interdictum speciali modo Sedi Apostolicae reservatum; appellantes a Pontificis regnantis legibus, decretis, mandatis *ad Universale Concilium*; non sufficit ergo appellatio ad futurum Pontificem, neque ad Concilium provinciale, sufficit vero appellatio ad Concilium Universale praesens.

65. VI. *Recurrentes ad laicam potestatem ad impediendas litteras vel acta quaelibet a Sede Apostolica vel ab eiusdem Legatis profecta, eorumve promulgationem vel exsecutionem directe vel indirecte prohibentes, aut eorum causa sive eos ad quos pertinent litterae vel acta sive alios laedentes vel perterrefacientes* (cf. can. 2333).

a. Acta Sedis Apostolicae intelliguntur tum ea, quae immediate a Romano Pontifice proficiscuntur, tum ea, quae mediate a Congregationibus, Tribunalibus, Officiis, per quae Romanus Pontifex negotia Ecclesiae universae expedire solet (cf. can. 7).

b. *Legati* hic intelliguntur omnes, qui Legati a Romano Pontifice mittuntur: *Legati a latere,* Legati cum titulo *Nuntii* aut *Internuntii,* etiam Legati qui mittuntur cum titulo *Delegati Apostolici;* non vero Episcopi qui, ratione sedis, titulo Legati Apostolici decorantur.

c. Excommunicationem incurrunt: *α. Recurrentes* ad laicam potestatem i. e. ad eos, qui vere et proprie dicta potestate pollent sive sit iurisdictionis sive administrativa, ut sunt iudices et magistratus; incurritur censura, etsi recurrens a laica potestate passus sit repulsam[1]); *β. Prohibentes* promulgationem vel exsecutionem intelliguntur personae auctoritate praeditae; et videtur sententia praeferenda, quae tenet incurri excommunicationem, etsi prohibitio effectum non sequatur, dummodo veri nominis prohibitio intercesserit[2]); *γ. Laedentes* i. e. damno gravi afficientes iuxta alios in corpore, iuxta alios etiam in honore et in bonis fortunae; *δ. Perterrefacientes* i. e. metu valde gravi afficientes eos ad quos acta S. Sedis directa sunt; sive *alios,* quibus nempe commissa est actorum promulgatio vel exsecutio.

66. VII. *Qui leges, mandata vel decreta contra libertatem aut iura Ecclesiae edunt* (cf. can. 2334, 1⁰).

---

[1]) Aliter Chelodi, l. c. n. 70, 1; Cappello, l. c. n. 247; Cerato, l. c. n. 73 c.
[2]) Cappello, 1 c. n. 251; aliter Chelodi, l. c. n. 70, 1; Cerato, l. c. n. 73 d.

1. *Edentes* sunt auctores legum, mandatorum, decretorum, qui auctoritate condendi leges, mandata, decreta pollent, et qui ad ea condenda concurrere debent.

Ergo *princeps,* qui leges approbat et promulgat, *ministri rectores* provinciarum et civitatum, *deputati* tum ad comitia imperii tum ad comitia provinciae et *consiliarii* locales, qui suffragio suo concurrunt; *populus,* sicubi suffragio populi leges condantur.

2. *Leges* sunt ordinationes universales et perpetuae, quae a suprema potestate emanant; *decreta* sunt ordinationes item generales, quae a competenti potestate e. g. a municipiis emanant; *mandata* sunt ordinationes quae pro personis aut casibus particularibus feruntur. Huc non pertinent *sententiae* a iudicibus latae.

3. *Contra libertatem aut iura Ecclesiae,* quae verba sensu latissimo accipienda sunt, adeo ut excommunicationi obnoxii sint, qui leges vel decreta condunt, quibus ius Ecclesiae quandoque tollitur, restringitur vel perturbatur, ut ius docendi, promovendi ad beneficia, publicas supplicationes extra templum instituendi, ecclesias, beneficia, pia sodalitia erigendi; *iura,* quae Ecclesiae tamquam societati competunt ut ius acquirendi, alienandi, elocandi, immunitas cleri a servitio militari.

Aliae poenae: Clerici plectantur poena suspensionis vel privationis ipsius beneficii, officii, dignitatis, pensionis aut muneris, si qua forte in Ecclesia habeant; religiosi autem privatione officii et vocis activae ac passivae aliisque poenis ad normam constitutionum (cf. can. 2336, § 1).

67. VIII. *Qui impediunt directe vel indirecte exercitium iurisdictionis ecclesiasticae sive interni sive externi fori, ad hoc recurrentes ad quamlibet laicalem potestatem* (cf. can. 2334, 2⁰).

a. Ad tuendam *libertatem* iurisdictionis ecclesiasticae haec censura statua est, quam contrahunt impedientes exercitium *iurisdictionis ecclesiasticae,* non tamen impedientes exercitium iurisdictionis superiorum regularium. Excommunicationem ergo non incurrunt impedientes exercitium potestatis *ordinis* ut sacrum facere, Sacramenta administrare, benedicere etc., nec impedientes exercitium *officii* ecclesiastici ut praedicare, docere; incurrunt autem impedientes eum, qui peragenda committit ea, quae sunt ordinis, vel eum, qui deputat ad officia ecclesiastica.

b. Duo ergo ad incurrendam censuram requiruntur: α. ut quis exercitium iurisdictionis ecclesiasticae (e. g. publicationem, exsecutionem constitutionis pontificiae) *impediat* et quidem *β.* ad hunc finem *recurrat* ad potestatem laicalem.

Ergo non sufficit recursus causa impediendi sed requiritur praeterea ut recursus suum sortiatur effectum[1]). Sed perinde est quaenam sit haec laicalis potestas: iudices vel magistratus civiles vel qui supremum tenent populorum principatum.

Aliae poenae: eaedem ac in numero praecedenti.

68. IX. *Si quis contra praescriptum can. 120 ausus fuerit ad iudicem laicum trahere aliquem ex S. R. E. Cardinalibus vel Legatis Sedis Apostolicae, vel Officialibus maioribus Romanae Curiae ob negotia ad eorum munus pertinentia, vel Ordinarium proprium* (cf. can. 2341).

Can. 120 praescribit:

§ 1. Clerici in omnibus causis sive **contentiosis** sive criminalibus apud iudicem ecclesiasticum conveniri debent, nisi aliter pro locis particularibus provisum fuerit.

§ 2. Patres Cardinales, Legati Sedis Apostolicae, Episcopi etiam titulares, Abbates vel Praelati *nullius,* supremi religionum iuris pontificii Superiores, Officiales maiores Romanae Curiae, ob negotia ad ipsorum munus pertinentia, apud iudicem laicum conveniri nequeunt sine venia Sedis Apostolicae; ceteri privilegio fori gaudentes, sine venia Ordinarii loci in quo causa peragitur; quam tamen licentiam Ordinarius, praesertim cum actor est laicus, ne deneget sine iusta et gravi causa, tum maxime cum controversiae inter partes componendae frustra operam dederit.

§ 3. Si nihilominus ab eo qui nullam praehabuerit veniam, conveniantur, possunt, ratione necessitatis, ad vitanda maiora mala comparere, certiore tamen facto Superiore a quo venia obtenta non fuit.

a. Ergo non incurritur haec poena, si alicubi a S. Sede (per concordata) permittatur, ut ecclesiastici ad tribunal laicum trahantur.

In *Austria* vi concordati causae mere civiles et mere criminales clericorum coram tribuali laicorum peragi potuerunt. In *Germania* (quin etiam alibi) privilegium fori sive expresse sive tacite abrogatum censetur.

In iis tamen locis, in quibus fori privilegio per Summos Pon-

---

[1]) Cf. Decisiones Comm. ad authent. interpr. cod. A. A. S. XVIII. p. 394.

tifices derogatum non fuit, si in eis non datur iura sua persequi nisi apud iudices laicos, tenentur singuli prius a competenti auctoritate ecclesiastica veniam petere, ut clericos in forma laicorum convenire possint.

b. Qui trahit talem personam privilegiatam ad iudicem laicum non ut eam conveniat apud iudicem sed alio titulo e. g. tamquam tutorem vel testem non peccat contra praescriptum can. 120.

c. Qui aliquem ex Officialibus maioribus Romanae Curiae apud iudicem laicum vult convenire non ob negotia ad eorum munus pertinentia sed ob aliud negotium non indiget (nisi Officialis maior sit Cardinalis) venia Sedis Apostolicae sed Ordinarii loci in quo causa peragitur (ergo Cardinalis Vicarii Urbis si causa Romae agitur).

Quinam sint intelligendi officiales maiores Romanae Curiae videre est in A. A. S.: Ordo servandus in S. Congregationibus, Tribunalibus, Officiis Romanae Curiae, 29. sept. 1908 (A. A. S. I 36 sqq.); et Const. „Sapienti consilio", 29. iun. 1908 (A. A. S. I 20).

d. Nomine *Ordinarii* quinam in iure intelligantur v. supra n. 30 c.

Suum quisque Ordinarium *(proprium)* sortitur sive per domicilium sive per quasi-domicilium (cf. can. 94, § 1).

Proprius *vagi* Ordinarius est Ordinarius loci in quo vagus actu commoratur (cf. can. 94, § 2).

Qui Ordinarium *non proprium* ad iudicem laicum trahit aliam incurrit excommunicationem; cf. infra n. 79.

69. X. *Qui violentas manus iniecerit in personam S. R. E. Cardinalis vel Legati Romani Pontificis, Patriarchae, Archiepiscopi, Episcopi etiam titularis tantum* (cf. can. 2343, § 2 et 3).

Quantum ad actiones prohibitas v. infra n. 91.

Nota. Qui violentas manus in personam S. R. E. Cardinalis vel Legati Romani Pontificis iniecerit, praeterea:

a. Est ipso iure infamis.

b. Privetur beneficiis, officiis, dignitatibus, pensionibus et quolibet munere, si quod in Ecclesia habeat (cf. can. 2343, § 2, 2º et 3º).

70. XI. *Usurpantes vel detinentes per se vel per alios bona aut iura ad Ecclesiam Romanam pertinentia* (cf. can. 2345).

Tres sunt excommunicationes contra eos latae, qui de bonis ecclesiasticis iniuste vel illicite disponunt: 1. contra usurpantes vel detinentes bona Ecclesiae Romanae (series 2. XI.); 2. contra usurpantes bona ecclesiastica cuiuslibet generis (series 3. VII. infra n. 81); 3. contra alienantes bona ecclesiastica sine beneplacito Apostolico (series 5. III. infra n. 98).

Haec censura (XI) bona et iura *Sedis Apostolicae* tueri intendit;

Censuram incurrunt: *a. usurpantes,* i. e. qui rem adhuc in potestate domini exsistentem occupant auctoritative tamquam iure sibi debitam;

b. detinentes, i. e. qui rem habent in sua potestate sive ipsi usurpaverint sive ab aliis acceperint.

Nota. Si delinquentes *clerici* fuerint, praeterea dignitatibus, beneficiis, officiis, pensionibus priventur atque inhabiles ad eadem declarentur (cf. can. 2345).

71. *XII. Omnes fabricatores vel falsarii litterarum, decretorum vel rescriptorum Sedis Apostolicae vel iisdem litteris, decretis vel rescriptis scienter utentes* (cf. can. 2360, § 1).

a. Crimen falsi per scripturas commissum, quod anteactis saeculis relate ad litteras pontificias (bullas, encyclicas, brevia) frequentissime in usu erat, hac censura punitur.

b. Eam incurrunt: α. *fabricatores,* qui falsas litteras, decreta vel rescripta Sedis Apostolicae conficiunt β. *falsarii,* qui in litteris apostolicis, decretis vel rescriptis, postquam signatae sunt, aliquid addunt, demunt, mutant, ita ut sensus mutetur; γ. iisdem litteris, decretis vel rescriptis falsis scienter *utentes* i. e. ad obtinendum effectum in eis contentum eas exhibentes, etsi effectum non obtineant, sive clerici sive laici sunt.

Nota. *Clerici* hoc delictum committentes aliis poenis praeterea coerceantur, quae usque ad privationem beneficii, officii, dignitatis et pensionis ecclesiasticae extendi possunt; religiosi autem priventur omnibus officiis quae in religione habent et voce activa ac passiva, praeter alias poenas in propriis cuiusque constitutionibus statutas (cf. can. 2360 § 2).

72. XIII. *Si quis per seipsum vel per alios confessarium de sollicitationis crimine apud Superiores falso denuntiaverit* (cf. can. 2363).

De sollicitatione in confessione confer in volumine De Sacramentis[17] n. 373 sqq.; de obligatione denuntiandi confessarios sollicitantes ibidem n. 378 sq.

Ad incurrendam hanc censuram in falso denuntiantes latam requiritur, ut denuntiatio fiat apud Superiores, ut sit denuntiatio iuridica non privata, ut denuntians sibi conscius sit se falso denuntiare confessarium.

Qui ita denuntiaverit confessarium, nequit ullo in casu absolvi a censura, nisi falsam denuntiationem formaliter retractaverit, et damna, si qua inde secuta sint, pro viribus reparaverit, imposita insuper gravi ac diuturna poenitentia.

Insuper falsa delatio, qua sacerdos innocens accusatur de crimine sollicitationis apud iudices ecclesiasticos est peccatum (et quidem unicum) ratione sui reservatum Sanctae Sedi (cf. can. 894)[1].

Etiamsi ergo *censura* non sit contracta (e. g. propter ignorantiam poenae), manet tamen *peccatum* reservatum, neque extra mortis periculum et casum urgentiorem absolvi potest sine S. Sedis facultate.

Articulus quintus.

De excommunicationibus simpliciter Apostolicae Sedi reservatis.

Tertia series continet undecim excommunicationes. Contrahunt ipso facto excommunicationem:

73. I. *Quaestum facientes ex indulgentiis* (cf. can. 2327).

Quaestum facere dicitur, qui accepto pretio aliquid lucratur, et quidem *concedendo* indulgentias solventibus pecuniam, item *publicando* vel *publicari iubendo* indulgentias concedi solventibus pecuniam, etsi haec fiant sub praetextu operis boni.

74. II. *Nomen dantes sectae massonicae aliisve eiusdem generis associationibus quae contra Ecclesiam vel legitimas civiles potestates machinantur* (cf. can. 2335).

Sectae sub censura prohibitae. 1. Distinguendae sunt societates sub gravi quidem sed *sine censura* prohi-

---

[1]) Cf. De Sacramentis[18] n. 379.

bitae, et societates *sub censura* prohibitae[1]). Ad societates sine censura prohibitas pertinent:

a. *Societates biblicae* pluries a summis pontificibus damnatae;

b. Tres americanae societates operariorum, quarum nomina sunt: *α.* *Socii singulares* (Old fellows); *β.* *Filii temperantiae* (Sons of temperance); *γ.* *Equites Pythiae* (Knights of Pythia's)[2]);

c. Societas „*Independent order of Good templars*" (Guttempler-Orden) nuncupata[3]);

Haec societas a. 1851 in America fundata brevi in maioribus Europae civitatibus praesertim Norwegiae et Helvetiae propagata est. In ebrietatem impugnandam potissimum intendit, sed, cum spiritu protestantismi tota imbuta sit, catholicis prohibita est[4]).

d. *Societates, quibus propositum est promovere usum comburendi hominum cadavera*[5]);

Ad societates prohibitas certe illae omnes pertinent, quae a sectatoribus suis exigunt iuramentum servandi secretum et prae standi omnimodam oboedientiam occultis ducibus. Euismodi enim iuramentum peccaminosum est, quia promittitur secretum etiam tum servandum, quando legitimis superioribus manifestandum esset, et quia implicite promittitur oboedientia etiam ad illicita. Ubi vero tale iuramentum non exigitur, societas non est inconsulta S. Sede privata solum auctoritate dicenda prohibita.

2. Ut societas *sub censura prohibita* sit, requiritur, ut cum secta massonica ratione occultae organisationis et ratione finis similitudinem referat seu *eiusdem generis* sit, i. e.: *a.* ut membra vinculo sociali unita occulta statuta habeant et occultis ducibus regantur; *b.* ut Ecclesiam vel rempublicam impugnare et evertere intendant. Eiusmodi societates sunt:

a. Societas *massonica;*

Massones pluries a Romanis Pontificibus excommunicati sunt. Primus censuram in eos tulit Clemens XII. constitutione *In eminentt*

---

[1]) *S. Officium* 10. maii 1884.
[2]) *S. Officium* 20. aug. 1894.
[3]) *S. Officium* 9. aug. 1893.
[4]) *S. Officium* 17. aug. 1899.
[5]) *S. Officium* 19. maii 1886.

28. apr. 1738; deinde Benedictus XIV. constitutione *Providas* 18. maii
1751; Leo XII. constitutione *Quo graviora* 13. mart. 1825; Pius VIII.
litteris encyclicis *Traditi* 24. maii 1829; Pius IX. constitutione *Apostolicae Sedis* poenam usque ad CIC vigentem statuit; tandem
Leo XIII. litteris encyclicis *Humanum genus* 20. apr. 1884 deces-
sorum suorum poenas innovavit.

Comparantibus constitutionem *Apost. Sedis* cum iure antiquo
illico patebit duplicem mutationem inductam esse: α. Ut societates
sub censura prohibitae sint, non requiritur, ut finem suum clam
prosequantur; sed omnes censurantur, *quae contra Ecclesiam vel
legitimas potestates seu palam seu clandestine* machinantur. Ideo
nihil etiam refert, utrum a suis asseclis iuramentum servandi secreti
exigant necne[1]). β. Non imponitur amplius sub excommunicatione
obligatio *denuntiandi* massones omnes eorumque fautores, sed *solos
occultos coryphaeos et duces*. Nunc post CIC neque occultos coryphaeos ac duces *non denuntiantes* incurrunt censuram.

b. Societas *carbonaria;*

Carbonarios excommunicavit Pius VII. constitutione *Ecclesiam*
15. sept. 1821 et Leo XII. constitutione *Quo graviora* 13. mart. 1825.

c. Societas *fenianorum;*

Sectam hanc americanam et hibernicam sub excommunicatione
prohibitam esse declaravit S. *Officium* 12. ian. 1870.

d. Societates *nihilisticae* et *anarchisticae.*

Has sectas in Russia potissimum propagatas sub censura pro
hibitas esse patet ex fine, quem prosequuntur.

Utrum *societates socialisticae* sub censura prohibitae an simpliciter prohibitae sint, controvertitur. Alii *(D' Annibale, Ballerini-
Palmieri)* putant omnes societates, quae ex fine suo Ecclesiam vel
rempublicam impugnant, huic censurae obnoxias esse; alii vero
(Vermeersch, Lehmkuhl, Köck) non improbabiliter opinantur, duas
notas supra recensitas requiri, ut societas sub censura prohibita
sit, ideoque societates biblicas, clerico-liberales, neo-protestanticam
veterum catholicorum, item societates communisticas et socialisti-
cas, quas alii censurae obnoxiae declarant, excipiunt. Socialistae
autem, qui potius factionem politicam quam sectam seditiosam constituunt, ut socialistae in Belgio, excommunicationem non contrahunt.
Qui tamen his societatibus, earum principia et finem cognoscentes, ad-
haerent, excommunicationem Romano Pontifici speciali modo reservatam *propter haeresim* incurrunt[2]).

---

[1]) *S. Officium* 10. maii 1884.
[2]) *Lehmkuhl,* Casus consc. I n. 1058 s.

5*

75. Personae, quae propter has sectas censurantur.
Patet censuram non incurrere, nisi qui sciant societatem
sub censura prohibitam esse, i. e. nisi sciant societatem
contra Ecclesiam aut gubernium machinari et eiusmodi
societates censurae obnoxias esse (aliter si ignorantia esset
affectata, crassa vel supina).

Nomen dantes, i. e. qui associationem sub censura prohibitam ingrediuntur, eo quod illius membrum se constituunt.

Si quis bona fide associationi sub censura prohibitae nomen
dedit eamque re comperta non deserit, non incurrit excommunicationem, si invitus interim ad effugienda gravissima mala in ea remanet, donec absque gravi incommodo eam deserere possit.

Nota. 1. *Clerici* qui hoc delictum sub censura prohibitum commiserunt, praeter censuram excommunicationis poena suspensionis
vel privationis ipsius beneficii, officii, dignitatis, pensionis, aut muneris, si qua forte in Ecclesia habeant; *religiosi* autem privatione officii et vocis activae ac passivae aliisque poenis ad normam constitutionum plectantur (cf. can. 2336, § 1).
2. Insuper *clerici et religiosi* nomen dantes sectae massonicae
aliisque similibus associationibus denuntiari debent Sacrae Congre-
gationi S. Officii (can. 2336, § 2).

76. De absolutione francomurarii. Ut absolvi possit,
qui adscriptus est sectae massonicae vel alteri eiusdem
generis associationi, Sancta Sedes has condiciones exigere
solebat, quando facultatem concessit eiusmodi poenitentem
a censuris absolvendi:

a. Ut associationi prohibitae nuntium mittat omnemque
cum eius membris communicationem abrumpat.

Remota quavis alia sectarum participatione licet nomen proprium in sociorum catalogo retinere, necnon in taxae vel aeris alieni
solutione stato tempore perseverare sed solummodo sequentibus condicionibus et adiunctis simul in casu concurrentibus, scilicet:
1. Si bona fide sectae primitus nomen dederint, antequam sibi
innotuisset, societatem fuisse damnatam.
2. Si absit scandalum, vel opportuna removeatur declaratione,
id a se fieri, ne ius ad emolumenta vel beneficium temporis in aere
alieno solvendo amittat a quavis interim sectae communione et a
quovis interventu, etiam materiali ut praemittitur abstinendo.
3. Si grave damnum sibi aut familiae in renuntiatione obveniat.
4. Tandem ut non adsit vel homini illi, vel familiae eius periculum perversionis ex parte sectariorum spectato praecipue casu vel

infirmitatis vel mortis, neve similiter adsit periculum funeris peragendi, a ritibus catholicis alieni[1]).

b. Ut associationis libros, manuscripta et signa, si quae
retineat, confessario tradat, qui ea quamprimum ad ordinarium
transmittenda vel, si id fieri non possit, comburenda curabit.

c. Ut occultos associationis duces, si absque gravi incommodo fieri possit, ordinario denuntiet.

Raro fiet, ut quis bona fide sectae francomurariorum nomen
dederit et propter ignorantiam censuram non contraxerit. Si tamen
occurrat poenitens, qui pravum sectae finem ignorans bona fide ei
nomen dedit, de lege prohibente Ecclesiae atque de obligatione sectae nuntium mittendi omnemque cum ea communicationem abrumpendi omnino monendus est propter continuum peccandi periculum,
quod ex hac communicatione ei imminet, et propter aliorum scandalum. Quodsi in casu rarissimo propter peculiaria personae adiuncta
utrumque incommodum vere cessaret, monitio, quae praevideretui
nociva, omitti posset.

77. III. *Absolvere praesumentes sine debita facultate ab
excommunicatione latae sententiae specialissimo vel speciali
modo Sedi Apostolicae reservata* (cf. can. 2338, § 1).

Hanc censuram incurrunt *confessarii,* qui scienter et sponte
absque facultate poenitentem absolvunt ab excommunicatione latae
sententiae specialissimo vel speciali modo Romano Pontifici reservata.

Quando quis etiam sine speciali vel specialissima facultate absolvere possit a censuris quoquo modo reservatis vide supra n. 29.

Quaelibet imputabilitatis imminutio ergo etiam ignorantia
crassa vel supina eximit ab hac poena.

Si confessarius, ignorans reservationem, poenitentem absolvat,
absolutio censurae valet, si censura sit speciali modo, non valet, si
sit specialissimo modo Sedi Apostolicae reservata (cf. can. 2247,
§ 3 et supra n. 31 Nota 2 c).

78. IV. *Impendentes quodvis auxilium vel favorem excommunicato vitando in delicto propter quod excommunicatus fuerit, itemque clerici scienter et sponte in divinis cum
eodem communicantes et ipsum in divinis officiis recipientes* (cf. can. 2338, § 2).

a. Etsi communicatio *in crimine criminoso* cum quovis excommunicato prohibita sit, in censuram tamen ille tantum incidit, qui
communicat cum *excommunicato vitando*; quis censeatur vitandus,
vide supra n. 36.

b. Censura tamen illa tantum communicatio plectitur, quae consistit in auxilio vel favore excommunicato exhibito, ut in suo delicto,
propter quod excommunicatus fuit, persistat.

---

[1]) *S. Officium* 19. ian. 1896, cf. Acta S. Sedis XXVIII. p. 699

c. Hanc censuram incurrunt etiam *clerici*, qui *scientes* aliquem esse excommunicatum vitandum, *sponte,* non vi aut metu adacti cum eo in divinis communicant, eo quod illum in divinis officiis recipiunt i. e. ad divina officia peragenda admittunt. Ergo excommunicationem non incurrit clericus, qui simul cum excommunicato vitando officiis assistit, vel eius missam audit, quia eum non recipit in officiis, sed rector ecclesiae, qui eum admittit ad missam dicendam. Haec canonis explicatio, quae illud „*et*" sumit *explicative* ab auctoribus veteribus adhibita, etiam nunc valet (cf. can. 6, 2⁰). Quidnam intelligatur nomine *divinorum officiorum* vide supra n. 38 a.

Cum canon habeat verba *scienter et sponte* quaelibet imputabilitatis imminutio clericos ab incurrenda hac poena eximit (cf. can 2229, § 2).

79. V. *Si quis contra praescriptum can. 120 ausus fuerit ad iudicem laicum trahere alium Episcopum (qui non sit Ordinarius proprius neque S. R. E. Cardinalis vel Legatus Sedis Apostolicae vel Officialis maior Romanae Curiae) etiam mere titularem, aut Abbatem vel Praelatum n u l l i u s, vel aliquem ex maioribus religionum iuris pontificii Superioribus* (cf. can. 2341).

Praescriptum can. 120 vide supra n. 68; item explicationes ad can. 2341.

a. Religio iuris pontificii est religio quae vel approbationem vel saltem laudis decretum ab Apostolica Sede est consecuta (cf. can. 488, 3⁰). Superiores maiores: Abbas Primas, Abbas Superior Congregationis monasticae, Abbas monasterii sui iuris, licet ad monasticam Congregationem pertinentis, supremus religionis Moderator, Superior provincialis, eorundem vicarii aliique ad instar provincialium potestatem habentes (cf. can. 488, 8⁰).

b. Si quis *subditus* .in religionibus clericalibus exemptis *suum* Superiorem maiorem ad iudicem laicum trahere ausus fuerit vel *subditus suum* Abbatem vel Praelatum *nullius,* incurrit in excommunicationem Sedi Apostolicae *speciali modo* reservatam (cf. can. 2341 coll. can. 198, § 1).

80. VI. 1⁰ *Clausuram monialium violantes cuiuscunque generis aut condicionis vel sexus sint, in earum monasteria sine legitima licentia ingrediendo, pariterque eos introducentes vel admittentes;*

2⁰ *Mulieres violantes regularium virorum clausuram et Superiores aliique, quicunque ii sint, eas cuiuscunque aetatis introducentes vel admittentes;*

3⁰ *Moniales e clausura illegitime exeuntes contra praescriptum can. 601* (cf. can. 2342).

Can. 601 praescribit:

§ 1. Nemini monialium liceat post professionem exire
e monasterio, etiam ad breve tempus, quovis praetextu,
sine speciali Sanctae Sedis indulto, excepto casu immi-
nentis periculi mortis vel alius gravissimi mali.

§ 2. Hoc periculum, si tempus suppetat, scripto re-
cognoscendum est a loci Ordinario.

a. Censura refertur ad *clausuram papalem,* quae ser-
vanda est in domibus regularium sive virorum sive mulierum
canonice constitutis, etiam non formatis (cf. can. 597, § 1).

Lege clausurae papalis afficitur tota domus quam communitas regularis inhabitat, cum hortis et viridariis accessui
religiosorum reservatis; excluso, praeter publicum templum
cum continente sacrario, etiam hospitio pro advenis, si
adsit, et collocutorio, quod, quantum fieri potest, prope
ianuam domus constitui debet (can. 597, § 2).

Veniunt nomine *regularium,* qui vota nuncuparunt in
Ordine id est in religione in qua vota sollemnia nuncu-
pantur; *monialium,* religiosae votorum sollemnium non autem, cum hic agatur de clausura papali, religiosae quarum
vota ex instituto sunt sollemnia, sed pro aliquibus locis ex
Apostolicae Sedis praescripto sunt simplicia (cf. can. 488,
2⁰ et 7⁰).

b. Ad contrahendam censuram requiritur,

A. si agitur de clausura monialium: ut clausura violetur

α. vel per ingressum in monasterium sine legitima
licentia.

Sed ita clausuram violantes censuram contrahunt, quicunque sint, etiam mulieres exceptis tamen impuberibus.

Licentia ingrediendi clausuram monialium a iure communi conceditur (cf. can. 600):

1⁰ Ordinario loci aut Superiori regulari, monasterium
monialium visitantibus vel aliis Visitatoribus ab ipsis dele-
gatis dumtaxat inspectionis causa, cautoque ut unus saltem
clericis vel religiosus vir maturae aetatis eos comitetur;

2⁰ Confessario vel qui eius vices gerit, cum debitis
cautelis, ad ministranda Sacramenta infirmis aut ad assistendum morientibus;

3⁰ Iis qui supremum actu tenent populorum principatum eorumque uxoribus cum comitatu; itemque S. R. E
Cardinalibus. Praeterea

4⁰ Antistitae est, adhibitis debitis cautelis, ingressum
permittere medicis, chirurgis, aliisque quorum opera sit
necessaria, impetrata prius saltem habituali approbatione
ab Ordinario loci; si vero necessitas urgeat nec tempus
suppetat approbationem petendi, haec iure praesumitur.

Aliae personae omnes indigent licentia Sanctae Sedis.

Introducere dicuntur, qui ingredi volenti ianuam aperiunt. *Admittere* dicuntur recipientes, qui, dum possent et deberent, ingressum non impediunt, scilicet praefectae et ostiariae, non item privatae moniales. Idem dicendum est de iis, qui detinent vel non ex-
pellunt eos, qui ingressi sunt.

β. vel per egressum illegitimum monialis e clausura

Legitime exit monialis e clausura

1⁰ si habet speciale indultum Sanctae Sedis,

2⁰ si imminet periculum mortis vel alius gravissimi
mali e. gr. ex causa magni incendii, infirmitatis leprae,
epidemiae, invasionis hostilis.

Rigorosius, quam par est, hanc censuram interpretantur, qui
nullam admittentes parvitatem materiae cum s. Alphonso (n. 229)
docent, monialem, quae exeat e clausura, vel eum, qui ingreditur
clausuram *uno passu* tantum, excommunicationem incurrere.

B. si agitur de clausura regularium virorum: ut clausura violetur per ingressum mulieris. Incurrunt censuram:

α. Mulieres violantes clausuram omnes (nisi habeant
indultum speciale Sanctae Sedis), post annos pubertatis,
excipiuntur tamen uxores eorum qui supremum actu tenent
populorum principatum, cum comitatu (cf. can. 598, § 2).

β. Superiores aliique, quicunque ii sint eas cuiuscunque
aetatis, ergo etiam impuberes immo infantes quoque, introducentes vel admittentes.

Nota: Clausuram monialium violantes, si clerici sint,
praeterea suspendantur per tempus pro gravitate culpae

ab Ordinario definiendum (cf. can. 2342, 1⁰); Religiosi introducentes vel admittentes mulieres in regularium virorum clausuram praetera priventur officio, si quod habeant, et voce activa et passiva (cf. can. 2342, 2⁰).

81. VII. *Si quis bona ecclesiastica cuiuslibet generis, sive mobilia sive immobilia, sive corporalia sive incorporalia, per se vel per alios in proprios usus convertere et usurpare praesumpserit aut impedire ne eorundem fructus seu reditus ab iis, ad quos iure pertinent, percipiantur* (cf. can. 2346).

a. Haec censura tuetur *bona ecclesiastica* latissimo sensu, bona scilicet temporalia, sive corporalia, tum immobilia tum mobilia, sive incorporalia, quae vel ad Ecclesiam universam et ad Apostolicam Sedem vel ad aliam in Ecclesia personam moralem pertineant (cf. can. 1497, § 1), ad quae partim refertur etiam secundae seriei articulus XI. In casibus ergo, qui ad utramque censuram pertinent, contrahitur censura *speciali modo* Apostolicae Sedi reservata (cf. supra n. 70).

b. Censuram contrahunt laici, clerici, religiosi, immo etiam episcopi[1]), qui bona Ecclesiae *usurpant,* ea auctoritative tamquam iure sibi debita occupando, vel qui *impediunt,* ne ab iis, ad quos de iure pertinent, eorundem bonorum fructus seu reditus percipiantur.

c. In hac re disputabant, utrum *omnes usurpationes* hac censura plectantur, an solum *auctoritativae,* quae scilicet per publicam auctoritatem fiant. Ex declaratione S. Sedis fures et latrones hanc censuram non incurrunt[2]).

d. Qui eiusmodi bona ab usurpatoribus *emerint* vel alio ex se legitimo titulo (donatione, hereditate, legato etc.) acquisierint, usurpare bona dicendi sunt, quia ea sibi tamquam propria vindicant, et minime dubitandum, quin censuram incurrant[3]).

e. Cum lex habeat *praesumpserit,* quaelibet imputabilitatis imminutio eximit a censura. Qui nescit bona quae usurpat esse ecclesiastica, non incurrit excommunicationem, quia deest ratio delicti.

f. Excommunicationi tamdiu subiacet, quamdiu bona ipsa integre restituerit, praedictum impedimentum (ne bonorum fructus seu reditus ab iis, ad quos iure pertinent, percipiantur) removerit, ac deinde a Sede Apostolica absolutionem impetraverit (cf. can. 2346).

Nota. Quod si delinquens eiusdem ecclesiae seu bonorum *patronus* fuerit, etiam iure patronatus eo ipso privatus exsistat; *clericus* vero hoc delictum committens vel in eodem consentiens, privetur

---

[1]) Cappello, l. c. n. 329.
[2]) *S. Officium* 9. mart. 1870.
[3]) *S. Officium* 8. iul. 1874.

praeterea beneficiis quibuslibet, ad alia quaelibet inhabilis efficiatur et a suorum ordinum exsecutione, etiam post integram satisfactionem et absolutionem, sui Ordinarii arbitrio suspendatur (cf. can. 2346).

82. VIII. *Duellum perpetrantes aut simpliciter ad illud provocantes vel ipsum acceptantes vel quamlibet operam aut favorem praebentes, nec non de industria spectantes illudque permittentes vel quantum in ipsis est non prohibentes, cuiuscunque dignitatis sint* (cf. can. 2351).

Personae, quae censuram incurrunt. *Quandoquidem* iam constat, in quonam consistat ratio criminis *duelli privati,* quod hac excommunicatione feritur[1]), solum restat, ut *personae* indicentur, quae eam incurrunt.

1. *Perpetrantes,* qui nempe duellum committunt sive adhibitis sive non adhibitis patrinis, modo vere et proprie duellum sit.

2. *Provocantes,* et hi quidem excommunicationem incurrunt, sive alter acceptat sive non acceptat, sive provocans ipse locum, tempus et arma determinat sive haec alteri determinanda relinquit, sive duellum reipsa sequitur sive non sequitur.

3. *Acceptantes,* qui pariter excommunicationem incurrunt, etsi duellum reipsa non sequatur: cum enim censura afficiat *simpliciter* provocantes et acceptantes, ipsa provocatio et acceptatio serio facta censura feritur.

a. Nihil refert, ex qua intentione vel ex quo motivo provocantes et acceptantes agant, modo velint inire duellum; quodsi provocatio vel acceptatio non fiat cum animo ineundi duellum sed ficte e. g. ad ignaviae notam hic et nunc vitandam, excommunicatio non incurritur.

b. Metus gravis acceptantes duellum ab incurrenda censura non excusat: quando enim bonum commune exigit, ut lex poenalis urgeat, etsi grave damnum propter eius observationem subiri debeat, metus a lege et proinde etiam a poena non excusat; sed bonum commune

---

1) Cf. De praeceptis[18] n. 347.

exigit, ut lex duellum prohibens, etiam quatenus humana est, propter metum gravis mali non cesset.

4. *Operam vel favorem praebentes* intelliguntur, qui quocunque modo propius ad duellum cooperantur, dummodo duellum reipsa sequatur. Quare excommunicationem incurrunt: qui locum ad duellum praebent, qui publicos custodes removent, ne duellum impediant, qui duellantes comitantur eisque sic animum addunt, qui litteras provocatorias scribunt aut deferunt; *medici*, qui *ex condicto cum duellantibus* duello assistunt vel in loco propinquo versantur, etsi cum intentione citius finiendi pugnam aut vulnera ligandi[1]); *confessarii*, qui *ex condicto cum duellantibus* in loco vicino consistunt ad praebendum duellantibus suum ministerium, si opus fuerit[2]); *patrini* seu testes; *consulentes; mandantes*, dummodo consilium vel mandatum verum influxum in duellum vel in provocationem vel in acceptationem habuerit, et duellum reipsa secutum fuerit.

a. Excommunicationem non incurrunt, qui *remote* tantum ad duellum *cooperantur*, ut lanistae, qui duellaturos artem gladiatoriam docent vel qui arma eis vendunt vel locant, dummodo id pro ratione artis et muneris erga omnes indiscriminatim faciant; aurigae, qui duellantes ad locum duelli vehunt.

b. Excommunicationem non incurrunt, qui munus testis vel patrini acceptant ad reconciliationem inducendam, qui duellantes ad locum certaminis comitantur eo solum fine, ut duellum impediant, vel, ubi norunt duellantes decrevisse ad mortem usque decertare, ut certamini finem imponant, cum primum alteruter vulnus acceperit.

5. *De industria spectantes* i. e. qui data opera et aperte consciis duellantibus duello intersunt.

Ergo excommunicationem non incurrunt, qui casu transeuntes subsistunt et curiositatis gratia aspiciunt, aut qui a longe vel ex occulto loco spectant, aut qui interveniunt, ut duellum impediant, nec milites, qui ex mera curiositate spectant commilitones in contubernio duellantes[3]), quia hi omnes sua praesentia non augent animum ad pugnam.

---

[1]) *S. Officium* 28. maii 1884.
[2]) *S. Officium* l. c.
[3]) *Génicot-Salsmans*[10], l[1]. n. 601.

6. *Permittentes* vel non prohibentes non intelliguntur homines privati, sed homines publica auctoritate praediti sive civili sive militari, qui duellum aut positive permittunt, aut, cum possent, non impediunt ut principes in territoriis suis vel duces inter milites suos.

Nota. 1. Ipsi duellantes et qui eorum patrini vocantur, sunt praeterea ipso facto infames (cf. can. 2351, § 2).

2. Mortui in duello aut ex vulnere inde relato ecclesiastica sepultura privantur, nisi ante mortem aliqua dederint poenitentiae signa (cf. can. 1240, § 1, 4⁰).

83. IX. *Clerici in sacris constituti vel regulares aut moniales post votum sollemne castitatis, itemque omnes cum aliqua ex praedictis personis matrimonium, etiam civiliter tantum contrahere praesumentes* (cf. can. 2388, § 1).

a. Putabant nonnulli: α. ad incurrendam censuram requiri, ut huiusmodi matrimonio aliud non obstet impedimentum; at declaravit S. Sedes censuram contrahi, etsi praeter ordinem vel votum adsint alia impedimenta dirimentia e. g. affinitatis vel consanguinitatis[1]); β. censuram non incurri, si contrahant *matrimonium civile* in loco, ubi lex tridentina de clandestinitate viget; at vero iterum declaravit S. Sedes censuram contrahi per matrimonium civile, etiam in loco, ubi lex tridentina viget[2]); nunc in ipso Codice res extra dubium posita est.

b. Praesumentes. Ergo excusat quaelibet imputabilitatis imminutio.

Cum in clericis et religiosis *ignorantia* legis matrimonium prohibentis sit impossibilis, solum ignorantia poenae (si ignoratur ordo vel votum, quo alter ligatur, deest ratio delicti) excusare poterit.

c. De professis votorum *simplicium* vide infra n. 93.

Nota. Clerici praeterea, si moniti, tempore ab Ordinario pro adiunctorum diversitate praefinito, non resipuerint, degradentur (cf. can. 2388, § 1).

Officia quaelibet, quae clericus habuerit, ob tacitam renuntiationem ab ipso iure admissam vacant ipso facto et sine ulla declaratione (cf. can. 2388, § 1 coll. can. 188, n. 5).

84. X. *Delictum perpetrantes simoniae in quibuslibet officiis, beneficiis aut dignitatibus ecclesiasticis* (cf. can. 2392).

---

[1] *S. Officium* 13. ian. 1892.
[2] *S. Officium* 22. dec. 1880.

a. De notione simoniae vide can. 727, 728, 730 et De Praecep-
tis¹⁶ n. 181 sqq. ubi in extenso de simonia agitur.

Censura plecti videtur quodlibet delictum simoniae non tantum
simonia iuris divini sed etiam simonia iuris ecclesiastici, non sola
simonia *realis* sed etiam *conventionalis* et *confidentialis,* non tamen simonia *mentalis* quae quidem est peccatum sed non delictum
cadens sub censura.

b. In *quibuslibet* officiis et beneficiis, quae sensu stricto iuris
canonici talia sunt. *Officium ecclesiasticum* stricto sensu est munus
ordinatione sive divina sive ecclesiastica stabiliter constitutum, ad
normam sacrorum canonum conferendum, aliquam saltem secum-
ferens participationem ecclesiasticae potestatis sive ordinis sive
iurisdictionis (cf. can. 145).

Beneficium ecclesiasticum est ens iuridicum a competente
ecclesiastica auctoritate in perpetuum constitutum seu erectum, con-
stans officio sacro et iure percipiendi reditus ex dote officio ad-
nexos (can. 1409).

Licet aliquam cum beneficiis similitudinem prae se ferant, in
iure tamen beneficii nomine non veniunt:

1⁰ Vicariae paroeciales non in perpetuum erectae;

2⁰ Cappellaniae laicales, quae scilicet erectae non sunt a competente auctoritate ecclesiastica;

3⁰ Coadiutoriae cum vel sine futura successione;

4⁰ Pensiones personales;

5⁰ Commenda temporaria, idest concessio redituum alicuius
ecclesiae aut monasterii alicui facta ita ut, eo deficiente, reditus ipsi
ad ecclesiam vel monasterium revertantur (can. 1412).

c. Contrahunt hanc poenam omnes delictum simoniae perpetrantes in collatione, susceptione et dimissione dignitatum, officiorum ecclesiasticorum; etiam Episcopi, non tamen S. R. E. Cardinales
(cf. can. 2227, § 2).

Quoad *complices* applicandae sunt normae can. 2231 coll. 2209
(cf. supra n. 21, d).

85. Nota. 1. Aliae ponae in delinquentes (cf. can. 2392):

Ipso facto privati in perpetuum manent iure eligendi, praesentandi, nominandi, si quod habeant (cf. etiam can. 1470, § 1, 6⁰);

Si clerici sint, praeterea suspendantur.

2. Contractus ipse simoniacus et subsequens provisio beneficiorum, officiorum, dignitatum omni vi caret, licet simonia a tertia
persona commissa fuerit, etiam inscio proviso, dummodo hoc non
fiat in fraudem eiusdem provisi aut eo contradicente.

Quare: 1⁰ Ante quamlibet iudicis sententiam res simoniace
data et accepta, si restitutionis sit capax nec obstet reverentia rei
spirituali debita, restitui debet, et beneficium, officium, dignitas
dimitti;

2⁰ Simoniace provisus non facit fructus suos; quod si eas bona
fide perceperit, prudentiae iudicis vel Ordinarii permittitur fructus
perceptos ex toto vel ex parte eidem condonare (cf. can. 729).

86. XI. *Vicarius Capitularis aliive omnes tam de Capitulo, quam extranei, qui documentum quodlibet ad Curiam episcopalem pertinens sive per se sive alium subtraxerint vel destruxerint vel celaverint vel substantialiter immutaverint* (cf. can. 2405).

Actiones sub censura prohibitae sunt subtrahere, destruere, celare, substantialiter immutare; utrum delictum aliquis per se vel per alium patraverit perinde est.

Requiritur tamen ut documentum pertineat ad Curiam episcopalem, ergo ut sit officiale sive a Curia confectum sive ad eam directum.

Nota. Delinquentes praeterea ab Ordinario etiam privatione officii, beneficii, plecti poterunt (cf. can. 2405).

Articulus sextus.

De excommunicationibus ex iure Ordinario reservatis.

In quarta serie excommunicationes numerantur *sex.* Quae quidem censurae, cum a Romano Pontifice reserventur, proprie *papales* dicendae sunt, a quibus tamen Episcopi vi potestatis iurisdictionis *ordinariae,* utpote ipso iure officio adnexae absolvere possunt. Incurrunt hanc poenam:

87. I. *Catholici:*

1º *Qui matrimonium ineunt coram ministro acatholico contra praescriptum can. 1063, § 1;*

2º *Qui matrimonio uniuntur cum pacto explicito vel implicito ut omnes vel aliqua proles educetur extra catholicam Ecclesiam;*

3º *Qui scienter liberos suos acatholicis ministris baptizandos offerre praesumunt;*

4º *Parentes vel parentum locum tenentes qui liberos in religione acatholica educandos vel instituendos scienter tradunt* (cf. can. 2319, § 1).

Can. 1063, § 1 praescribit:

Etsi ab Ecclesia obtenta sit dispensatio super impedimento mixtae religionis, coniuges nequeunt, vel ante vel post matrimonium coram Ecclesia initum, adire quoque, sive per se sive per procuratorem, ministrum acatholicum uti sacris addictum, ad matrimonialem consensum praestandum vel renovandum.

a. Uti sacris addictum: qui enim adeunt ministrum acatholicum officialis civilis tantum munere fugientem, idque ad actum civilem dumtaxat explendum, effectuum civilium gratia, non incurrunt censuram, immo, lege civili hoc iubente, non improbatur ab Ecclesia quod coniuges se sistant etiam coram ministro acatholico ex praedicta causa et intentione (cf. can. 1063, § 3).

Si vero se sistant coram ministro acatholico uti sacris addicto, incurrunt excommunicationem non tantum, si eum adeunt ad matrimonialem consensum *praestandum,* sed etiam si solummodo ad *renovandum.*

Ante Codicem coniuges, qui matrimonium inibant coram ministro acatholico, censura plectebantur ratione haeresis et disputabant auctores, quaenam esset huius censurae causa; alii ut *fautores* haereticorum, alii vero ut *credentes* haereticis in foro externo eos excommunicari dicebant: nunc propria haec censura stabilita est.

Hanc censuram ii quoque incurrere videntur, qui absque dispensatione ab impedimento mixtae religionis et sine intentione contrahendi matrimonium in forma ab ecclesia catholica praescripta adeunt ministrum acatholicum ut sacris addictum ad matrimonialem consensum praestandum.

In praxi praeterea attendendum est, num forte habeatur casus can. 2316 vel fortasse etiam can. 2314.

Nota 1. Qui coram ministro acatholico matrimonium contrahunt, incurrunt saltem pro foro externo excommunicationem, *etsi censurae inscii fuissent.* Eximit quidem ignorantia etiam solius poenae, si non fuerit crassa vel supina, a censura (cf. can. 2229, § 3, 1º) sed ignorantia circa legem aut poenam generatim non praesumitur (cf. can. 16, § 2). Qui ergo censuram cognoscunt, eam pro utroque foro, qui vero eam ignorant, censuram pro solo foro externo incurrunt. Celebratio enim matrimonii natura sua actus publicus est, qui ad forum externum pertinet, ideoque vetita illius celebratio directe pro foro externo censura punitur. Ut ergo ad sacramenta admitti possit, qui coram ministro acatholico contraxit, saltem pro foro externo a censura absolvi debet.

Nota 2. Reconciliatio, supposito valore matrimonii, hoc modo fit:

α. Reconciliandus monetur α. de gravitate peccatorum, quae commisit contrahendo coram ministro haeretico et de obligatione iis dolendi seque in confessione de iis accusandi; β. de obligatione de liberos catholice educandi, vel, si mulier est, curandi, ut maritus catholicam liberorum educationem permittat, quodsi eam non permitteret, curandi ut liberi, quantum ab ipso dependet, catholice educentur.

β. Libellus supplex ad episcopum mittitur, in quo expresso nomine reconciliandi, exponitur factum, de quo agitur, cum omnibus suis adiunctis (praesertim reconciliandum suis obligationibus satisfacere velle) et petitur facultas absolvendi ab excommunicatione pro foro externo. Qua obtenta reconciliandus iuxta Rituale romanum (tit. 3. c. 3) ab excommunicatione absolvitur. Concessa absolutione acta iuxta dispositionem ordinarii conficiuntur, facta reconciliatione poenitens a quovis confessario a peccato absolvi potest.

γ. Si delictum in loco, ubi reconciliandus versatur, notum non est, non requiritur, ut causa in foro externo peragatur. Sufficit ergo, ut confessarius petat facultatem absolvendi reconciliandum in actu sacramentalis confessionis, quae absolutio valet etiam pro foro externo.

b. Ad incurrendam censuram sufficit, ut matrimonium initum sit cum pacto, ut proles extra catholicam Ecclesiam educetur, neque requiritur, ut tradatur educanda alicui sectae acatholicae. Si tale pactum versetur circa partem liberorum e. g. circa pueros tantum, vel circa puellas incurritur censura. Coniuges, qui post initum matrimonium tale pactum fecerint, non plectuntur censura ex hoc capite, sed possunt subesse poenae ex ratione n. 4⁰ allata.

c. Quoad nn. 3. et 4. attendendum est ad „scienter". Quare non solum ignorantia sed quaelibet imputabilitatis imminutio eximit a poena (cf. can. 2229, § 2). Ergo uxor e. g. timens minas vel rixas mariti et ita consentiens in hoc delictum, non incurrit excommunicationem.

Nota. Ii, de quibus in nn. 2—4, sunt praeterea suspecti de haeresi (cf. can. 2319, § 2 et supra n. 59).

88. II. *Qui falsas reliquias conficit, aut scienter vendit, distribuit vel publicae fidelium venerationi exponit* (cf. can. 2326).

Quattuor sunt *actiones* sub censura prohibitae: *conficere* falsas reliquias, *scienter vendere, scienter distribuere, scienter exponere* publicae venerationi.

Qui putat falsas reliquias quas vendit esse genuinas, non incurrit excommunicationem sed peccat, quia sacras reliquias vendere nefas est (cf. can. 1289). Qui vendit vel distribuit vel publicae venerationi exponit reliquias quas falsas esse non certo sciat, non incurrit excommunicationem, etiamsi valde dubitet de earum genuinitate, dummodo ignorantia non sit affectata. Sacrista, qui ex metu obsecundans rectori Ecclesiae exponeret publicae venerationi reliquias quas falsas esse certo cognoscit, non est obnoxius poenae excommunicationis, quae lata est in eum qui *scienter* exponit. Exponere falsas reliquias *privatae* venerationi non plectitur censura.

89. III. *Qui violentas manus iniecerit in personam aliorum clericorum (qui sunt Episcopis inferiores) vel utriusque sexus religiosorum* (cf. can. 2343, § 4).

Haec excommunicatio continet privilegium canone 15. concilii lateranensis II. (1139) statutum, propter quod *privilegium canonis* appellari consuevit[1]).

Haec censura ab aliis differt, quod non strictae sed *latae interpretationis* sit, tum quia continet favorem ordini clericali concessum, tum quia interpretanda est ad eum modum, quo censuram in constitutione *Apostolicae Sedis* interpretari solebant doctores; sed late eam interpretati sunt, modum secuti doctorum antiquorum, qui canonem concilii lateranensis latissime semper sunt interpretati. Differebat haec censura ab aliis etiam eo, quod percussorem efficiebat *vitandum,* si certe constabat percussorem in excommunicationem incidisse, etsi non esset nominatim denuntiatus; nunc hic effectus solummodo obtinet, si quis violentas manus in personam Romani Pontificis iniecerit (cf. can. 2343, § 1, 1⁰ coll. can. 2258, § 2; supra n. 52).

Duo de hac re declaranda sunt: *a.* quaenam personae hoc privilegio gaudeant; *b.* quaenam actiones censura plectantur.

90. Personae: *clerici vel utriusque sexus religiosi.*

1. *Clerici,* i. e. quicunque per primam tonsuram divinis ministeriis mancipati sunt (cf. can. 108, § 1) et privilegium canonis non amiserunt, ergo etiam excommunicati, suspensi, interdicti, immo etiam depositi (cf. can. 2303, § 1) non vero qui perpetuo privati sunt iure deferendi habitum ecclesiasticum (cf. can. 2304, § 2) multoque minus degradati (cf. can. 2305) omnesque legitime redacti aut regressi ad statum laicalem (cf. can. 213, § 1).

Sunt, qui affirment (*s. Alphonsus* n. 271) hoc privilegio gaudere etiam seminaristas et pueros in parvis seminariis, etsi primam tonsuram nondum acceperint, quod tamen demonstrari nequit.

2. *Religiosi* utriusque sexus, quo nomine sensu stricto comprehenduntur omnes qui vota nuncuparunt in aliqua religione (cf. can. 488, 7⁰):

---

[1]) C. *Si quis suadente* 29. c. 17. q. 4.

a. Regulares qui vota nuncuparunt in Ordine et *religiosi votorum simplicium* qui in Congregatione religiosa; sive clerici sint sive laici;

b. Moniales, religiosae votorum sollemnium, et *sorores,* religiosae votorum simplicium;

Censura tuetur etiam:

α. Novitios (cf. can. 614, coll. can. 119), non vero postulantes[1]);

β. *Fratres et sorores tertii ordinis* s. Francisci et s. Dominici et, qui dicuntur *oblati,* modo habitum religiosum gestent et cum claustralibus vivant;

γ. Sodales in societatibus sive virorum sive mulierum in communi viventium sine votis (de quibus agitur in can. 673 sqq.) etiam laicis (cf. can. 680 coll. can. 119).

91. Actiones comprehenduntur hac clausula: *violenta manuum iniectio,* quae significat quamlibet iniuriam externam et graviter peccaminosam, quae non solis verbis sed factis personae clerici infertur. Eiusmodi iniuria triplici modo inferri potest:

1. *laesione corporis:* occidendo, vulnerando, percutiendo, deiiciendo, persequendo, ut ea de causa corruat etc.;

2. *laesione libertatis:* incarcerando, detinendo in custodia, in loco etiam privato;

3. *laesione dignitatis:* quocunque modo vim inferendo, vestes conscindendo, sputo vel sordibus foedando, currum, quo persona ecclesiastica vehitur, vi sistendo, pileum, crumenam, baculum detrahendo etc.

a. Ad incurrendam hanc censuram non requiritur, ut ipsae actiones in se sint graviter peccaminosae, sed sufficit, ut honorem clericalem graviter laedant, id quod fieri potest etiam per actiones in se leves, quibus in morali hominum aestimatione dignitas clericalis graviter laedatur.

b. Utrum hac censura plectantur etiam *cooperantes* (scilicet *mandantes* vel *consulentes)* et *ratihabentes* percussionem clerici, an solum *re* percutientes, disputabant auctores.

---

[1]) Ita auctores communiter e. g. Eichmann, l. c. § 50, 4; Cerato, l. c. n. 49; Chelodi, l. c. n. 75; contra at minus recte Cappello, l. c. n. 382; quem sequitur Cocchi, l. c. n. 187 coll. p. VIII.

Nunc dicendum est *cooperantes* tunc tantum eadem poena teneri, si delictum sine eorum opera commissum non fuisset (cf. can. 2231 coll. can. 2209, § 1—3).

c. Item disputabant, num *impuberes* hanc censuram incurrerent. Per CIC quaestio negative decisa est (cf. can. 2230).

Ad incurrendam censuram actiones iniuriosae debent esse sacrilegae et graviter peccaminosae etiam interius, non solum exterius, si non laesione corporis, saltem laesione honoris (quod antea exprimebatur clausula „suadente diabolo").

Quare haec excommunicatio non incurritur:

a. Si percussio fiat ex iusta causa, ut si quis clericum percutiat iustae defensionis gratia et cum debito moderamine, vel si fiat correctionis gratia, ut si pater vel magister clericum in minoribus constitutum vel per se vel per alium moderate percutiat, vel si quis clericum etiam sacerdotem pro delictis suis iusta poena e. g. carceris afficiat.

b. Si fiat absque sacrilegio, ut si quis ignoret eum, quem percutit, esse clericum.

c. Si fiat absque gravi culpa, ut si quis clericum percutiat sine plena advertentia ex subita ira, vel si ioco faciat.

Nota. 1. Nonnemo opinatur clericum, qui se ipsum non spiritu poenitentiae ductus sed pravo animo percusserit, excommunicationem incurrere; verum recte *s. Alphonsus* probabile censet canonem solum loqui de altero clericum percutiente[1]).

2. Ordinarius proprius pro suo prudenti arbitrio delinquentem praetera aliis poenis, si res ferat, puniat (cf. can. 2343, § 4).

92. IV. *Procurantes abortum, matre non excepta, effectu secuto* (cf. can. 2350, § 1).

Declaratio. Ex ipsis huius censurae verbis tria ad eam incurrendam requiruntur: *a.* ut *verus abortus* habeatur, *b.* ut abortus *procuratus* fuerit, *c.* ut *effectus secutus* sit.

1. *Ut verus abortus habeatur.* Ex iis, quae alibi de ratione abortus dicta sunt[2]), constat ad verum abortum requiri: *a.* ut *fetus* eiiciatur: etenim si certo non constat, id, quod eiicitur, esse fetum et non solam molam, non incurritur excommunicatio; *b.* ut *ante septimum gestationis mensem* eiiciatur: etenim post septimum gestationis mensem non habetur abortus, sed acceleratus partus.

---

[1]) Cf. *s. Alphonsus* l. 7. n. 274.
[2]) Cf. De praeceptis[18] n. 342.

α. Ergo non incurritur excommunicatio, si semen statim post copulam expellitur, quia conceptio nondum est certa; nec si eiicitur fetus iam mortuus, etsi procurans nesciebat eum iam mortuum esse.

β. Operatio chirurgica, quae vocatur *craniotomia*, non tam procuratio abortus quam directum homicidium est, idcirco qui peragit craniotomiam, non incurrit excommunicationem, qua procurantes abortum feriuntur[1]).

γ. Nihil refert, quo tempore post conceptionem procuretur abortus, quia verba canonis non distinguunt inter fetum animatum et inanimatum (leges recentes ab antiqua et obsoleta hypothesi fetus inanimati praescindere censentur), sed absolute dicunt: *procurantes abortum.*

2. *Ut procuratus fuerit.* Abortum *procurare* dicuntur, qui sive per se sive per alium ex directa intentione abortus actione ex se efficaci illum producere conantur, ut si medicus amasius mulieri ad finem abortus remedium praebeat vel ei terrorem incutiat: aliquid *procurare* enim dicitur, qui de industria illud quaerit.

Ergo excommunicationem non incurrunt, qui mulierem praegnantem ex ira, odio vel alio motivo licet graviter peccaminoso percutiunt, ita ut *per accidens* abortus sequatur, etsi praevisus fuerit.

a. Num excommunicationem incurrat *mater,* quae sibi abortum procurat, antea disputatum est. Nunc per CIC res extra dubium posita est. Dicendum tamen videtur matrem, quae ex gravi metu ad procurandum sibi abortum inducta fuerit, a censura immunem esse.

b. Non solum qui *per se,* sed etiam qui *per alium* efficiunt, ut mulier fetum eiiciat, abortum *procurare* dicuntur, ideo mandantes tum mulieri, ut sibi, tum aliis, ut mulieri abortum procurent, excommunicatione feriuntur. Etiam ad abortum *cooperantes* sive physice sive moraliter ex iure recenti excommunicationem incurrunt, si delictum sine eorum opera commissum non fuisset non autem si eorum concursus facilius tantum reddidit delictum (cf. can. 2231 coll. can. 2209, § 1—4).

3. *Ut effectus secutus sit.* Duo ergo ex hoc capite ad incurrendam censuram requiruntur: *a.* ut abortus ex medio adhibito reipsa secutus sit; *b.* ut certo constet eum ex hoc ipso et non potius ex alio medio secutum esse.

---

[1]) Aliter *Eichmann* l. c. p. 176. Decisiones S. C. Inquisitionis ab auctore allatae probant quidem craniotomiam non esse licitam, non autem delinquentem incurrere excommunicationem.

Ex sententia s. *Alphonsi* (n. 40) excommunicationem non incurrit, quem procurati abortus poenitet, priusquam effectus sequatur, quia in hoc casu delinquens non est amplius contumax, quando
peccatum fit opere consummatum. Attamen poenitentia efficit quidem, ut cesset peccatum antea commissum, at impedire nequit, quominus incurratur censura propter peccatum cum prava et contumaci
voluntate antea commissum. Nec obstat, quod poena contrahatur,
quando peccatum iam remissum est: poena enim non est effectus
perseverantis peccati, sed peccati prius commissi (n. 21).

Nota. Si delinquentes sint clerici praeterea deponantur (cf.
can. 2350).

Qui fetus humani abortum procuraverunt, effectu secuto, omnesque cooperantes sunt irregulares ex delicto (cf. can. 985, 4º).

93. V. *Professi votorum simplicium perpetuorum tam
in Ordinibus quam in Congregationibus religiosis itemque
omnes cum aliqua ex praedictis personis matrimonium etiam
civiliter tantum contrahere praesumentes* (cf. can. 2388, §2).

Vide quae habentur supra (n. 83) ad n. IX. seriei
tertiae.

Quod si vota simplicia sint temporanea excommunicatio non incurritur.

94. VI. *Religiosus, apostata a religione* (cf. can. 2385).

Religiosi intelliguntur (sive viri sive mulieres) qui vota
nuncuparunt in aliqua religione (cf. can. 488, 7º et can. 490).

Apostata a religione dicitur professus a votis perpetuis
sive sollemnibus sive simplicibus qui e domo religiosa illegitime egreditur cum animo non redeundi, vel qui, etsi
legitime egressus, non redit eo animo ut religiosae obedientiae sese subtrahat (can. 644, § 1).

Qui, sine Superiorum licentia, domum religiosam deserit cum
animo ad religionem redeundi non est apostata sed fugitivus propriis poenis obnoxius (cf. can. 644, § 3 et can. 2386).

Malitiosus animus, de quo in citata § 1, iure praesumitur, si religiosus intra mensem nec reversus fuerit nec
Superiori animum redeundi manifestaverit (cf. can. 644, §2).

Excommunicatio est reservata Ordinario et quidem

1. Superiori maiori, si religio sit clericalis exempta;

2. Ordinario loci in quo commoratur delinquens, si
religio sit laicalis aut non exempta (cf. can. 2385).

Nota. 1. Religiosus, apostata a religione, praeterea ab actibus legitimis ecclesiasticis est exclusus, privilegiis omnibus suae religionis privatus; et si redierit perpetuo caret voce activa et passiva, ac praeterea aliis poenis pro gravitate culpae a Superioribus puniri debet ad normam constitutionum (cf. can. 2385).

2. Religiosus, apostata a religione, si praeterea sit publicus apostata a fide catholica vel religiosus, qui cum muliere, aut religiosa quae cum viro fugam arripuerit, vel si attentaverit aut contraxerit matrimonium aut etiam vinculum, ut aiunt, civile: ipso facto habendus est tamquam legitime dimissus a religione (cf. can. 2385 coll. can. 646, § 1).

95. De absolutione a censuris Ordinario a iure reservatis. Vide supra 29.

a. In articulo mortis constitutus a quovis confessario absolvi potest, nec remanet obligatio adeundi Episcopum, si absolutus convaluerit.

b. Regulares potestatem habent ab his casibus a iure Ordinario reservatis absolvendi; etenim ante constitutionem „Apostolicae Sedis" vi privilegii a casibus reservatis (exceptis episcopalibus) absolvere poterant; per constitutionem autem praedictam revocatum est privilegium absolvendi a casibus Romano Pontifici revervatis: mansit ergo facultas absolvendi a casibus Romano Pontifici non reservatis, quod privilegium neque per CIC revocatum est.

Articulus septimus.

De excommunicationibus nemini reservatis.

Quinta series continet quinque excommunicationes quas incurrunt:

96. I. *Auctores et editores qui sine debita licentia sacrarum Scripturarum libros vel earum adnotationes aut commentarios imprimi curant* (cf. can. 2318, § 2).

De debita licentia edendi libros sacrarum Scripturarum alibi tractatur[1]) (videri potest can. 1385 et 1391).

Censuram incurrunt: auctor et editor, si librum imprimendum curant, non autem imprimentes seu typographi, nisi ipsi sint libri auctores vel editores, multoque minus ad impressionem solummodo cooperantes.

97. II. *Qui ausi fuerint mandare seu cogere tradi ecclesiasticae sepulturae infideles, apostatas a fide, haereticos schismaticos, aliosve sive excommunicatos sive interdictos contra praescriptum can. 1240, § 1* (cf. can. 2339).

---

[1]) Cf. De praeceptis[18] n. 698 sqq.

Can. 1240, § 1 praescribit:

Ecclesiastica sepultura privantur, nisi ante mortem aliqua dederint poenitentiae signa:

1º Notorii apostatae a christiana fide, aut sectae haereticae vel schismaticae aut sectae massonicae aliisve eiusdem generis societatibus notorie addicti;

2º Excommunicati vel interdicti post sententiam condemnatoriam vel declaratoriam;

3º Qui se ipsi occiderint deliberato consilio;

4º Mortui in duello aut ex vulnere inde relato;

5º Qui mandaverint suum corpus cremationi tradi[1]);

6º Alii peccatores publici et manifesti.

a. Sepultura ecclesiastica secundum can. 1204 consistit in cadaveris translatione ad ecclesiam, exsequiis super illud in eadem celebratis, illius depositione in loco legitime deputato fidelibus defunctis condendis. Haec verba utut dent sepulturae ecclesiasticae notionem sensu *strictissimo et perfectissimo*, non tamen omnia huius descriptionis elementa videntur esse necessaria, ut habeatur *vera et proprie dicta* sepultura ecclesiastica circa quam versetur haec excommunicatio, sed standum esse videtur explicationibus veterum auctorum. Secundum has autem sepultura ecclesiastica habetur, si defunctus deponitur in loco sacro et ritu sacro; immo etsi deponatur sine ritu sacro, dummodo id fiat in loco sacro, iam incurritur censura[2]); at non incurritur, si sepeliatur ritu sacro in loco profano. Locus sacer autem non tantum coemeterium benedictum intelligendus videtur sed etiam tumulus benedictus in coemeterio non benedicto. — Si omnia elementa, quae habet can. 1204, *simul* requirerentur ad sepulturam ecclesiasticam, sequeretur quod in regionibus, ubi a legibus civilibus prohibetur cadaveris translatio ad ecclesiam, non habetur *vera et proprie* dicta sepultura ecclesiastica, quod affirmare absonum videtur. Cum tamen plures auctores teneant sententiam, requiri, ut incurratur censura can. 2339, sepulturam ecclesiasticam sensu *strictissimo* cum omnibus elementis can. 1204 simul sumptis[3]) — quamvis nobis talis sententia non probetur — videtur dicendum esse, donec ab auctoritate ecclesiastica quaestio decidatur, *practice* non incurri excommunicationem nisi in casu adsit sepultura ecclesiastica sensu strictissimo.

---

[1]) „etiamsi crematio ad normam canonis 1203 § 2 non sequatur" (declaratio Pontificiae Commissionis ad Codicis canones authentice interpretandos 10. nov. 1925; A. A. S. XVII. [1925] p. 583).

[2]) Aliter sentire videtur *Eichmann* (l. c. § 46) qui partem essentialem sepulturae ecclesiasticae ponit in exsequiis secundum ritus liturgicos.

[3]) E. g. Cappello, l. c. n. 401; Cocchi, l. c. n. 179; Chelodı, l. c. n. 73; Cerato, l. c. n. 42.

b. Mandantes seu *cogentes* intelliguntur, qui publica auctoritate praediti aut imperio iubent sepulturam, aut vi vel metu alios cogunt ad sepeliendum. Ergo *sepelientes* vel sepulturae *assistentes* censuram non incurrunt. Sponte vero sepulturam eisdem donantes contrahunt interdictum ab ingressu ecclesiae Ordinario reservatum (cf. can. 2339 et infra n. 111).

c. Infideles, qui sine baptismo decesserint; catechumeni autem qui nulla sua culpa sine baptismo moriantur, baptizatis accensendi sunt et proinde sepultura ecclesiastica donandi (cf. can. 1239).

Apostatae a fide, haeretici, schismatici, aliive sive excommunicati sive interdicti ii tantum qui sepultura ecclesiastica privantur; ergo apostatae *notorii*, etsi non sint vitandi nec ulli sectae adhaeserint, dummodo publice constet eos fuisse haereticos et in haeresi decessisse, sive notorietate iuris sive facti haeretici et schismatici *notorie sectae addicti*, excommunicati vel interdicti post sententiam condemnatoriam vel declaratoriam; hi autem omnes solum, nisi ante mortem aliqua dederint poenitentiae signa (cf. can. 1240). Ita enim interpretanda videntur verba „contra praescriptum can. 1240, § 1"[1]).

d. Cum lex habeat verba *„ausi fuerint"* quaelibet imputabilitatis imminutio eximit ab hac poena. Ergo cum in Austria ex lege civili haeretici in duplici casu sepeliri debeant in coemeterio catholicorum, notandum est eos censuram non incurrere, qui non proprio nomine, sed vi legis civilis vel nomine superioris sepulturam mandant vel alios ad sepeliendum cogunt.

98. III. *Si in alienandis bonis ecclesiasticis beneplacitum apostolicum in canonibus 534, § 1 et 1532 praescriptum, fuerit scienter praetermissum, omnes quovis modo rei sive dando sive recipiendo sive consensum praebendo* (cf. can. 2347, 3⁰).

Can. 534, § 1 statuit: si agatur de alienandis rebus pretiosis aliisve bonis *intellige:* alicuius religionis, provinciae, domus, quorum valor superet summam triginta millium francorum seu libellarum, vel de contrahendis debitis et obligationibus ultra indicatam summam, contractus vi caret, nisi beneplacitum apostolicum antecesserit.

§ 2. In precibus pro obtinendo consensu ad contrahenda debita vel obligationes, exprimi debent alia debita vel obligationes, quibus ipsa persona moralis, religio vel provincia vel domus, ad eum diem gravatur; secus obtenta venia invalida est.

---

[1]) Similiter *Eichmann*, l. c. § 46, qui tamen haec verba referenda putat tantum ad circumstantiam „post sententiam condemnatoriam vel declaratoriam". Aliam autem interpretationem supponit Codicis Index Analytico-alphabeticus (cf. quae ibi habentur ad verba *„suicidae"* et *„crematio").*

Can. 1532 decernit: Legitimus Superior cuius licentia ad alienandas res ecclesiasticas immobiles aut mobiles, quae servando servari possunt, requiritur et sine cuius licentia alienatio invalida est, est Sedes Apostolica, si agitur:

1⁰ De rebus pretiosis;

2⁰ De rebus quae valorem excedunt triginta millium libellarum seu francorum (cf. § 1 coll. can. 1530, § 1, n. 3). Si agatur de alienanda re divisibili, in petenda licentia aut consensu pro alienatione exprimi debent partes antea alienatae; secus licentia irrita est (§ 4).

Iam ad declarandam excommunicationem, magis exponi debet: α. quae bona ecclesistica hic intelligantur; β. quae actiones sub censura prohibitae sint; γ. quae personae hac censura plectantur.

99. Quae bona ecclesiastica.

1. *Bona ecclesisticc* sunt bona temporalia, sive corporalia, tum immobilia tum mobilia, sive incorporalia, quae vel ad Ecclesiam universam et ad Apostolicam Sedem vel ad aliam in Ecclesia personam moralem pertineant (cf. can. 1497, § 1).

Bona ecclesiastica non sunt pia legata vel alia bona Ecclesiae donata, quae nondum sunt ab Ecclesia acceptata vel rite acquisita, nec cappellaniae laicales, quae scilicet erectae non sunt a competente auctoritate ecclesiastica, quamvis ne istae quidem pro lubitu alienari possint[1]). Bona autem, quae ad instituta virorum et mulierum, sive a. S. Sede approbata sive tantum dioecesana, pertinent, ecclesiastica sunt, quae sine licentia S. Sedis alienari non possunt, et sic alienantes excommunicationem incurrunt[2]).

2. Non tamen indiscriminatim omnia bona ecclesiastica inconsulta S. Sede alienari prohibentur sed solum res pretiosae et res quarum valor superat summam triginta millium francorum seu libellarum. Perinde est utrum res sint immobiles an mobiles, dummodo servando servari possint.

Dicuntur *res pretiosae,* quibus notabilis valor sit, artis vel historiae vel materiae causa (cf. can. 1497, § 2). Ergo e. g. vasa aurea vel argentea statuae vel imagines vel ornamenta, quae antiquitate vel

---

[1]) *S. C. C.* 8. febr. 1871. Cf. Acta S. Sedis VI. 476.
[2]) *S. C. de prop. fide* 15. ian. 1903.

artificio praestant etc., dummodo ne sint exigui valoris. Exigui autem valoris censebantur ante Codicem bona, quae summam 600 K seu 500 marc. seu 600 fr. non excedebant[1]). Mutato autem nunc mirum in modum valore coronarum et marcarum licebit exigui valoris censere res quae summam nunc aequivalentem 600 fr. helv. non superant.

Ad res pretiosas in ordine ad hanc legem non referuntur tituli publici seu obligationes et actiones, insignes reliquiae quae tamen nequeunt valide alienari sine Apostolicae Sedis permissu (cf. can. 1281, § 1), vetus suppellex, quae ex consuetudine alienari potest ad novam aeque pretiosam comparandam. Fructus et bona, quae servando servari non possunt non cadunt sub hac lege de alienatione.

100. Actiones sub censura prohibitae sunt *alienatio* et quae ei respondet *receptio* seu acquisitio (praesumptuosa) bonorum ecclesiasticorum et consensus in talem contractum. Nomine *alienationis* intelligitur quivis contractus, quo dominium rei directum vel utile vel ususfructus vel ius in alium transfertur aut quocunque modo imminuitur aut oneratur Eiusmodi actiones sunt:

a. Venditio, permutatio (datio in solutum), donatio, haereditaria transmissio (Vererbung) etc., quibus dominium in alium transfertur;

b. Pignoratio, hypothecatio, impositio servitutis etc. quibus bona ecclesiae onerantur;

c. Infeudatio (Lehensgebung), locatio ultra novennium, emphyteusis etc., quibus dominium utile in alium transfertur;

d. Compromissum, transactio, remissio servitutis, cessio litis etc., quibus iura ceduntur.

Hoc lato sensu, veteres auctores *alienationem* intellexerunt. Quae interpretatio etiam nunc videtur admittenda (cf. can. 6). Certum est *beneplacitum apostolicum,* de quo in can. 1532, requiri non solum in alienatione proprie dicta, sed etiam in quolibet contractu quo condicio Ecclesiae peior fieri possit (cf. can. 1533). Hinc utique nondum sequitur etiam *censuram* versari circa quemlibet contractum peiorantem Ecclesiae condicionem et non tantum circa alienationem *proprie dictam,* et cum in can. 2347, 3⁰ mentio sit tantum de

---

[1]) *S. C. epp. et reg.* 1. maii 1840. Summa 25 aureorum, quam hoc decreto ex antiquioribus responsis (a 1611 et 1698) memorat congregatio, summae superius positae, mutato pecuniae valore, nunc recte aequivalere censetur.

can. 1532 non etiam de can. 1533, fatendum est oriri posse dubium, utrum revera in can. 2347 alienatio accipienda sit *lato sensu*[1]).

α. Si bonum ecclesiasticum (domus vel ader) ad longius tempus elocandum esset, administrator ad effugiendam censuram sibi reservare deberet ius contractum *singulis novenniis* rescindendi. Promissio elapso novennio renovandi contractum non inducit censuram. Ceterum si locatio non sit ultra novennium (si valor locationis excedat triginta millia libellarum seu francorum) legitimus Superior cuius requiritur licentia est loci Ordinarius, dummodo accesserit consensus tum Capituli cathedralis, tum Consilii administrationis, tum eorum quorum interest (cf. can. 1541, § 2, 1⁰ coll. can. 1532, § 3).

β. Ad incurrendam censuram requiritur, ut *alienatio* ex utraque parte sit *perfecta*. Si ergo alienatio boni ecclesiastici fiat *sub reservatione beneplaciti apostolici*, ex multorum sententia excommunicatio non incurritur, modo contractus exsecutioni non mandetur antequam advenerit licentia apostolica: etenim quod adhuc in dominio venditoris est, nequit dici alienatum. Pari modo ubi venditio non perficitur nisi rei traditione, censura non incurritur, antequam venditio traditione rei perfecta fuerit, ubi autem venditio solo partium consensu perficitur, censura iam ante rei traditionem incurritur

γ. Num alienationes factae inter ecclesias vel loca pia obnoxiae sint censurae, disputabatur; sententiae neganti obstare videntur nonnullae decisiones S. Congr. e. g. decretum S. C. C. 24. ian. 1632, auctores tamen eam probabilem faciunt.

101. Personae, quae hac censura plectuntur, sunt omnes quoquo modo rei sive dando sive recipiendo sive consensum praebendo, si beneplacitum apostolicum fuerit scienter praetermissum.

1. *Dantes* ii solum intelliguntur, quorum nomine alienatio peragitur, parochi vel rectores, non autem eorum mandatarii vel alio modo in delictum concurrentes nisi delictum sine eorum opera commissum non fuisset, neque eiusmodi bona destruentes vel furantes[2]).

a. *Laici* vi legum civilium bona ecclesiastica administrantes, qui ipsi horum bonorum alienationem illicite peragunt, in excommunicationem incidunt.

---

[1]) Eichmann, l. c. § 54 *alienationem* sensu stricto sumendam esse putat. Ita etiam Cappello, l. c. n. 410.
[2]) *S. Officium* 9. mart. 1870.

b. Non consentiebant auctores, num etiam *episcopi et abbates* illicite alienantes bona ecclesiastica hanc excommunicationem incurrerent. Sententia affirmans iam antea multo probabilior nunc ut certa admittenda videtur.

2. *Recipientes* dicuntur, qui bona ecclesiastica emunt vel locant, vel generatim ii, in quorum commodum contractus fit.

3. *Consensum praebentes*, si consensus ad valorem contractus requiritur, non autem delictum patratum laudantes.

Sic si leges civiles laicorum consensum in alienatione requirunt non tantum parochus vel alia persona ecclesiastica quae alienationem peragit sed ipsi etiam laici excommunicationem incurrunt.

4. Si beneplacitum apostolicum fuerit *scienter* praetermissum. Ergo non tantum ignorantia non affectata excusat et quidem non solum recipientes et consentientes sed etiam alienantes, sed quaevis imputabilitatis diminutio.

Beneplacitum seu licentia *Apostolicae Sedis* non requiritur: *a*. quando occasio occurrit, quae non sinit exspectare S. Sedis responsum; in hoc casu tamen Episcopi licentia requiritur; *b*. quando bona immobilia relicta sunt monasterio, quod talia retinere prohibetur; *c*. quando ecclesiae relicta sunt bona sub condicione, ut vendantur. Requiritur autem licentia, etsi alienatio ob iustam causam idest urgentem necessitatem vel evidentem utilitatem Ecclesiae, vel pietatem fiat: nam ipsa hac lege Sancta Sedes iudicium de iusta causa faciendae alienationis sibi reservavit et licentia praeter iustam causam requiritur (cf. can. 1530, § 1).

Nota. 1. Praetermisso beneplacito apostolico alienationis actus nullus est et manet obligatio etiam per censuram urgenda restituendi bona illegitime acquisita ac reparandi damna forte illata (cf. can. 2347).

2. Si agitur de rebus, quae valorem non excedunt triginta millium libellarum seu francorum aliae sollemnitates requiruntur aliaeque poenae in transgressores stabilitae sunt (cf. can. 534, 1532, 2347, 1º et 2º).

102. IV. *Omnes, qualibet etiam dignitate fulgentes, qui quoquo modo cogant sive virum ad statum clericalem amplec-*

*tendum, sive virum aut mulierem ad religionem ingredien
dam vel ad emittendam religiosam professionem tam sollem-
nem quam simplicem, tam perpetuam quam temporariam*
(cf. can. 2352).

a. Censura plectit etiam Superiores maiores, Episcopos, non
autem Cardinales.

b. Sufficit quaelibet coactio dummodo sit causa efficax ob
quam statum clericalem amplexus sit vir, vel vir aut mulier religionem ingressi sint aut professionem religiosam emiserint.

c. Materiam censurae constituit coactio, ad ingressum in quamlibet religionem sive ordo sit sive Congregatio, sive sit religio clericalis sive laicalis, iuris pontificii vel iuris dioecesani.

d. Impedire canonice idoneum quominus statum clericalem am-
plectatur vel religionem ingrediatur vel professionem religiosam
emittat nefas quidem est, impedientes autem nulla censura latae
sententiae plectuntur.

103. V. *Fidelis, qui scienter omiserit eum, a quo sol-
licitatus fuerit intra mensem denuntiare contra praescriptum
can. 904* (cf. can. 2368, § 2).

Huius censurae declarationem confer in volumine *De sacramentis*[15] n. 378. Hoc loco haec solum notanda:

a. Non solum ignorantia obligationis vel solius censurae sed
quaelibet imputabilitatis imminutio eximit a poena;

b. Si persona sollicitata est fide digna et serio promittit se
intra mensem denuntiaturam esse, a peccatis absolvi potest;

c. Si censuram incurrerit delinquens, non est a censura absol-
vendus, nisi postquam obligationi satisfecerit aut se satisfacturum
serio promiserit. Quodsi postea mutata voluntate non denuntiet,
censura non reviviscit, quia de reincidentia nihil habetur.

Haec ut compleatur materia de excommunicationibus latae
sententiae adnectendus est:

Articulus octavus.

**De excommunicationibus in delicta quae in eligendo Summo
Pontifice committi possunt.**

104. Sunt excommunicationes statutae in const. Pii X
Vacante Sede Apostolica, 25 Dec. 1904 (cf. can. 2330) sequentibus normis:

I. *Cardinales omnes et singuli, valetudine non impediti, cum tertio pulsata per loca solita conclavis campanula fuerit, ad scrutinium convenire debent; cui legi si quis non obtemperaverit, latae sententiae excommunicationis poenam incurrat (cf. const. Vacante S. A. n. 37).*

II. *Absolute autem omnibus interdicimus, ne ephemerides quotidianae vel periodicae extra Conclave mittantur. Qui vero contra fecerint, poenae excommunicationis latae sententiae subiaceant (cf. const. Vacante S. A. n. 50).*

III. *Severe praecipimus et mandamus ut ab omnibus in Conclavi partem habentibus secretum religiosissime servetur in iis omnibus, quae ad electionem Romani Pontificis pertineant, et in iis quae in Conclavi, seu in loco electionis agantur. Hinc quaecumque directe vel indirecte secretum violare quomodolibet poterunt, sive verba, sive scripta, sive signa, aut alia quaevis, omnia vitare et cavere omnino tenentur; ita ut hanc legem violantes excommunicationem ipso facto incurrant (cf. const. Vacante S. A. n. 51).*

IV. *Specialiter autem sub eiusdem excommunicationis poena Cardinales prohibemus, ne suis Familiaribus seu Conclavistis vel aliis quibusvis ea pandant, quae scrutinium directe vel indirecte respiciant, itemque quae in Cardinalium Congregationibus sive ante Conclave sive ipso durante habitis acta vel decreta sint (cf. const. Vacante S. A. n. 52).*

V. *Si .. aliqui Cardinales infirmi sint in suis cellis, tres Cardinales Infirmarii ... cum capsula clausa, et cum parvo disco sufficientes schedulas continentes, ad unumquemque eorum accedent; ... quod si infirmi scribere non possint, sive aliquis ex tribus Cardinalibus Infirmariis, sive alius ex ordine tamen clericali, eorum arbitrio deligendus, praestito de secreto servando in manibus Infirmariorum iuramento, praedicta faciet: atque hi advertere debent quod non solum iuramenti vinculo tenentur servare secretum, sed etiam in excommunicationem latae sententiae, si contra fecerint, incurrent (cf. const. Vacante S. A. n. 69).*

VI. *Simoniae crimen, tam divino quam humano iure detestabile, in electione Romani Pontificis omnino sicut re-*

probatum esse constat, ita et Nos reprobamus atque damna-
mus, huiusque criminis reos poena excommunicationis latae
sententiae innodamus (cf. const. Vacante S. A. n. 79).

VII. *Item sub excommunicationis poena prohibemus ne*
quis, etiamsi Cardinalatus honore fulgeat, vivente Romano
Pontifice et eo inconsulto, tractare de ipsius Successoris
electione, aut aliquod suffragium polliceri, vel hac de causa
privatis conventiculis factis aliquid deliberare et decernere
praesumat (cf. const. Vacante S. A. n. 80).

VIII. . . . *in virtute sanctae obedientiae, sub intermina-*
tione divini iudicii et poena excommunicationis latae senten-
tiae, omnes et singulos S. R. E. Cardinales, tam praesentes
quam futuros, pariterque Secretarium S. Collegii Cardinalium
aliosque omnes in Conclavi partem habentes, prohibemus
ne, quovis praetextu, a quavis civili potestate munus reci-
piant Veto sive Exclusivam, etiam sub forma simplicis desi-
derii, proponendi, ipsumve hoc Veto, qualibet ratione sibi
cognitum, patefaciant sive universo Cardinalium Collegio si-
mul congregato sive singulis purpuratis Patribus, sive scrip-
to, sive ore, sive directo ac proxime, sive oblique ac per
alios, sive ante Conclave sive ipso perdurante. Quam pro-
hibitionem extendi volumus ad omnes interventus, interces-
siones aliosque modos quoslibet, quibus laicae potestates
cuiuslibet gradus et ordinis voluerint sese in Pontificis elec-
tione immiscere (cf. const. Vacante S. A. n. 81 et const. Pii
PP. X. Commissum Nobis, 20. Ianuarii 1904).

IX. *Cardinales praeterea abstineant ab omnibus pactio-*
nibus, conventionibus, promissionibus aliisque quibuscumque
obligationibus, quibus adstringi possint ad suffragium alicui
vel aliquibus dandum vel non dandum; quae omnia et sin-
gula, si de facto intervenerint contra facientes ex nunc ex-
communicationis poena innodamus. Tractatus tamen pro
electione habendos, Sede vacante, vetare non intelligimus
(cf. const. Vacante S. A. n. 82).

X. . . . *si quis litteras super negotiis quibuscumque con-*
fectas, quae a Romano Pontifice ante coronationem suam
emanaverint, audeat impugnare, excommunicationis senten-
tia innodamus (cf. const. Vacante S. A. n. 88).

Omnibus his in const. Vacante Sede Apostolica impositis et irrogatis excommunicationis poenis hoc commune est quod qui eas incurrerint a nullo, ne a Maiori quidem Poenitentiario, cuiuslibet facultatis vigore, praeterquam a Romano Pontifice, nisi in mortis articulo, absolvi possint (cf. const. *Vacante Sede Apostolica* n. 51).

Nota. Excommunicationes latae sententiae nunc vigentes omnes (exceptis latis in delicta, quae in eligendo Summo Pontifice committi possunt) brevi conspectu secundum modum, quo reservatae sunt, ordinatae habentur etiam in De Sacramentis[16] in Appendice II. p. 785.

Quaestio secundo.

De interdicto.

Articulus primus.

De interdicto in genere.

105. Natura. Interdictum potest esse tum censura tum poena vindicativa. Quatenus est censura definitur a CIC (can. 2268, § 1):

Interdictum est censura qua fideles, in communione Ecclesiae permanentes, prohibentur quibusdam sacris (quae in CIC canonibus 2270—2277 enumerantur).

a. Ab interdicto, quod est *censura,* distingui debet interdictum, quod est *poena vindicativa.* Interdictum locale et interdictum in communitatem seu collegium in perpetuum vel ad tempus vel ad beneplacitum Superioris est poena vindicativa; item interdictum ab ingressu ecclesiae in perpetuum vel ad tempus praefinitum vel ad beneplacitum Superioris (cf. can. 2291, 1⁰ et 2⁰).

b. Interdictum *differt:* α. *ab excommunicatione* 1⁰ quia haec non immediate sed consequenter, quatenus nempe communionem cum fidelibus prohibet, bonis spiritualibus iisque multo pluribus privat, cum interdictum fideles ceteroquin in communione Ecclesiae permanentes privat sacris quibusdam, 2⁰ quia interdictum non tantum uti excommunicatio afficere potest personas physicas sed etiam communitatem, ut personam moralem, immo etiam locum, 3⁰ quia excommunicatio est semper censura, interdictum autem potest esse vel censura vel poena vindicativa, sed in dubio praesumitur censura (cf. can. 2255, § 2).

β. a *suspensione,* quia haec solos clericos afficit, interdictum etiam laicos, et quia suspensio non usum *rerum sacrarum,* sed exercitium *potestatis ecclesiasticae* prohibet.

c. Interdicto similis, sed tamen essentialiter diversa, est *cessatio a divinis* (qui tamen terminus in CIC non occurrit), quae non est censura nec proprie poena, sed mera prohibitio clericis facta celebrandi missam, administrandi sacramenta et peragendi divina officia in determinato aliquo loco sacro. Iniungitur cessatio a divinis ob gravissimum et publicum delictum in eo loco commissum in signum moeroris et ad reparandam iniuriam.

106. Divisio. 1. Interdictum aliud est *personale,* per quod prohibitio a sacris fit *directe,* cum personis ipsis usus eorum bonorum interdicitur; aliud *locale,* per quod prohibitio fit *indirecte,* cum certis in locis eorundem dispensatio vel perceptio vetatur (cf. can. 2268, § 2).

Interdictum *mixtum,* quod afficiebat immediate locum et personas in CIC non iam habetur.

2. Interdictum *locale* potest esse *generale,* si afficit integrum territorium e. gr. dioecesim, rempublicam, paroeciam; vel *particulare,* si afficit determinatum locum e. gr. ecclesiam paroecialem, coemeterium, altare vel sacellum alicuius ecclesiae.

3. Interdictum *personale* pari modo potest esse *generale,* si fertur in populum dioecesis vel paroeciae vel in integram communitatem seu collegium e. gr. in capitulum, universitatem; vel *particulare,* si fertur in unam vel plures determinatas personas.

Si communitas seu collegium delictum perpetraverit, interdictum ferri potest vel in singulas personas delinquentes (interdictum particulare), vel in communitatem, uti talem (interdictum generale), vel in personas delinquentes et in communitatem (interdictum simul particulare et generale) (cf. can. 2274, § 1).

4. Specialem mentionem meretur interdictum *ab ingressu ecclesiae.* Hoc interdictum est personale particulare, quod rationem verae censurae habet, nisi sit in perpetuum vel ad tempus praefinitum vel ad beneplacitum Superioris. Secumfert prohibitionem ne quis in ecclesia divina officia

celebret vel eisdem assistat aut ecclesiasticam sepulturam
habeat; si autem assistat, non est necesse ut expellatur,
nec, si sepeliatur, oportet ut cadaver amoveatur (cf. can.
2277); extra ecclesiam vero interdictus omnia licite peragere potest, quae alias licita erant: potest ergo celebrare
vel sacramenta suscipere in oratorio privato, immo probabiliter potest etiam in ecclesia privatim orare, privatim sacramenta suscipere, concionem audire.

107. Quoad effectus interdicti haec pauca notentur:

a. Interdictum *personale* sequitur personas ubique;
locale non urget extra locum interdictum, sed in loco interdicto omnes etiam exteri aut exempti, excluso speciali privilegio, illud servare debent (can. 2269, § 2).

b. Personaliter interdicti (can. 2275):

1º Nequeunt divina officia celebrare eisve, excepta
praedicatione verbi Dei, assistere; passive assistentes non
est necesse ut expellantur; sed ab assistentia activa, quae
aliquam secumferat participationem in divinis officiis celebrandis, repellantur interdicti post latam sententiam condemnatoriam vel declaratoriam, aut alioquin notorie interdicti;

2º Prohibentur Sacramenta et Sacramentalia ministrare,
conficere et recipere, ad normam can. 2260, § 1, 2261;

3º Praescripto can. 2265 etiam ipsi adstringuntur;

4º Carent sepultura ecclesiastica ad normam can. 1240,
§ 1, n. 2.

Ad explicationem quod spectat cf. quae superius habentur nn. 39; 40; 41; 45.

c. Qui interdicto locali vel interdicto in communitatem
seu collegium subest, quin idem causam dederit, nec alia
censura prohibeatur, potest, si sit rite dispositus, Sacramenta recipere sine absolutione ab interdicto aliave satisfactione (cf. can. 2276).

d. Qui actum ordinis, clericis in ordine sacro constitutis reservatum, ponunt, ab eius exercitio interdicto sive

personali (censura sit vel poena vindicativa) sive locali prohibiti, sunt, dummodo adsint condiciones ceteroquin ad delictum requisitae, irregulares ex delicto (cf. can. 985, 7º).

e. De interdicto *vitando* in novo Codice sermo non est.

108. Quomodo interdictum solvi possit. 1. Interdictum, si est *censura,* tollitur tantum legitima absolutione. De qua vide, quae habentur in articulo sexto libri secundi. supra n. 27 sqq.

2. Interdictum, si est *poena vindicativa,* finitur eius expiatione vel dispensatione ab eo concessa qui legitimam habeat dispensandi potestatem i. e. ab eo qui poenam tulit, vel ab eius competente Superiore aut successore, vel ab eo cui haec potestas commissa est (cf. c. 2289 coll. 2236).

In casibus occultis urgentioribus, si ex observatione poenae vindicativae latae sententiae, reus seipsum proderet cum infamia et scandalo, quilibet confessarius potest in foro sacramentali obligationem servandae poenae suspendere, iniuncto onere recurrendi saltem intra mensem per epistolam et per confessarium, si id fieri possit sine gravi incommodo, reticito nomine, ad S. Poenitentiariam vel ad Episcopum facultate praeditum et standi eius mandatis. Et si in aliquo casu extraordinario hic recursus sit impossibilis, tunc ipsemet confessarius potest dispensationem concedere ad normam can. 2254, § 3 i. e. sine onere recurrendi, iniunctis tamen de iure iniungendis, et imposita congrua poenitentia et satisfactione pro censura, ita ut poenitens, nisi intra congruum tempus a confessario praefiniendum poenitentiam egerit ac satisfactionem dederit, recidat in censuram (cf. can. 2290).

3. Interdictum *locale* quodvis et interdictum *personale generale,* si non sint reservata, solvi possunt a superiore habente iurisdictionem fori externi in locum vel in personas. Confessarius, quamvis privilegiatus sit, circa haec interdicta nihil potest, quia locus et communitas foro poenitentiae non subiiciuntur.

4. Interdictum *personale particulare* simpliciter latum nec reservatum, solvi potest a quovis confessario. Ad hoc sufficit ordinaria absolutionis forma vel adhiberi potest forma, quae in rituali romano habetur[1]).

Interdictum personale particulare inflictum ab homine ad tempus determinatum vel expresse in perpetuum natura sua reservatum est, attamen non est censura sed poena vindicativa.

Articulus secundus.
De interdictis in specie.

Interdicta vigentia. Interdicta latae sententiae non numerantur nisi quattuor, quorum primum Romano Pontifici *speciali modo,* secundum Superiori, cuius sententia contempta est, tertium Ordinario, quartum nemini reservatum est.

109. I. *Universitates, Collegia, Capitula aliaeve personae morales, quocunque nomine nuncupentur. a legibus, decretis, mandatis Romani Pontificis pro tempore exsistentis ad Universale Concilium appellantes, interdictum speciali modo Sedi Apostolicae reservatum incurrunt* (cf. can. 2332).

Si appellantes non sunt personae morales sed physicae, non interdictum sed excommunicationem contrahunt (cf. supra n. 64).

Hoc interdictum latum est in communitatem, uti talem; nequit ergo communitas seu collegium ius ullum spirituale exercere quod ei competit (cf. can. 2274, § 3).

Interdicto omnia quidem membra personae moralis subsunt, ea autem quae eidem causam non dederint, nec alia censura prohibeantur, possunt, si sint rite dispositi, Sacramenta recipere sine absolutione ab interdicto aliave satisfactione (cf. can. 2276).

110. II. *Scienter celebrantes vel celebrari facientes divina in locis interdictis vel admittentes ad celebranda officia divina per censuram vetita clericos excommunicatos, interdictos, suspensos post sententiam declaratoriam vel condemnatoriam, interdictum ab ingressu ecclesiae ipso iure contra-*

---

[1]) Rituale Rom. tit. 3. c. 5.

hunt, donec, arbitrio eius cuius sententiam contempserunt, congruenter satisfecerint (can. 2338, § 3).

Scienter, quod pertinet ad celebrantes, celebrari facientes, admittentes: ergo excusat quaelibet imminutio imputabilitatis (cf. can. 2229, § 2).

Hanc poenam incurrunt: *a. clerici,* qui celebrant vel celebrare faciunt in loco interdicto, exceptis diebus et locis, in quibus hoc licet, divina, exceptis illis, quae etiam in loco interdicto peragere conceditur; *b. clerici,* qui clericos censuratos post sententiam declaratoriam vel condemnatoriam ad *celebranda* officia divina per censuram vetita (non solum ad assistendum officiis vel ad recipienda sacramenta) *admittunt,* id quod ad eos tantum spectat, qui ecclesiae curam habent[1]).

Hoc interdictum censura esse videtur. Non enim est ad beneplacitum Superioris, sed arbitrio eius tantum competit iudicare utrum congruenter satisfecerint delinquentes; cessante autem per congruam satisfactionem contumacia, rei absolutione donandi sunt[2]).

111. III. *Sponte sepulturam donantes infidelibus, apostatis a fide, vel haereticis, schismaticis, aliisve sive excommunicatis sive interdictis contra praescriptum can. 1240, § 1, contrahunt interdictum ab ingressu ecclesiae Ordinario reservatum* (cf. can. 2339).

Sponte: ergo quaelibet imputabilitatis imminutio sive ex parte intellectus sive ex parte voluntatis eximit ab hac poena (cf. can. 2229, § 2).

Effectus huius poenae vide supra n. 106 sub 4.

Qui ausi fuerint mandare seu cogere tradi ecclesiasticae sepulturae dictas personas contrahunt excommunicationem latae sententiae nemini reservatam, (cf. can. 2339 et supra n. 97 ubi habetur fusior explicatio huius censurae).

112. IV. *Qui causam dederunt interdicto locali aut interdicto in communitatem seu collegium, sunt ipso facto personaliter interdicti* (can. 2338, § 4).

Obnoxi ergo sunt poenis supra n. 107 sub b. recensitis.

---

[1]) Ita etiam Cappello, l. c. n. 488.
[2]) Cf. *Lehmkuhl,* Theol. mor. II. Edit.[12] n. 1272. Nunc autem in „Quaestiones praecipuae morales novo iuri canonico adaptatae" (Herder, Friburgi, 1918) p. 80 auctor sententiam mutavit et hoc interdictum ut poenam vindicativam considerandam esse censet.

Quaestio tertia.

De suspensione [1]).

Articulus primus.

De suspensione in genere.

113. Natura. 1. Suspensio pariter ac interdictum censura esse potest vel poena vindicativa. CIC hanc ponit definitionem (can. 2278, § 1): *Suspensio* est censura, qua clericus officio vel beneficio vel utroque prohibetur.

a. Quia suspensio est poena *status clericalis* propria, in solos clericos cadere potest non autem in fideles generatim, ut fit in excommunicatione et interdicto.

b. Suspensio uti inderdictum afficere potest non tantum personas physicas sed etiam communitatem, ut personam moralem.

c. Suspensio, non aufert ipsum ius vel ipsam potestatem ut beneficium vel officium, sed solum eorum *usum* atque exercitium.

d. Cum suspensio in privatione usus potestatis clericalis consistat suspensionem ille tantum ferre potest, qui potestatem clericalem concedere potest. Ideo praefectae monialium, sicut neminem suspendere, ita neque ipsae proprie suspendi possunt.

e. Suspensio differt a *depositione* et *degradatione* et *privatione poenali,* quae sunt poenae vindicativae, quibus clericus non solum usu potestatis sed, quantum fieri potest, ipsa potestate (officio, beneficio) privatur (cf. can. 2303, § 1; 2305, § 1; 2298, 6º).

2. Suspensio cum sit *gravissima poena,* per se licite ferri non potest nisi praemissa monitione, declarata causa et per scripturam.

3. A suspensione, quae est censura, distinguenda est suspensio, quae est poena vindicativa, et ea (improprie dicta suspensio), quae est mera prohibitio, si sine culpa feratur.

Suspensio in perpetuum vel ad tempus praefinitum, vel ad beneplacitum Superioris est poena vindivativa (cf. can. 2298, 2º), neque rationem censurae habet, etsi lata sit per modum legis universalis et stabilis.

---

[1]) *Kober,* Die Suspension der Kirchendiener (Tübingen, Laupp, 1862). *Hollweck* l. c. p. 132 ff. *Eichmann* l. c. p. 103 ff.

Si suspensio fertur in communitatem, uti talem, pro iis qui in delicto a communitate patrato partem non habuerunt non habet rationem poenae sed simplicis prohibitionis.

Suspensio quae dicitur *ex informata conscientia* (de qua statim n. sq.) si fertur ad certum tempus poena vindicativa est. Potest vero infligi etiam tanquam censura, dummodo hoc in casu clerico patefiat causa propter quam suspensio irrogatur (cf. can. 2188, 2º).

114. Divisio. 1. Suspensio *generalis* ea dicitur, qua clericus privatur usu omnis potestatis, quam sive ex officio sive ex beneficio habet; *specialis* ea dicitur, qua clericus privatur usu potestatis unius vel alterius tantum speciei, qua scilicet suspenditur aut ab officio aut a beneficio.

2. Suspensio specialis vel est *totalis,* si clericum privat usu omnis potestatis alicuius speciei, scilicet aut officii aut beneficii; vel est *partialis,* si eum privat usu partis tantum potestatis alicuius speciei, ut si quis suspenditur tantum a iurisdictione vel solum ab ordinibus vel a certo tantum et definito ministerio, non a toto officio.

a. Suspensio *ab officio* simpliciter, nulla adiecta limitatione, vetat omnem actum tum potestatis ordinis et iurisdictionis, tum etiam merae administrationis ex officio competentis, excepta administratione bonorum proprii beneficii (can. 2279, § 1).

b. Suspensio *a beneficio* privat fructibus beneficii, excepta habitatione in aedibus beneficialibus, non autem iure administrandi beneficiali, nisi decretum vel sententia suspensionis ipsam administrandi potestatem suspenso expresse adimat et alii tribuat (can. 2280, § 1).

c. Nisi aliud constet, in *suspensione generaliter lata* comprehenduntur omnes effectus qui in canonibus 2279—2284 enumerantur; contra, in suspensione *ab officio* vel *a beneficio* omnes tantum effectus alterutrius speciei (cf. can. 2278, § 2).

3. Suspensiones *partiales* variae in CIC enumerantur (cf. can. 2279, § 2). Suspensio:

1º *A iurisdictione* generatim, vetat omnem actum potestatis iurisdictionis pro utroque foro tam ordinariae quam delegatae (ut dispensare, absolvere, delegare, approbare etc.);

2º *A divinis,* omnem actum potestatis ordinis, quam quis sive per sacram ordinationem sive per privilegium obtinet;

Antea suspensio *a divinis* ab aliis *(Hilarius a Sexten)* inteliigebatur de suspensione ab ordine i. e. ab omni exercitio ordinis sacri; ab aliis *(D' Annibale)* de suspensione ab officio i. e. ab omni usu tum ordinis tum iurisdictionis.

3º *Ab ordinibus,* omnem actum potestatis ordinis receptae per ordinationem (ergo non actus ordinum minorum, quos etiam laici exercere possunt);

4º *A sacris ordinibus,* omnem actum potestatis ordinis receptae per ordinationem in sacris (ergo non actus qui etiam minoristis permittuntur);

5º *A certo et definito ordine exercendo,* omnem actum ordinis designati; suspensus autem prohibetur insuper eundem ordinem conferre et superiorem recipere receptumque post suspensionem exercere;

6º *A certo et definito ordine conferendo,* ipsum ordinem conferre, non vero inferiorem nec superiorem;

7º *A certo et definito ministerio,* ex. gr., audiendi confessiones, vel *officio,* ex. gr., cum cura animarum, omnem actum eiusdem ministerii vel officii;

8º *Ab ordine pontificali,* omnem actum potestatis ordinis episcopalis (ut ordinandi, confirmandi etc.);

9º *A pontificalibus,* exercitium actuum pontificalium, ad normam can. 337, § 2 i. e. earum sacrarum functionum quae ex legibus liturgicis requirunt insignia pontificalia, idest baculum et mitram (ut ordines conferre, ecclesiam consecrare etc.); at non prohibentur a pontificalibus suspensi illis actibus, qui sine eiusmodi insignibus fieri possunt (ut celebrare more sacerdotum, confirmare sine baculo et mitra).

4. Ratione subiecti distinguitur suspensio, quae fertur *in singulares personas,* et suspensio, quae fertur *in integram communitatem.*

De hac ultima suspensione duo notanda sunt:

a. Si suspensio fertur in communitatem, uti talem, communitas prohibetur exercitio iurium spiritualium quae ipsi, uti communitati, competunt. Sic capitulum suspensum prohibetur electiones facere, sollemniter divina celebrare etc.

b. Si suspensio fertur simul in personas delinquentes et communitatem praeter effectum sub *a* notatum qui afficit communitatem

uti talem personae delinquentes subsunt effectibus specialibus suspensionis; quoad innocentes autem haec suspensio habet rationem
solius prohibitionis: nemo enim puniri potest pro culpa aliena[1]).

5. Suspensio *ex informata conscientia*[2]) *infligitur ob*
causas ferenti (Ordinario) notas ideoque extraiudicialiter
nulla praemissa monitione. Has causas praelatus non tenetur manifestare delinquenti, sed solum S. Sedi, si suspensus ad eam recurrat.

115. Effectus suspensionis partim iam e numero
praecedente elucent. Praeterea notentur haec:

1. *Suspensio* generaliter lata, vel suspensio *ab officio*
aut *a beneficio* afficit omnia officia aut beneficia, quae clericus habet in dioecesi Superioris suspendentis, nisi aliud
appareat (can. 2281).

2. Loci Ordinarius nequit clericum suspendere a determinato officio vel beneficio quod in aliena dioecesi reperiatur; sed suspensio *latae sententiae,* iure communi irrogata, afficit omnia officia vel beneficia in quacunque
dioecesi possideantur (can. 2282).

3. Suspensus *ab ordine* per sententiam ordinarii sui
ubique ab exercitio ordinis prohibiti arcetur; at suspensus
a iurisdictione non prohibetur, quominus in alia dioecesi
iurisdictionem accipiat[3]).

Suspensus non prohibetur sacramenta poenitentiae et eucharistiae suscipere, modo de culpa, propter quam lata est suspensio,
vere doleat, nec privatur communibus Ecclesiae suffragiis.

4. Quae de excommunicatione can. 2265 statuuntur,
etiam suspensioni sunt applicanda (can. 2283; explicationem vide supra n. 45).

5. Si incursa fuerit censura suspensionis quae vetat
administrationem Sacramentorum et Sacramentalium, servetur praescriptum can. 2261 (cf. can. 2284 et supra n. 41);
si censura suspensionis quae prohibet actum iurisdictionis

---

[1]) Cf. *s. Alphonsus* n. 317.
[2]) Cf. de hac suspensione CIC can. 2186—2194 et canonistas.
[3]) *Ballerini-Palmieri* VII. n. 347.

in foro sive interno sive externo, actus est invalidus, ex.
gr., absolutio sacramentalis, si lata sit sententia condemnatoria vel declaratoria, aut Superior expresse declaret se
ipsam iurisdictionis potestatem revocare; secus est illicitus
tantum, nisi a fidelibus petitus fuerit ad normam mem.
can. 2261, § 2 (cf. can. 2284 et supra n. 41).

6. Actus, quos ponit *suspensus a beneficio* ut contractus etc., sunt validi, nisi decretum vel sententia suspensionis ipsam administrandi potestatem suspenso expresse
adimat et alii tribuat (cf. can. 2280, § 1).

7. Si, quamvis suspensio *a beneficio* obstet, beneficia-
rius fructus percipiat, fructus restituere debet et ad hanc
restitutionem cogi potest canonicis quoque, si opus sit,
sanctionibus (cf. can. 2280, § 2).

8. Qui actum ordinis, clericis in ordine sacro constitutis reservatum, ponunt ab eius exercitio suspensione sive
sit censura sive poena vindicativa prohibiti, sunt irregulares
ex delicto (cf. can. 985, 7º), dummodo adsint eae condiciones quae generatim ad delictum requiruntur.

9. Suspensus, qui exercet actum per suspensionem
sibi prohibitum, *graviter peccat*, nisi parvitas materiae a
peccato gravi excuset.

a. Actus ordinum sacrorum natura sua graves censentur, quam
ob rem in eorum exercitio, si sollemniter peragantur, non datur parvitas materiae.

b. Suspensus, qui non sponte sed a fidelibus requisitus exercet functiones sibi prohibitas, non peccat; suspensus autem postquam intercessit sententia condemnatoria aut declaratoria peccat,
etsi a fidelibus requiratur, nisi in solo mortis periculo, si alii desint
ministri, vel etiam quamvis adsint alii ministri, si agitur de absolutione, sacramentali (cf. can. 2284 coll. can. 2261). De suspenso
vitando in novo Codice sermo non est

116. Quomodo suspensio solvi possit. Finitur suspensio sive per absolutionem, si est censura, sive per expiationem vel dispensationem si est poena vindicativa.
Applicentur quae supra n. 108 de interdicto habentur.

Articulus secundus.

De suspensionibus in specie.

117. Suspensiones latae sententiae hodie vigentes numerantur sexdecim:

a. Novem reservatae Apostolicae Sedi (quatuor generales nn. I, II, XII, XIII; tres a divinis nn. III—V; una a collatione ordinum n. XIV; una a iure eligendi n. XV);

b. Una reservata Ordinario (ab officio n. VI);

c. Una reservata Superiori maiori (generalis n. VII);

d. Quinque nemini reservatae (una a iurisdictione n. VIII; una a divinis n. IX; una ab ordine recepto n. X; una ab audiendis confessionibus n. XI; una a celebratione missae n. XVI);

Harum suspensionum undecim (nn. I—XI) sunt censurae, reliquae quinque (nn. XII—XVI) censentur esse poenae vindicativae.

Suspensiones quae sunt censurae.

118. I. 1. *Religiosus, qui vota perpetua nuncuparit, clericus in sacris, si dimittatur ob delicta minora iis de quibus in can. 670, ipso facto suspensus manet, donec a Sancta Sede absolutionem obtinuerit* (cf. can. 671, 1⁰).

Delicta de quibus in can. 670 (coll. can. 646) sunt:

1⁰. Publica apostasia a fide catholica;

2⁰. Fuga cum muliere;

3⁰. Attentatio aut contractus matrimonii aut etiam vinculi, ut aiunt civilis;

4⁰. Delictum quod iure communi punitur infamia iuris vel depositione vel degradatione (cf. can. 2303 § 3, 2305 § 2, 2314 § 1 n. 2. et 3, 2320, 2322 n. 1, 2328, 2343 § 1 n. 2 et 3 § 2 n. 2, 2350 § 1, 2351 § 2, 2354 § 2, 2356, 2357 § 1, 2359 § 2, 2368 § 1, 2379, 2388 § 1, 2394 n. 2, 2401).

Haec poena suspensionis lata est in religiosos dimissos, qui vota *perpetua* nuncuparunt. Est suspensio generaliter lata, censura Sedi Apostolicae reservata. Si dimissus per annum aut etiam per brevius tempus, iudicio Ordinarii, tam laudabiliter se gesserit ut merito haberi possit vere emendatus, Ordinarius eius preces apud Sanctam Sedem commendabit pro absolutione a censura suspensionis (cf. can. 671 n. 7 coll. n. 6).

Nota. Religiosus, qui vota perpetua nuncuparit, dimissus ob delicta superius sub n. 1⁰—4⁰ incl. enumerata perpetuo prohibetur deferre habitum ecclesiasticum (cf. can. 670): consequenter nequit exercere ministeria ecclesiastica.

119. II. 2. *Clerici omnes, etiam episcopali dignitate aucti, qui per simoniam ad ordines scienter promoverint vel promoti fuerint aut alia Sacramenta ministraverint vel receperint, suspensionem incurrunt Sedi Apostolicae reservatam* (cf. can. 2371).

De notione simoniae vide can. 727, 728, 731 et De Praeceptis[16] n. 181 sqq., ubi in extenso de simonia agitur.

Hic agitur de simoniae delicto in collatione vel susceptione ordinum et in administratione vel receptione aliorum Sacramentorum. Quoad poenam in delictum simoniae perpetrantes in quibuslibet officiis, beneficiis aut dignitatibus ecclesiasticis cf. can. 2392 et supra n. 84.

Censura plecti videtur delictum simoniae realis, conventionalis, confidentialis, non vero simonia mentalis quae non est delictum etsi peccatum.

Ad ordines pertinet hic etiam consecratio episcopalis et prima tonsura (cf. can. 950).

Huic censurae subsunt etiam *Episcopi*[1]) non vero S. R. E. Cardinales (cf. can. 2227, § 2).

Quoad *complices* applicentur normae can. 2231 coll. 2209 (cf. supra n. 21, d).

Nota. Delinquentes praeterea sunt suspecti de haeresi (cf. can. 2371 et supra n. 60).

120. III. 3. *Suspensionem a divinis Sedi Apostolicae reservatam, ipso facto contrahunt, qui recipere ordines praesumunt ab excommunicato vel suspenso vel interdicto post sententiam declaratoriam vel condemnatoriam, aut a notorio apostata, haeretico, schismatico* (cf. can. 2372).

Qui *mala fide* ordinem ab excommunicato etc. suscipiunt, suspensionem partialem *a divinis* incurrunt, eos tamen excusat quaelibet imputabilitatis imminutio (recipere *praesumunt* cf. can. 2220, § 2); qui *bona fide*, i. e. cum ignorantia ordinantem esse excommunicatum etc. hoc faciunt, censuram non incurrunt, sed exercitio carent ordinis sic recepti donec dispensentur (cf. can. 2372).

---

¹) Contra sed minus recte Cappello, l. c. n. 510.

Episcopus a R. Pontifice nominatus vel confirmatus qui consecrationem episcopalem recipere praesumeret ab excommunicato etc. non incurrit hanc censuram (cf. can. 2227, § 2); sed vide etiam infra n. 130.

121. IV. 4. *Clericus qui in manus laicorum officium, beneficium aut dignitatem ecclesiasticam resignare praesumpserit, ipso facto in suspensionem a divinis incurrit* (cf. can. 2400).

Attendendum ad „praesumpserit" et can. 2229, § 2.

122. V. 5. *Vicarius Capitularis concedens litteras dimissorias pro ordinatione contra praescriptum can. 958, § 1, n. 3. ipso facto subiacet suspensioni a divinis* (can. 2409).

Secundum praescriptum can. 958, § 1, n. 3. Vicarius Capitularis litteras dimissorias pro saecularibus dare potest solum de Capituli consensu *post* annum a sede vacante; *intra* annum vero solis arctatis ratione beneficii recepti vel recipiendi, aut ratione certi alicuius officii, cui propter necessitatem dioecesis sine dilatione sit providendum.

123. VI. 6. *Si quis clericus contra praescriptum can. 120 ausus fuerit ad iudicem laicum trahere aliam personam (Episcopo aut Abbate vel Praelato nullius aut Superiore maiore religionum iuris pontificii inferiorem) privilegio fori fruentem, non obtenta ab Ordinario loci licentia, incurrit ipso facto in suspensionem ab officio reservatam Ordinario* (cf. can. 2341).

Praescriptum can. 120 vide supra n. 68, item explicationes ad can. 2341.

124. VII. 7. *Religiosus fugitivus ipso facto incurrit in suspensionem proprio Superiori maiori reservatam, si sit in sacris* (cf. can. 2386).

Religiosi hic intelliguntur non solum qui vota nuncuparunt in aliqua religione (cf. can. 488, 7⁰) sed etiam sodales in societatibus virorum qui vivendi rationem religiosorum imitantur in communi degentes sub regimine Superiorum secundum probatas constitutiones, sed tribus consuetis votis publicis non obstringuntur nec nomine religiosorum proprie designantur (cf. can. 673, § 1). Sic declaravit Commissio Pontificia ad Codicis canones authentice interpretandos in plenariis coetibus dierum 2.—3. Juni 1918 (A. A. S. X. [1918] p. 347).

Fugitivus est qui, sine Superiorum licentia, domum religiosam deserit cum animo ad religionem redeundi (can. 644, § 3).

Suspensio est generaliter lata, officio autem, si quod in religione habeat, fugitivus ipso facto *privatur.* Praeterea fugitivus, cum redierit, puniatur secundum constitutiones, et si constitutiones nihil de hoc caveant, Superior maior pro gravitate culpae poenas infligat (cf. can. 2886).

Censura reservata est proprio fugitivi Superiori maiori; quinam hi sint vide can. 488, 8⁰, supra n. 79.

125. VIII. 8. *Abbas vel Praelatus nullius qui contra praescriptum can. 322, § 2, benedictionem non receperit, est ipso facto a iurisdictione suspensus* (can. 2402).

Can. 322, § 2 praescribit: Abbates vel Praelati *nullius* qui ex praescripto apostolico vel ex propriae religionis constitutionibus benedici debent, intra tres menses a receptis litteris apostolicis, cessante legitimo impedimento, benedictionem ab Episcopo, quem maluerint, accipiant.

126. IX. 9. *Sacerdos qui sine necessaria iurisdictione praesumpserit sacramentales confessiones audire, est ipso facto suspensus a divinis* (cf. can. 2366).

De iurisdictione ad confessiones vide can. 872 sqq. et De Sacramentis[15] n. 337 sqq.

Sine *necessaria* iurisdictione: scilicet respectu habito personarum, temporis, circumstantiarum non autem peccatorum reservatorum. De absolutione a peccatis reservatis cf. infra n. 128.

Praesumpserit: ergo excusat quaelibet imputabilitatis diminutio (cf. can. 2229, § 2).

127. X. 10. *Qui sine litteris vel cum falsis dimissoriis litteris, vel ante canonicam aetatem, vel per saltum ad ordines malitiose accesserit, est ipso facto a recepto ordine suspensus* (cf. can. 2374).

De litteris dimissoriis cf. can. 955, § 1, can. 958—964 et De Sacramentis[15] n. 472; de canonica aetate cf. can. 974 sq. et De Sacramentis[15] n. 468; de ordinatione per saltum cf. can. 977 et De Sacramentis[15] n. 477.

Malitiose: excusat ergo quaelibet imminutio imputabilitatis (cf. can. 2229, § 2).

Suspensus non solum prohibetur exercere omnem actum ordinis malitiose recepti sed etiam superiorem ordinem recipere receptumque post suspensionem exercere (cf. can. 2279, § 2, 5⁰, supra n. 114, 3, 5⁰).

128. XI. 11. *Sacerdos qui sine necessaria iurisdictione praesumpserit a peccatis reservatis absolvere, ipso facto suspensus est ab audiendis confessionibus* (cf. can. 2366).

Agitur de *peccatis* reservatis (non de censuris reservatis) aut *ratione sui,* aut *ratione censurae,* quae peccato adnexa est, si censura reservata receptionem sacramenti impedit (cf. De Sacramentis[15] n. 358).

De absolutione a casibus reservatis vide De Sacramentis[16] n. 363 sqq.

Attendendum est ad „praesumpserit".

Appendix.
Suspensiones considerandae ut poenae vindicativae.

129. XII. 1. *Religiosus clericus cuius professio ob admissum ab ipso dolum nulla fuerit declarata, si sit in maioribus ipso facto suspensus manet, donec Sedi Apostolicae aliter visum fuerit* (cf. can. 2387).

Si professio nulla declarata sit ob aliud vitium, non ob dolum professi, non incurritur haec poena. Professio hic non solum intelligitur de professione votorum publicorum in religione proprie dicta sed etiam professio improprie dicta quae habetur in societatibus virorum in communi viventium sine votis; item religiosus non intelligitur hic tantum religiosus sensu proprio, qui vota nuncupavit in aliqua religione, sed sensu improprio etiam, scilicet sodalis dictae societatis clericalis sine votis (cf. declarationem Pontificiae Commissionis ad Codicis canones authentice interpretandos 2. 3. Junii 1918; A. A. S. X. [1918], p. 347).

Suspensio est generaliter lata, est reservata Sedi Apostolicae et est ad beneplacitum Superioris („donec Sedi Apostolicae aliter visum fuerit"); est ergo consideranda ut poena vindicativa, non ut censura[1]).

Si talis Religiosus clericus sit in *minoribus* ordinibus constitutus, e statu clericali abiiciatur (cf. can. 2387).

---

[1]) Ita putat etiam *Lehmkuhl* (Quaestiones praecipuae morales novo iuri canonico adaptatae [Friburgi Brisgoviae, 1918] p. 80); econtra *Eichmann* (l. c. p. 217) videtur hanc poenam considerare ut censuram, loquitur enim de absolutione ab hac suspensione.

130. XIII. 2. *Episcopus aliquem consecrans in Episcopum, Episcopi vel, loco Episcoporum, presbyteri assistentes, et qui consecrationem recipit sine apostolico mandato contra praescriptum can. 953, ipso iure suspensi sunt, donec Sedes Apostolica eos dispensaverit* (can. 2370).

Can. 953. praescribit: Consecratio episcopalis reservatur Romano Pontifici ita ut nulli Episcopo liceat quemquam consecrare in Episcopum, nisi prius constet de pontificio mandato.

Suspensionem incurrunt Episcopus consecrans, assistentes (Episcopi vel presbyteri *loco Episcoporum*; non ergo alii presbyteri qui intersunt functionibus), ille qui recipit consecrationem.

Suspensio est generaliter lata, reservata Sedi Apostolicae, poena vindicativa („donec Sedes Apostolica eos dispensaverit").

131. XIV. 3. *In suspensionem per annum ab ordinum collatione Sedi Apostolicae reservatam ipso facto incurrunt* (cf. can. 2373):

1⁰ *Qui contra praescriptum can. 955, alienum subditum sine Ordinarii proprii litteris dimissoriis ordinaverint;*

2⁰ *Qui subditum proprium, qui alibi tanto tempore moratus sit ut canonicum impedimentum contrahere ibi potuerit, ordinaverint contra praescriptum can. 993, n. 4, 994;*

3⁰ *Qui aliquem ad ordines maiores sine titulo canonico promoverint contra praescriptum can. 974, § 1, n. 7;*

4⁰ *Qui, salvo legitimo, privilegio, religiosum, ad familiam pertinentem quae sit extra territorium ipsius ordinantis, promoverint, etiam cum litteris dimissorialibus proprii Superioris, nisi legitime probatum fuerit aliquem e casibus occurrere, de quibus in can. 966* i. e. cum Episcopus dioecesanus (in cuius territorio sit familia religiosa, ad quam pertinet ordinandus) licentiam dederit, aut sit diversi ritus, aut sit absens, aut non sit ordinationem habiturus proximo legitimo tempore ad normam can. 1006, § 2 (scilicet sabbatis Quatuor Temporum, sabbato ante dominicam Passionis, et Sabbato Sancto), vel denique cum dioecesis vacet nec eam regat qui charactere episcopali polleat. Talem casum adesse Episcopo ordinaturo legitime probatur ex authentico Curiae episcopalis testimonio.

Quis sit Ordinarius proprius respectu ordinationis vide De Sacramentis[17] n. 464; de litteris testimonialibus et quanti temporis debeat esse commoratio in loco ut litterae testimoniales illius Ordinarii loci necessariae sint, et de iuramento suppletorio cf. ibidem n. 472; de litteris dimissoriis et titulo canonico cf. ibidem n. 473 sq.

Suspensionem incurrit qui alieno subdito sine Ordinarii proprii litteris dimissoriis etiam solam primam tonsuram confert (cf. can. 950), qui tamen casus vix accidet, cum iuxta c. 956, quod attinet ad ordinationem saecularium, episcopum proprium aliquis iam per simplex domicilium acquirat i. e. eo ipso quod actu commoratur in dioecesi cum animo ibi perpetuo manendi, si nihil inde avocet (cf. c. 92, § 1) quem animum utque antequam primam tonsuram accipiat iure iurando firmare debet.

Suspensus est a *collatione* ordinum; ergo *omnium,* maiorum et minorum, immo ipsius primae tonsurae et consecrationis episcopalis (cf. can. 950).

Suspensio est per annum; dispensatio reservata est Sedi Apostolicae.

Hac poena plectitur solus *ordinator; ordinatus* incurrit suspensionem (a suscepto ordine) solum si sine litteris dimissoriis (vel cum falsis) malitiose ad ordines suscipiendos accesserit (cf. supra n. 127).

132. XV. 4. *Capitula, conventus aliique omnes ad quos spectat, ad beneficium, officium vel dignitatem ecclesiasticam electos, praesentatos vel nominatos ante litterarum necessariarum confirmationis vel institutionis exhibitionem admittentes ad eorundem beneficiorum, officiorum vel dignitatum ecclesiasticarum possessionem vel regimen seu administrationem, ipso facto a iure eligendi, nominandi vel praesentandi suspensi maneant ad beneplacitum Sedis Apostolicae* (cf. can. 2394, 3°).

Suspensio est partialis, a iure eligendi, nominandi vel praesentandi; dispensatio reservata est Sedi Apostolicae.

Poena afficit capitula et conventus admittentes, uti tales, aliosque omnes qui eiusdem delicti rei sunt extra capitula vel conventus. Poenas partim latae partim ferendae sententiae quas incurrit ad beneficium, officium vel dignitatem ecclesiasticam electus, praesentatus, nominatus, qui in eorundem possessionem vel regimen seu administrationem sese ingesserit, antequam necessarias litteras confirmationis vel institutionis acceperit easque illis ostenderit, quibus de iure debet, vide can. 2394, 1° et 2°.

133. XVI. 5. *Superiores religiosi qui, contra praescriptum can. 965—967, subditos suos ad Episcopum alienum ordinandos remittere praesumpserint, ipso facto suspensi sunt per mensem a Missae celebratione* (can. 2410).

Episcopus alienus intelligitur hic quilibet praeter Episcopum dioecesis, in qua sita est domus religiosa, ad cuius familiam pertinet ordinandus (cf. can. 965).

Casus in quibus Superiori religioso (absque legitimo privilegio) licet subditum ordinandum ad alienum Episcopum mittere vide can. 966 supra n. 131, 4⁰.

Superiores religiosi in hanc suspensionem incurrunt etiam si in fraudem Episcopi dioecesani subditum ordinandum ad aliam religiosam domum mittunt, aut concessionem litterarum dimissoriarum de industria in id tempus differunt, quo Episcopus vel abfuturus, vel nullas habiturus sit ordinationes (cf. can. 967).

Attendendum tamen ad „praesumpserit" unde sequitur quamlibet imputabilitatis imminutionem excusare a poena (cf. can. 2229, § 2).

Superiores religiosi hic intelliguntur Superiores non solum religionis proprie dictae sed etiam societatis virorum in communi viventium sine votis (cf. declarationem Pontificiae Commissionis ad Codicis canones authentice interpretandos 2.—3. Junii 1918; A. A. S. X. [1918], p. 347) quatenus societas privilegio gaudeat dimissorias concedendi ad Ordines suis subditis.

Suspensio est partialis, a Missae celebratione, nemini reservata

Index rerum.

Numerus arabicus numerum marginalem indicat.

A.

Abbas: eum ad iudicem laicum trahentes 79; contra praescriptum can. non benedictus incurrit suspensionem 125.

Abortus: eius procuratio inducit censuram 92.

Absolutio *a censuris:* quid sit 27; quot modis concedatur 28; quis eam concedere possit 29; in casibus occultis 30; condiciones ad eam requisitae 31; quando concedenda in foro interno, in foro externo 32; sine facultate concessa 77; potestas regularium 95.

— *a peccatis:* sine iurisdictione 126.

— *a peccatis reservatis:* sine iurisdictione 128.

Actus *legitimi ecclesiastici:* qui sint et quibus prohibendi 43.

Apostatae: a fide 57; eorum librorum editores, defensores etc. 61; ap. a religione 94.

Appellantes: v. **Concilium.**

Associationes: v. **Societates** *prohibitae.*

B.

Baptismus: a ministro acatholico pro pueris catholicis postulatus 87.

Beneficia *ecclesiastica:* a quo acquiri nequeant 45; eorum privatio per excommunicationem 46; simonia in iis acquirendis commissa 84; suspensiones, quae incurri possunt: in eorum resignatione 121; in eorum collatione 132.

Bona *ecclesiastica:* quae sint 99; eorum usurpatio 81; illicita alienatio 98 ss.

— *ad ecclesiam Romanam pertinentia;* eorum usurpatio 70.

C.

Cardinales: eos ad iudicem laicum trahentes 68; eorum violenta laesio 69; censurae ab iis incurrendae propter delicta in electione S. Pontificis commissa 104.

8*

M.

Matrimonium *attentatum:* a clericis vel professis vot. soll. aut cum iis 83; a professis vot. simpl. 93.
— coram ministro acatholico vel cum pacto liberos acatholice educandi 87.
Metus: qui ab incurrenda censura excuset 26.
Missae *celebratio:* simulata a non sacerdote 63; in loco interdicto 110.

O.

Officia *divina:* privatio usus eorum 39.
— *ecclesiastica:* simonia in iis commissa 84; quando suspensionem secumferat eius resignatio 121; eius collatio 132.
Ordo: eius simoniaca susceptio aut collatio 119; susceptio ab excommunicato, suspenso etc.; susceptio sine litt. dimiss., ante aetatem, per saltum 127; aliae suspensiones in collatione ordinum possibiles 131.

P.

Passio: in ordine ad incurrendam censuram 25.
Peregrini: num censuras incurrant 16.
Poena *ecclesiastica:* quid sit 2; eius finis 3; eius causa 4; poenarum divisio 5; ius ecclesiae eas infligendi 5; earum genera in Ecclesia 6.
Pontifex *Rom.:* eius violenta laesio 52; laesio legatorum eius 70; censurae propter delicta in eius electione commissa 105.
Privilegium *canonis:* in quo consistat 90; qui eo gaudeant 90; quomodo laedatur 91.

R.

Recurrentes ad laicam potestatem: ad impediendas litteras vel acta S. Sedis 65; ad impediendum exercitium iurisdictionis ecclesiasticae 67.
Regulares: eorum potestas absolvendi a censuris 95.
Religiosi: qui sint 9; num incurrere possint censuras episcopales 16; eorum violenta laesio 89, 91; matrimonium ipsi vel per alii cum ipsis attentantes 93; vel apostatae 94; fugitivi: censurantur 79; suspenduntur 124; dimissi: suspenduntur 118; aliquem ad eorum statum amplectendum cogentes 102; religiosus in sacris constitutus, cuius professio propter dolum nulla declaratur 129.
— *Superiores:* subditos suos contra praescripta can. ordinandos remittentes 133; eos ad iudicem laicum trahentes 79.
Reliquiae: r. falsas conficientes etc. 88.

S.

Sacramenta: quibus prohibeatur eorum susceptio 40; eorum administratio 41; susceptio vel administratio simoniaca 119.

Sacramentalia: quibus eorum usus prohibeatur 40.
Schismatici: qui sint et quam censuram incurrant 59.
Sectae: v. Societates *prohibitae.*
Sedes *Apostolica:* eius iura, litteras, libertatem impedientes 65 s.;
    eius legatos vel officiales ad iudicem laicum trahentes 68; eius
    litteras, decreta falsificantes 71.
Sepultura *ecclesiastica:* in quo consistat 97; quibus deneganda 40,
    97; infideles, apostatas etc. ei tradi mandates contrahunt cen-
    suram 97, 111.
Sigillum *sacramentale:* eius laesio 56.
Simonia: in officiis, beneficiis etc. 84; in ordinatione aliorumque sa-
    cramentorum administratione vel susceptione 119.
Societates *prohibitae:* quae prohibitae sint 74; quae personae prop-
    ter eas censurentur 75; absolutio talium personarum 76.
Sollicitatio: v. Denuntiatio.
Suffragia *Ecclesiae:* in quo consistant, eorum divisio, quinam iis
    priventur 42.
Superior *maior:* quis sit 79; v. religiosi superiores.
Suspensio: *quid* sit 113; quotuplex sit 114; eius effectus 115; quo-
    modo solvi possit 116; susp. hodie vigentes 117; quae sint cen-
    surae 119; susp. consideratae ut poenae vindicativae 129.

V.

Vagi: quasnam censuras incurrant 16.
Vicarius *Capitularis:* documenta ad curiam pertinentia subtrahens
    86; litteras dimissorias contra praescripta can. concedens 122.

Index.

SUMMA THEOLOGIAE MORALIS / INDEX GENERALIS TOTIUS OPERIS

SUMMA
THEOLOGIAE MORALIS

IUXTA CODICEM IURIS CANONICI

SCHOLARUM USUI

ACCOMMODAVIT

H. NOLDIN S. J.

EMENDATAM EDIDIT

A. SCHMITT S. J.

INDEX GENERALIS TOTIUS OPERIS

1951

EDITORIAL HERDER - BARCELONA

SUMPTIBUS FELICIANI RAUCH - OENIPONTE

INDEX GENERALIS
TOTIUS OPERIS

SCHOLARUM USUI

ACCOMMODAVIT

H. NOLDIN S. J.

EMENDATAM EDIDIT

A. SCHMITT S. J.

EDITIO X

1951

EDITORIAL HERDER · BARCELONA

SUMPTIBUS FELICIANI RAUCH · OENIPONTE

Nihil obstat. El Censor: Dr. Gabriel Solá Brunet, Pbro.

Barcelona, 9 de octubre de 1944.

Imprímase:

† GREGORIO, Obispo de Barcelona.

Por mandato de su Excia. Rvma.

Dr. Luis Urpí, Maestrescuela,

Canciller - Secretario.

Index generalis totius operis.

Numerus romanus tomum designat, numerus arabicus numerum marginalem indicat.

A.

B.

C.

Desiderium II.: mortis num sit peccatum 47. 329; perpetuo vivendi, num sit contra spem 48.

— *impurum* IV.: quid sit; efficax, inefficax 63; speciem sumit ab obiecto et circumstantiis 63; pollutionis naturalis num licitum sit 63; num coniugibus licitum sit 96.

— *pravum* I.: quid et quotuplex sit 331; quale peccatum sit 332; quando desiderium inefficax peccatum sit 332; num liceat proximo desiderare malum 333.

Desperatio II.: quid sit 49; simplex, qualificata 52; eius malitia 50; non admittit parvitatem materiae 50.

Determinismus I. 20.

Detractio, calumnia II.: quid et quotuplex sit 644; eius malitia 645; quomodo determinanda sit eius gravitas 646; quatenus specifice differat a calumnia 648; quot peccata committat coram pluribus detrahens 648; quatenus peccet audiens detractionem 654.

Diaconus III.: quando baptizare possit 64; quo ritu eucharistiam dispensare debeat 125; num contrahat irregularitatem, si absque commissione parochi sollemniter baptizat vel s. communionem destribuit 64. 126.

Dictamen *conscientiae* I.: quid sit 209.

Discipuli II.: eorum obligationes erga magistros 307.

Dispensatio *legis* v. **Lex.**

— *matrimonialis* III.: quae sit potestas s. pontificis 602; tribunalia, per quae dispensat 603; quae sit potestas ordinaria 604 s.; quae sit parochi et confessarii 606 s.; sine causa invalida est 609; quae causae canonicae 610; quae non-canonicae 611; quomodo petenda 612; in forma ordinaria, nobilium, pauperum 612; quae in supplicatione exprimenda sint 613; num valeat, si in supplicatione sit error 615; de solvenda taxa 614; in forma commissoria, in forma gratiosa concessa 617; quis eius exsecutor sit 618; quomodo exsequenda si pro foro externo concedatur 619; si a Poenitentiaria concedatur 620.

Dispositio III.: quale iudicium de dispositione poenitentis necessarium sit 390; ex quibus signis iudicium formari possit 391.

Disputatio *cum haereticis* II.: quatenus licita 40.

Dissimulatio *sacramentorum* III.: quid sit 38; ex iusta causa licita est 39.

Distillatio IV.: quid sit; quomodo a pollutione differat 41; num peccatum sit 41 v. **Pollutio.**

Distinctio *peccatorum* specifica, numerica v. **Peccatum.**

Distractio III.: voluntaria in administratione sacramentorum veniale non excedit 19.

Divinatio II.: quid et quotuplex sit 153; variae formae 154; eius malitia 155; quatenus licita sit virga divinatoria 158.

Divortium III.: *quoad vinculum* v. **Matrimonii indissolubilitas.**

— *quoad habitationem* III.: separatio ex mutuo consensu perpetua 664; temporanea 665; separatio ex causa unius partis perpetua 666; temporanea 667.

— *civile* III.: num iudici sententiam divortii pronuntiare liceat 669; num coniugibus petere liceat 671; advocatis causam divortii agere liceat 672.

Dolor *de peccatis* III.: venialibus, quomodo comparatus esse debeat 264; quando elici debeat, ut valeat absolutio 256; num elici debeat cum intentione confitendi 257; num sufficiat unus pro

L.

3*

R.

S.

Index canonum C. I. C.

qui in hoc opere continentur.

(Numerus pinquior designat locum in quo Cn. vel eius pars ex professo tractatur.)

Cn.	Numeri marginales	Cn.	Numeri marginales	Cn.	Numeri marginales
4	I 197; III 335	47	I 187	92	I 142, 143
5	I 205	50	I 182, 196	93	I 143; III 654
6	I 198, III 332, 546	53	III 619	94	I 184; III 64
7	I 131	54	I 186	96	III 589
8	I 106	56	III 619	97	III 594
9	I 155	57	III 618	103	I 56
10	I 141	59	III 619	108	I 150
12	I 144; II 675; III 556	60	I 197	111	III 464
13	I 144	61	I 129; III 343	114	III 464
14	I 152; III 422	63	I 194	120	I 150; II 720, 739
15	I 183, 235; III 500, 553, 566, 604	64	I 194	121	I 150
16	I 50, 168, 176; III 580	66	I 182, 193, 196; III 618	135	II 755
17	I 141, 158, 159	68	I 196	138	II 624
21	I 170	69	I 195	139	I 150; III 497
22	II 696; III 332	71	I 187, 197; III 343	183	III 343
23	I 198	72	I 190, 197	185	I 56
25	I 202, 252	73	I 191	188	III 576
26	I 202	74	I 191	196	I 128
27	I 202, 203	75	I 197	197	I 128; III 338
28	I 202, 204	76	I 190, 197	198	I 129, 198; III 341
30	I 205	77	I 191, 197	199	I 129; III 342
33	II 772; III 147	80	I 180, 183; III 601	200	I 182
34	III 639	81	I 183; II 777; III 500	201	I 128, 184; III 340
35	I 155	82	I 183	202	I 129; III 604
36	III 324	83	I 183	203	I 129
37	I 184	84	I 187	204	III 608
39	III 619	85	I 182; III 616	207	I 129; III 343, 347, 642
40	I 187	86	I 187	208	I 129
41	I 187; III 617	87	I 148; III 56, 556	209	II 720; III 347, 637
42	I 187	88	I 144; III 533	213	II 755
43	I 182; III 612, 613	90	III 464	214	I 56; III 466, 576
44	I 182	91	I 144; III 641	216	I 216
45	I 187			232	III 656

Cn.	Numeri marginales	Cn.	Numeri marginales	Cn.	Numeri marginales
237	III 476	523	III 353	755	III 81
239	II 381: III 318,	524	III 354	757	III 59
	339, 351, 367,	525	III 351	758	III 61
	462, 476	526	III 352	759	III 81, 83
242	I 133	527	III 354	762	III 599
246—	I 133	528	III 349	763	III 77, 599
257		529	III 349	765	III 78
247	III 159, 603	542	I 56; II 222, 517;	766	III 80
249	III 603		III 577, 664, 666	767	III 80
251	III 500	547	II 195	768	III 79, 599
257/8	III 603	563	III 558	769	III 79
267	III 489	566	III 349	770	III 66
274	III 318	570	III 195	773	III 82
291	I 131	572	I 56	775	III 82
306	III 183	573	II 207	776	III 82
320	III 656	574	III 473	777	III 83
323	III 183	579	II 206	778	III 64, 83
330ss.	II 297	610	II 755	779	III 546
331	III 656	613	I 194; III 335	780	III 87
335	I 154, 155	614	I 150	781	III 86, 87
339	III 183, 184	615	I 151	782	I 10; III 17, 89
340	II 297	620	I 184	783	III 89
349	III 318, 339, 367	632	II 225	784	III 89
363	I 159	680	I 150	785	III 90
397	III 126	693	II 37	786	III 92
401	III 341, 342, 363	727	II 181, 184	787	III 93
412	II 633	728	II 185, 189	788	III 91
440	III 183	729	II 189, 381	792	III 89
451	III 636, 637	730	II 184, 186	793	III 95
462	III 547, 650	731	III 36, 297	794	III 95
463	II 194	733	III 31	795	III 96
464	III 636	734	III 59, 434	796	III 97
465	III 636, 642	736	II 184	797	III 95
466	III 183, 184	737	III 17, 55	798	III 97
467	II 257: III 34	738	III 64	799	III 97
468	III 34; 331	739	III 64	800	III 546
471	III 636	741	III 17, 64	801	III 98
472	III 636, 642	742	III 64, 65, 75	802	III 124
474	III 636	743	III 75	805	III 182, 198
475	III 636	744	III 64	806	III 207, 208
476	III 636, 642	745	III 65 73	807	III 141
488	III 80, 348	746	III 61	808	III 146
500	III 349	747	III 70	809	III 178
501	III 349	748	II 72	813	III 213
514	II 687; III 127,	749	III 76	814	III 110
	349, 440	750	III 67, 68	815	III 105
518	III 349	751	III 69	816	III 107
519	III 349	752	III 73	817	III 103
520	III 352, 353	753	III 73	818	III 210, 212
521	III 352, 354	754	III 73	819	III 210
522	III 353			821	III 129, 205

Cn.	Numeri marginales	Cn.	Numeri marginales	Cn.	Numeri marginales
1001	III 467	1054	III 554, 609, 615,	1101	III 648, 650
1004	III 450		617	1102	III 651, 652
1006	III 475	1055	III 618	1103	III 653
1007	III 475	1056	III 614	1104	III 513
1008	III 476	1057	III 619	1108	III 646, 650
1009	III 476	1058	III 557	1109	III 646, 651
1012	III 507	1059	III 562	1110	III 654
1013	III 504, 513	1060	III 558	1111	II 280; III 654;
1014	III 511, 575, 634	1061	III 558, 559		IV 88
1015	III 513	1062	III 559	1112	II 282; III 654
1016	III 514, 515	1063	III 559, 652	1113	III 654
1017	III 526, 527, 530,	1064	III 558	1114	II 297; III 655
	535	1065	III 558, 563, 649		664
1019	III 546	1066	III 37, 546, 563	1115	II 297, 472; III
1020	III 546	1067	III 565		482, 655
1021	III 93, 546	1068	III 569, 560	1116	II 297; III 656
1022	III 547	1069	III 572, 573	1117	III 656
1023	III 547, 548	1070	II 35; III 574,	1118	III 518
1024	III 547, 548		575, 644	1119	LiI 519, 520
1025	III 548	1071	III 574	1120	III 520, 522
1026	III 547	1072	III 576	1121	III 523
1027	III 550	1073	III 577	1124	III 522
1028	III 549	1074	III 578, 579	1125	III 522
1030	III 551	1075	III 580, 581	1126	III 521
1031	III 551	1076	III 587, 591; IV	1127	III 511, 588
1032	III 641		21	1128	III 664
1033	III 546	1077	III 594, 596; IV	1129	III 666
1034	III 533, 552		21	1130	III 666
1035	III 510	1078	III 597	1131	III 667; IV 88
1036	III 552	1079	III 599	1132	III 667
1037	III 552	1080	III 600	1133	III 657 ss.
1038	III 555	1081	III 622		
1039	III 555	1082	III 624, 632	1141	
1040	III 555	1083	III 632	1133	III 658
1041	I 205; III 555	1084	III 632	1134	III 658
1042	III 554	1085	III 627	1135	III 658
1043	III 335, 604, 607,	1086	III 623	1136	III 659
	609, 616	1087	I 56; III 633,	1137	III 659
1044⎰	I 183; III 335,		634	1138	III 661 ss.
1045⎱	604, 606 ss. 657;	1088	III 626, 629		
	IV 97	1089	III 532, 629	1141	
1046	III 607	1090	III 626	1140	III 661
1047	III 601, 607, 663	1091	III 629	1141	III 661
1048	III 608	1092	III 630	1142	III 517
1049	III 608	1093	III 658, 659	1143	III 650
1050	III 608	1094	III 635, 643	1144	III 44
1051	III 297; III 483,	1095	III 637, 638, 642	1145	III 44
	604, 616	1097	III 639, 640, 641	1146	III 46
1052	III 615	1098	III 606, 645	1147	III 46
1053	III 581, 615	1099	I 148; III 644	1148	III 47
		1100	III 650	1149	II 37; III 47

Cn.	Numeri marginales	Cn.	Numeri marginales	Cn.	Numeri marginales
1150	III 49	1303	II 178	1441	II 184
1151	III 54	1305	II 179	1446	II 408
1152	III 47	1306	II 180	1465	II 184
1153	III 46	1307	I 56; II 205, 210,	1470	II 184
1154	II 178		214	1473	II 381
1160	II 178	1308	II 206, 207	1475	II 381, 755, 758
1161	III 200	1309	II 234; III 604	1486	II 184
1166	II 674	1310	II 216, 220		
1172	II 178; IV 26,	1311	II 223	1488	
	80	1312	II 224, 225	1495	II 367
1173	II 178	1313	II 233; III 335	1496	II 715
1174	II 178	1314	II 237	1497	II 180
1179	II 178	1315	II 225	1508	II 401, 408
1188	III 200	1316	II 240, 244	1509	II 408
1189	II 262	1317	I 56; II 246	1510	II 408
1192	III 201	1318	II 246, 247, 540	1511	II 408
1193	III 201	1319	II 249	1512	II 403
1194	II 262	1320	II 249	1513	II 556*
1195	II 262	1321	II 247	1515	II 556*
1196	II 178	1323	II 4	1517	II 556*; III 195
1203	II 716, 717	1324	II 31	1529	II 556*, 562
1207	II 178	1325	II 16, 28, 29, 32,	1541	II 607
1240	II 350; III 178		40; III 492	1543	II 577, 578, 583,
1241	III 178	1344	II 257		585, 586
1244	II 216	1348	II 257	1551	III 195
1245	I 183, 184; II	1351	III 489	1553	II 751
	264, 687	1363	III 464	1557	II 751
1246	II 257	1365	III 470	1565	I 152
1247	II 257	1374	II 296	1566	I 152
1248	II 137, 257, 266,	1384	II 696	1593	II 702
	275	1385	II 697, 698, 707	1624	II 721
1249	II 262	1386	II 124, 699	1646	II 732
1250	II 674 ss.	1387	II 700	1775	III 410
		1388	II 700	1791	III 556; III 552
1254		1389	II 700	1825	I 169
1250	II 677	1391	II 701	1937	II 184
1251	II 679, 682, 683	1392	II 701	1971	III 554
1252	II 674, 676	1394	II 702	1990	III 573, 574, 575
1253	II 674	1395	II 703	1991	III 573
1254	II 675	1396	II 696, 703	1993	III 576
1255	II 136	1397	II 704		
1256	II 136	1398	II 705	98	
1258	II 34, 37, 38, 39	1399	II 707, IV 59	2115	II 136
1259	II 700	1400	II 710	2197	III 37, 597
1261	II 150	1401	II 696, 710	2199	I 50
1273	III 128	1402	II 712	2201	I 50
1274	III 125	1403	II 713	2205	I 56; II 720
1277	II 136	1404	II 714	2206	I 177
1281 ss.	II 137*	1406	II 16; III 471	2218	I 50
1289	II 137**, 184	1408	II 16	2229	I 50, 56; III 363
1298	II 184	1410	II 380	2230	I 147; III 362

Cn.	Numeri marginales	Cn.	Numeri marginales	Cn.	Numeri marginales
2233	III 362, 369	2275	III 43, 47, 133,	2341	II 720
2237	III 335, 366		143	2343	III 489
2242	III 362	2284	III 43	2348	II 556*
2244	III 369	2290	III 335	2350	II 343
2245	III 362	2291	III 47	2351	II 350
2246	III 359	2293	III 489	2353	III 579; IV 27
2247	III 359, 367	2298	III 43	2354	II 586; IV 27
2249	III 369	2314	III 335, 489	2356	III 489, 572
2250	III 360	2316	II 38	2357	III 489, IV 16,
2251	III 369	2318	II 714		24, 43
2252	III 346, 367	2319	III 559, 652	59	
2253	III 335, 361, 367	2320	II 179; III 489	2363	III 379
2254	III 334, 335, 363,	2321	III 146	2366	III 347, 366
	369	2324	II 184; III 194,	2367	III 346
2260	III 47, 133, 143		469	2368	III 377, 379, 408
2261	III 33, 43	2325	II 178	2369	III 408
2262	III 178, 319	2327	II 184	2375	III 47
2264	III 33	2328	II 178; III 489	2388	III 576, 676
2265	III 617	2329	II 178		
2267	III 371	2338	III 366